TRANSMITIR INFORMAÇÃO É ABRIR CAMINHO PARA NOVAS CONQUISTAS

Uma homenagem ao Pe. Landell de Moura
(150 anos, pioneiro na transmissão de voz sem fio)

Os serviços de telecomunicações em banda larga,
prestados pela iniciativa privada em regime de competição,
são essenciais para incluir o Brasil na Sociedade do Conhecimento.
Os dados, informações, idéias e cultura por eles transmitidos
ampliam esperanças, inspiram realizações e
abrem caminhos para novas conquistas.

Telebrasil
ASSOCIAÇÃO BRASILEIRA DE TELECOMUNICAÇÕES

FebraTel
Federação Brasileira de Telecomunicações

CIVILIZAÇÃO BRASILEIRA

CB046725

IFE | INSTITUTO DE FORMAÇÃO E EDUCAÇÃO

Presidente:
Guilherme Malzoni Rabello

Vice-presidente:
Martim Vasques da Cunha

Instituto de Formação e Educação
Rua Boa Vista, 99 - 1º andar
Centro. São Paulo - SP
CEP 01014-001
Tel.: (11) 2837-1066
E-mail: contato@ife.org.br

DC Dicta&Contradicta

Editores:
Marcelo Consentino
Joel Pinheiro da Fonseca
Martim Vasques da Cunha
Guilherme Malzoni Rabello
Renato José de Moraes

Ilustrações:
Daniel Faiad Barreto

Projeto Gráfico:
Gustavo Garcia e André Arruda

CIP-BRASIL. CATALOGAÇÃO-NA-FONTE
SINDICATO NACIONAL DOS EDITORES DE LIVROS, RJ

D55
    Dicta&contradicta - N.1 (2008) -. - Rio de Janeiro : Civilização Brasileira ; São Paulo : IFE, 2008-.
    v. : il.

    Descrição baseada em: N. 7 (2011)
    Semestral
    ISSN

    1. Humanidades - Periódicos. 2. Artes - Periódicos.
3. Filosofia - Periódicos. I. Instituto de Formação e Educação.

11-2561.   CDD: 001.3
                            CDU: 1

Colaboradores:

Yves Bonnefoy
Chris Miller
Rémi Brague
Michael Burleigh
David Mamet
Leandro Oliveira
Julio Lemos
Nelson Boeira
Renato José de Moraes
Andrew Roberts
Anthony Daniels
Rodrigo Duarte Garcia
Martim Vasques da Cunha
Pedro Sette-Câmara
Cláudio Neves
Mario Laranjeira
Pedro Gonzaga
Jonas Lopes
Bruno Gripp
Eduardo Wolf
Jessé de Almeida Primo
Guilherme Malzoni Rabello
Felipe Garrafiel Pimentel
Luiz Felipe Amaral
Paulo Guilherme Cardoso
Fabio Silvestre Cardoso
Joel Pinheiro da Fonseca
Túlio Sousa Borges
Ruy Goiaba

Patrocinadores:

FebraTel — Federação Brasileira de Telecomunicações

Telebrasil — Associação Brasileira de Telecomunicações

Dicta & Contradicta é uma coletânea de ensaios editada semestralmente pelo IFE - Instituto de Formação e Educação, associação sem fins lucrativos que visa a estudar, criar e divulgar no Brasil conhecimento nos campos das Humanidades, das Artes e da Filosofia. Com exceção do editorial, as opiniões expressas nos ensaios que compõem a coletânea são de responsabilidade exclusiva dos seus autores e não refletem necessariamente as do IFE.

DC

Dicta&Contradicta

www.dicta.com.br

ÍNDICE

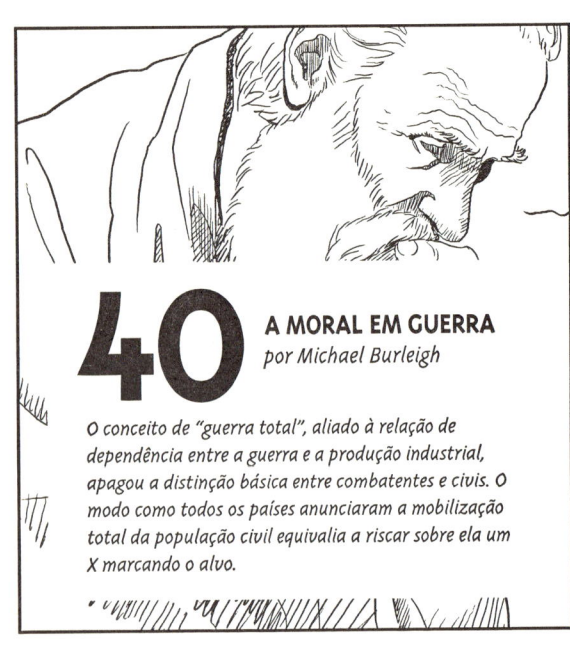

40 — A MORAL EM GUERRA
por Michael Burleigh

O conceito de "guerra total", aliado à relação de dependência entre a guerra e a produção industrial, apagou a distinção básica entre combatentes e civis. O modo como todos os países anunciaram a mobilização total da população civil equivalia a riscar sobre ela um X marcando o alvo.

170 — CINEMA
ROHMER: A COMÉDIA HUMANA DE MANEIRAS E IDÉIAS
por Jonas Lopes

150 — POEMA TRADUZIDO
POEMAS INÉDITOS DE YVES BONNEFOY

10 — O POETA IMPROVÁVEL
UMA CONVERSA COM YVES BONNEFOY
por Chris Miller

26 — ATEÍSMO OU SUPERSTIÇÃO?
A INATUALIDADE DE UM PROBLEMA CONTEMPORÂNEO
por Rémi Brague

54 — DO LADO DE LÁ
QUATRO ENSAIOS SOBRE TEATRO
por David Mamet

66 — PERFIL
PELOS CAMINHOS TORTOS DE MARSHALL MCLUHAN
por Leandro Oliveira

74 — FELIZ NOVA DIETA
por Julio Lemos

82 — FILOSOFIA
AINDA CABE FALAR DE CERTO OU ERRADO?
por Renato José de Moraes

92 — SOCIEDADE
QUANDO A POLÍTICA DO ORIENTE MÉDIO INVADE O CAMPUS
por Andrew Roberts, p.92

CESARE BATTISTI - MEMÓRIAS DE UM HOMEM CONDENADO
por Anthony Daniels, p.100

108 — LITERATURA
YVES BONNEFOY: PARA COMEÇAR, UM TRÍPTICO
por Chris Miller, p.108

SOB A FÚRIA DE NETUNO: MACHADO E O MAR
por Rodrigo Duarte Garcia, p.115

J.D. SALINGER: SETE REGRAS SIMPLES PARA DESAPARECER
por Martim Vasques da Cunha, p.124

EM BUSCA DA CATARSE PERDIDA
por Pedro Sette-Câmara, p.136

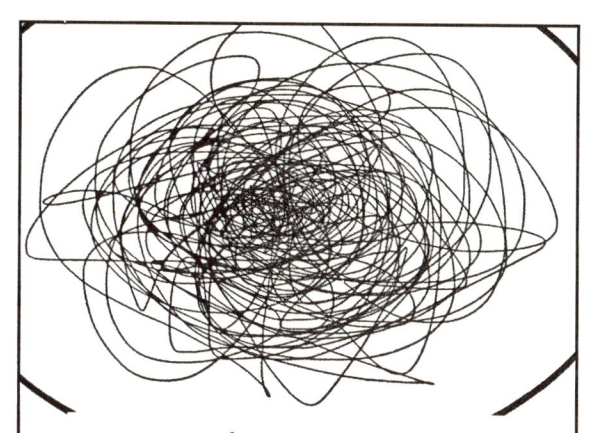

76 **FILOSOFIA**
LINGUAGEM DEGRADADA E CEGUEIRA PÚBLICA
por Nelson Boeira

A defesa da linguagem não é um arcaísmo, um anseio por padrões do passado ou a busca de um preciosismo na expressão. É o compromisso com a preservação de um dos instrumentos que tecem os diferentes estratos da experiência humana e permitem sua exploração continuada.

144 POEMA
ALGUMA POESIA
por Cláudio Neves

158 CONTO
A ARANHA
por Pedro Gonzaga

165 CONTO TRADUZIDO
A VIAGEM
por Washington Irving

178 MÚSICA
DIABOLUS IN MUSICA
por Bruno Gripp

182 ARTES PLÁSTICAS
DE LUGARES COMUNS E OUTROS LUGARES
OS 30 ANOS DO CLÁSSICO DE ARTHUR C. DANTO
por Eduardo Wolf

192 ANATOMIA DO POEMA, *por Jessé de Almeida Primo*
VIOLONCELO, *p.192*
SONETO VII, *p.194*
SONETO XII DE SHAKESPEARE, *p.196*
SONETO XXXII, *p.198*
"CASTELO INTERIOR", 105, *p.200*

202 SÁTIRA
COMO ESCOLHER UMA AMANTE
por Benjamin Franklin

204 CRÔNICA
UM CAIPIRA EM NOVA YORK
por Guilherme Malzoni Rabello

224 O LANÇAMENTO QUE NÃO HOUVE
O DIA DO JUÍZO
WHITTAKER CHAMBERS E O DESTINO DO OCIDENTE
por Túlio Sousa Borges

236 GENESIS
DA MENTE HERÓICA
por Giambattista Vico

248 HUMOR
TWITTER, MODO DE USAR
por Ruy Goiaba

210 RESENHAS

AS ALMAS DO PURGATÓRIO
(As almas do purgatório ou o trabalho de luto, *Michel Vovelle*)
por Felipe Garrafiel Pimentel, **p.210**

COMO FUNCIONA A FICÇÃO
(How Fiction Works, *James Wood*)
por Luiz Felipe Amaral, **p.212**

UMA RECICLAGEM NECESSÁRIA
(O Olhar da Mente, *Oliver Sacks*)
por Paulo Guilherme Cardoso, **p.214**

LÓGICA DE PRIMEIRA ORDEM
(Lógica de primeira ordem, *Raymond M. Smullyan*)
por Julio Lemos, **p.215**

CARTER, BLAIR E BUSH: MEMÓRIAS
(White House Diary, *Jimmy Carter*; The Journey, *Tony Blair*; Decision Points, *George W. Bush*)
por Fabio Silvestre Cardoso, **p.217**

O ASSUNTO PROIBIDO
(From Aristotle to Darwin and Back Again, *Étienne Gilson*)
por Guilherme Malzoni Rabello, **p.219**

O PESO DA MEMÓRIA
(Diário da queda, *Michel Laub*)
por Joel Pinheiro da Fonseca, **p.221**

Dicta & Contradicta

> *Dire la vérité, toute la vérité, rien que la vérité, dire bêtement la vérité bête, ennuyeusement la vérité ennuyeuse, tristement la vérité triste: voilà ce que nous nous sommes proposés. Nous y avons à peu près réussi.* [1]
> (Charles Péguy, *Le Triomphe de la République*).

Sete é um número cabalístico. Para os antigos indicava a totalidade, pois era a soma do "mundo" (os quatro ventos, os quatro cantos da terra, os quatro elementos) e da "divindade" (o três, primeiro primo ímpar, representava uma plenitude indivisível). Hoje continua a ter uma multidão de ressonâncias simbólicas, das sete cidades do Piauí aos sete samurais de Kurosawa. E, nessa veia, costumamos ver nos sete anos a chegada da "idade da razão".

Com este sétimo número a *Dicta* entra – esperamos – numa certa idade da razão. Nesses quatro anos, deixou de ser a aposta mais ou menos aloucada de um grupo de amigos que gostavam de discussões filosóficas regadas a café para se transformar num empreendimento editorial sólido. Para marcar este passo, como o leitor pode ver, a revista renovou-se na aparência, mas sem mexer uma vírgula no conteúdo: textos de fundo que ajudem a pensar. Todas as mudanças tiveram como meta melhorar a clareza comunicativa de algumas partes – especialmente do índice e da seção de resenhas – e dar mais viveza e agilidade gráficas aos textos.

O leitor terá percebido também outra mudança importante: o selo da Civilização Brasileira na capa, junto ao logo do IFE. Firmamos um acordo com o grupo editorial Record, nada menos que o maior da América Latina. É um exemplo de parceria efetiva: o IFE mantém total autonomia na edição da revista, pois a Civilização Brasileira, num gesto de confiança e magnanimidade, abriu mão de toda a interferência neste processo, emprestando ao mesmo tempo à *Dicta* seu prestígio e poder de fogo nas áreas de divulgação e distribuição. Ela, por sua vez, passa a contar com uma revista de alta cultura, de que ainda não dispunha.

Neste número, em comemoração, por assim dizer, permitimo-nos "exagerar" um pouco. Apresentamos, por exemplo, o "o último poeta da França", Yves Bonnefoy, numa entrevista exclusiva feita pelo nosso colaborador, o tradutor e crítico inglês Chris Miller, que também assina um artigo sobre Bonnefoy como poeta e ensaísta.

---

[1] "Dizer a verdade, toda a verdade, nada além da verdade, dizer burramente a verdade burra, irritantemente a verdade irritante, tristemente a verdade triste: eis o que nos propusemos. Quase conseguimos".

Além disso, publicamos traduções inéditas de alguns poemas selecionados da sua obra mais recente, *Raturer outre*, da mão do tradutor escolhido pelo próprio poeta, o prof. Mario Laranjeira.

A seguir, trazemos um texto inédito do professor da Sorbonne Rémi Brague, que analisa filosoficamente o binômio ateísmo-superstição. Deliberadamente "inatual" – porque "nosso problema mais atual é justamente que nossa sensibilidade está demasiado voltada para as questões atuais, para o aqui e para o agora" –, Brague vai montando nesse artigo um mosaico histórico que ilumina uma multidão de aspectos da modernidade. A título de exemplo, a citação que faz de Rousseau: os "princípios [do ateísmo] não matam os homens, mas os impedem de nascer [...]. A indiferença filosófica se assemelha à tranquilidade do Estado no despotismo; trata-se da tranquilidade da morte, que é mais destrutiva do que a própria guerra". Palavras no mínimo sugestivas num momento em que a natalidade está em queda livre em quase todos os países do Ocidente.

Numa dessas coincidências que na verdade não o são – pois a partir de certo nível todas as áreas do pensamento convergem –, o artigo seguinte, do historiador Michael Burleigh, dialoga com o de Brague e quase que o ilustra. Burleigh traça de um lado o panorama das diversas ideologias ateias que participaram da Segunda Guerra mundial e do modo como pretenderam servir-se da religião, e de outro o de uma moral e uma religião que se prestaram a fazer o papel de ideologias, isto é, superstições.

A seção "Do lado de lá" traz quatro ensaios curtos do cenógrafo, roteirista e polígrafo, ganhador do prêmio *Pulitzer* e duas vezes indicado ao *Oscar* David Mamet, dono de um estilo dialógico tão marcante que foi alcunhado de *Mamet speak*. Este é um dos primeiros benefícios da parceria, pois permite trazer em primeira mão essas seleções do livro *Theatre*, que será lançado pela Record no segundo semestre de 2011.

Haveria muito mais a dizer, mas precisamos avançar, pois neste editorial pensávamos realizar uma tarefa especialmente importante neste momento de renovação – pois, como sabemos, renovar-se significa acima de tudo voltar às raízes, aos ideais que nos impulsionam. Desde o nosso primeiro editorial, afirmávamos que a revista fora concebida para ser o cartão de visitas do IFE, Instituto de Formação e Educação; é hora, pois, de convidar o leitor a refletir conosco sobre o que pretendemos e sobre como concebemos nossa missão.

Um dos conceitos, ou preconceitos, mais inconscientes e ao mesmo tempo mais arraigados em nossos dias é que a cultura, especialmente a dita alta cultura, é uma espécie de "cerejinha" do bolo social. Muito bem, é bonitinha, confere um toque de acabamento ao conjunto, mas na vida real sabemos muito bem que é perfeitamente dispensável. Não acrescenta nada de essencial. Digamos a verdade: está sobrando.

O importante mesmo, pensamos, é o social, é a economia, é a política; para fazermos uma concessão aos "verdes", acrescentemos o ambiente. Num país como o nosso, a preocupação tem de ser a utilidade imediata: acabar com a miséria, melhorar a saúde pública, elevar os índices da educação básica, desenvolver a ciência, aumentar a renda, preservar o meio ambiente...

"Primum vivere, deinde philosophari", diziam os escolásticos medievais: "Primeiro viver; depois filosofar". Concedido. Em contrapartida, ninguém menos que John Maynard Keynes reconhecia que concentrar todas as forças de uma nação somente no desenvolvimento – coisa que ele defendia – significa "fazer de conta, para nós mesmos e para todo o mundo, que o certo é errado e o errado, certo, porque o errado é útil e o certo, não". Depois da fome por comida, a maior fome do homem, de todo o homem, é pela verdade, pela beleza e pelo bem. Garantido um nível básico de desenvolvimento – e o Brasil parece ter chegado e até superado este ponto –, a sociedade precisa de que umas poucas pessoas se ocupem da alta cultura, porque, paradoxalmente, assim como nos arcos de pedra é a de cima que mantém o resto, na pirâmide das prioridades humanas, é o topo que sustenta a base; ou, se quisermos, é a cereja que sustenta o bolo.

Uma imagem clássica nos ajuda a entender esse paradoxo: diz ela que o sábio (diríamos nós: o intelectual no seu sentido pleno, não o menino de recados da ideologia reinante) é como um cume nevado, cujas águas, tocadas pelo sol (Apolo, luz da sabedoria, fonte da verdade), derretem-se e vão formar os cursos de água (o intelectual médio, esmiuçador, aplicador e divulgador do conhecimento metafísico e antropológico gerado pelo primeiro) que por sua vez vão fecundar a planície (o povo, todo o povo, todas as jovens gerações que estão sempre necessitadas de educação).

De fato, se damos importância à erradicação da miséria, é porque o cristianismo nos ensinou, desde há dois milênios, a considerar todas as pessoas nossos iguais; se o progresso nos parece importante, é porque os pensadores do iluminismo enfatizaram há séculos esse conceito; se valorizamos o meio ambiente, é porque há questão de sessenta anos o zoólogo E.P. Odum lançou o termo "ecologia"; se a utilidade, é porque pensadores como Bacon e Descartes nos disseram que a filosofia devia servir ao bem-estar humano.

Para bem e para mal, o pensamento é o pai da ação, e o pensamento, entendido socialmente – a cultura –, apóia-se no seu cume, naqueles raros indivíduos que são especialmente dotados para a captar a realidade e refletir sobre ela, e para exprimi-la de maneira conceitual ou artística. Nos "intelectuais", numa palavra, especialmente nos que cultivam a "alta cultura", lidos inicialmente por poucos, mas depois explicados, adaptados, traduzidos, comentados, criticados, aceitos ou rejeitados pela multidão.

Certa vez, depois de uma conferência, alguém do público perguntou a Bruno Tolentino por que tinha escolhido a car-

> *A sociedade precisa de que umas poucas pessoas se ocupem da alta cultura, porque, paradoxalmente, assim como nos arcos de pedra é a de cima que mantém o resto, na pirâmide das prioridades humanas, é o topo que sustenta a base.*

reira de poeta. Com um sorriso maroto, respondeu que não tinha aptidão para mais nada. Da mesma forma, o intelectual não o é por mérito – não há nenhuma qualidade moral envolvida em sê-lo –, mas por dom; um dom que se manifesta tantas vezes por exclusão: não serve para mais nada. Como dizia o pai de um amigo nosso ao vê-lo fazer tarefas manuais em casa: "Estuda, meu filho, estuda, que para outra coisa não vai ter jeito".

Se, por um lado, não há valor moral maior em ser intelectual, cabe-lhe – passe a expressão, apesar de tão batida e maltratada – a responsabilidade social de encarnar a verdade, de exteriorizá-la, de dar-lhe corpo, e com isso de difundi-la e materializá-la. Em suma, deve "praticar a verdade", educar. E isso é o que o IFE pretende fazer, juntamente com todas as outras pessoas e instituições que se dedicam a essa tarefa: educar, ajudar na formação das futuras gerações de educadores sociais, os intelectuais, tarefa que num certo sentido recomeça do zero a cada geração.

Sem dúvida, é importantíssimo que haja quem se ocupe de tornar acessível a todos a educação básica e de todas as outras facetas do desenvolvimento social já mencionadas. Mas o que nos parece a nós membros do IFE é que aquilo que estamos capacitados a fazer é agregar intelectuais "de ponta" para benefício das futuras gerações de intelectuais. É evidente que não podemos nem jamais pensamos em realizar essa tarefa sozinhos, mero punhado de gatos-pingados que somos. Precisamos da ajuda e da colaboração e das opiniões de todos os que enxerguem a importância de um empreendimento desses, e agradecemos que no-las façam chegar. E alegra-nos que outros queiram fazer o mesmo, de acordo com as luzes que tenham, mesmo que sejam diferentes das nossas.

Quais as nossas "diretrizes educativas", como diria o MEC, quais as grandes linhas de acordo com as quais concebemos essa formação? Essa é uma pergunta a que já não é possível responder nesta edição, porque, como escrevia um dos editores, *ars longa, Dicta brevis*. Para terminar, só nos cabe seguir perseguindo nossa vocação e agradecer sempre, como de costume, a todos os que apostam nos nossos sonhos – à Civilização Brasileira, em primeiro lugar. E, é claro, ao paciente leitor.

O POETA IMPROVÁVEL

UMA CONVERSA COM YVES BONNEFOY

por Chris Miller

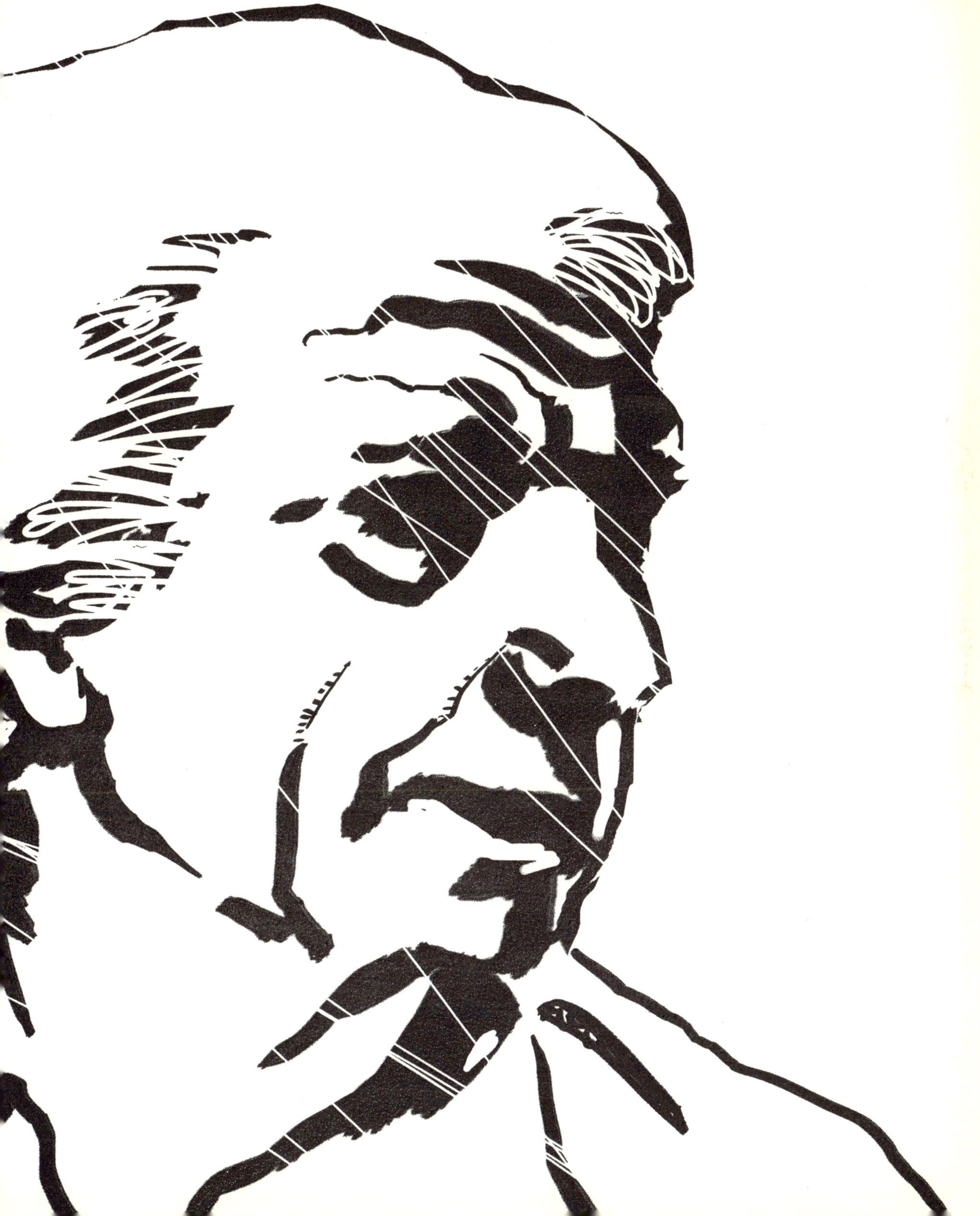

Yves Bonnefoy é freqüentemente descrito como "o maior escritor francês vivo" e um forte candidato ao prêmio Nobel. *Aos 88 anos, está mais ocupado do que nunca e encaixar uma entrevista com a* Dicta&Contradicta *só foi possível dentro de prazos bastante restritos. Não obstante, ele encontrou tempo, trabalhando artesanalmente cada resposta escrita selecionada entre um amplo leque de questões oferecidas. John T. Naughton, em seu livro sobre Bonnefoy, dizia: "No seu caso, afabilidade e simplicidade não são incompatíveis com a grandeza literária. Não sou o único a experimentá-lo; muitos estudiosos tanto na América quanto na Europa foram tocados pela generosidade de Bonnefoy". E cita a observação de Richard Stamelman de que Yves Bonnefoy é um poeta "no sentido mais profundo e pleno da palavra, em sua poesia, não menos do que no dia a dia". A história de minha amizade com ele dá a medida da sua generosidade; contá-la implica mencionar um outro poeta que talvez também interesse os leitores de* D&C.

Pois a história de meu encontro com Yves Bonnefoy está ligada à minha amizade com Bruno Tolentino, que conheci durante minha graduação, em 1974-75, em Oxford. Ele me apresentou à sua obra, a qual li cuidadosamente pela primeira vez no outono de 1977 e não parei de ler desde então. Para um estudante de letras clássicas e filosofia da linguagem isso abriu novos horizontes e, por um tempo, meu mundo foi estruturado pelo imaginário e pelo pensamento de Bonnefoy. Certa vez, no início da década 80, alguém me disse que ele havia morrido e imediatamente me dei conta do quanto gostaria de tê-lo conhecido em vida, preocupação que com alegria descobri ser prematura. O desejo, claro, não poderia ser recíproco, mas ele me recebeu com a maior gentileza, aliviando minha língua presa pela ansiedade com um suave fluxo de palavras e me apresentando a Le nuage rouge. *Em 1985, convidei-o a Oxford em razão do* Verse Festival *(ele estava na Inglaterra para o Festival de Poesia de Cambridge) e hospedei-o por uma noite em minha casa na 45 Walton Street, onde gastamos uma noite conversando sobre diversos assuntos. Cheguei a anotar alguns: Deguy, Celan, Jouve, Valéry e os dias de juventude de Bonnefoy em Londres. Lembro-me de ter travado no meio de uma frase, enquanto falava sobre os* Mercian Hymns *de Geoffrey Hill, incapaz de encontrar a palavra certa em 'anglo-saxão', a qual Bonnefoy intuitivamente me forneceu. Em suas visitas subseqüentes a Oxford encontramo-nos várias vezes; numa delas, se não me engano durante uma palestra no Taylorian, em 1987, recordo-me de perguntaram ao Yves: "não acha que a poesia é impossível depois de Auschwitz?", ao que respondeu muito sucintamente: "E a prosa?"*

Bonnefoy nos fala aqui sobre tradução, estruturalismo, a relação entre política e poesia, e o declínio das crenças religiosas na Europa. Mas fala também sobre sua casa na Alta Provença, onde Dans le leurre du seuil *foi escrito, e comoventemente evoca a memória de seu pai, com quem tinha dificuldades de comunicação. Amarrando uma questão à outra com graça inimitável, ele parece envolver o interlocutor com sua vasta inteligência. Cada resposta abre uma janela para uma das maiores mentes literárias de nossos tempos.*

Que tipo de relação o senhor tem mantido com os seus tradutores, em particular com Mario Laranjeira?

Sua primeira pergunta, caro Chris, permite-me reevocar as boas lembranças do meu tradutor brasileiro, Mario Laranjeira. Se há algo que lamento é não poder ter um trato mais íntimo com aqueles que me fazem a honra de traduzir-me na sua língua. Mario e eu nos vimos uma vez, por ocasião de uma sua viagem à França; e logo me pareceu evidente que fôramos feitos para nos entender, com amizade. Mas o Brasil é longe da França. Que paradoxo! Entre os leitores de uma obra, o tradutor é o que mais se aproxima dela, obrigado como está a seguir-lhe todas as palavras, todos os pensamentos; poder-lhe-ia ser um interlocutor tão benéfico quanto o mais agudo dos críticos, mas é quase por definição que o tradutor tem de viver muito longe daquele a quem deve compreender. E, para o autor traduzido, desconhecer o idioma a que se vê trasladado não facilita em nada o aprofundamento da relação. Deste ponto de vista, devo distinguir entre os meus tradutores em inglês, em italiano – mesmo em espanhol e em catalão, que posso ler, ou bem ou mal decifrar – e todos os outros.

E as relações, evidentemente, são bastante distintas, com uns e outros. A bem da verdade, tenho pensamentos um pouco contraditórios sobre a tradução, e o efeito de tais contradições não é o mesmo, em ambos os casos. De um lado, eu aprecio, fundamentalmente, que o tradutor se entregue à sua liberdade, e, com efeito, não possa reencontrar uma obra de maneira autêntica senão no espaço da sua relação consigo próprio, o que causará deslocamentos bastante audaciosos – porém legítimos – nos significantes que compõem o original. Por exemplo, o tradutor deve viver a sua própria música, e não sacrificar os ritmos [*nombres*] que traz dentro de si. Manter os ritmos? Sem dúvida – mas sobretudo os timbres. Pianista que é, não deve imitar o violino no seu teclado, mas dialogar com ele, a fim de salvar, a duas vozes, a intuição nodal da obra em questão, que, felizmente, está além das diferenças de toque. Digamo-lo de outro modo. Quando traduzo, não sustento minha prosódia, minha métrica, naquilo que percebo no texto de origem: só estou à vontade nas minhas próprias, só nelas posso ser suficientemente livre para endossar outro autor, e fazê-lo com algum sentido. E se "*labour*", num poema de Yeats, parece-me significar essencialmente "criação" [*enfantement*], e não "trabalho", empregarei aquele, não este termo, ainda que o texto inglês, na ambigüidade da palavra "*labour*", não se decida sobre a superioridade de um sentido sobre o outro.

Mas, concomitantemente, quando leio uma tradução de uma obra minha, eu não consigo me furtar a seguir, nesse trabalho, o que se tornaram as idéias e sentimentos que creio ter expressado, ou ao menos sugerido, e logo passo a lamentar que o tradutor se tenha distanciado deles... Inconseqüência? Sim, infelizmente. Mas que se apossa de mim somente no caso dos tradutores que sou capaz de ler. Trata-se, pois, de dois tipos de relação. Com esses, isto é, os tradutores em italiano, em inglês, e também em espanhol, a necessidade de que certas nuances do meu pensamento se tornem audíveis nos seus escritos me leva a lê-los atentamente, desde que mos queiram mostrar. Então há discussões de detalhe que poderiam muito bem parecer ociosas, mas nas quais tenho um grande interesse, de um ponto de vista, decerto, que me importa muito mais do que o destino dos meus próprios textos: a saber, a comparação entre as línguas, a reflexão sobre o que bem se pode chamar de o seu gênio particular.

Sou muito partidário das intuições de Humboldt, isto é, de Wilhelm von Humboldt, o lingüista. Creio que se aprende muito ao comparar, por exemplo, como um francófono e um anglófono escutam as palavras; e gostaria mesmo muitíssimo – isso evidentemente é só um sonho – de poder estender essa investigação para o chinês ou o japonês, porque alguma coisa de essencial para a poesia certamente se revela quando passamos do universo da notação alfabética àquele construído pelos caracteres chineses, originalmente ideogramas. – Tudo isso para dizer que sinto certa frustração quando penso em tudo o que não posso partilhar com muitos dos meus tradutores: quer seja Mario Laranjeira ou aqueles do Extremo Oriente.

O senhor considera a literary theory, a desconstrução etc. como espécies de opressão? A crítica é a opressão dos escritores – opressão natural dos países democráticos?

É verdade que, no decorrer dos anos, eu muitas vezes fiquei impaciente com o pensamento e os métodos de análise textual que, na França, reinaram por muito tempo sob a rubrica de "estruturalismo". Não sei se o estruturalismo é um pensamento característico dos regimes democráticos, mas pode muito bem acontecer que ele se coloque a serviço de uma necessidade de tutelar o espírito e de frear a expressão do sentimento pessoal – a qual, de resto, mesmo na sociedade democrática, não encontra facilmente um espaço onde se exerça. Eu não gostava daquele léxico sobrecarregado de conceitos muitas vezes bem pouco científicos, na verdade, o qual, com as suas pinças grossas, tentava apreender o significado dos textos. Pois o exegeta, nesse caso, não se dava conta de que a poesia não é feita para significar, mas para deixar as palavras cheias de intensidade, e de poder de designar coisas fundamentais, na nossa relação conosco ou com outros seres aqui e agora, isto é, nos acasos da vida que não se deve sequer sonhar em abolir, como queria Mallarmé. Nesta época do estruturalismo no poder, conhecemos uma outra espécie de *langue de bois*[1], certamente menos sufocante que a dos regimes totalitários, e nada mortífera, decerto, mas igualmente muito pouco útil à intelecção da poesia.

Mas se uma tal consideração dos poemas e dos poetas acabou por enfraquecer-lhes a viva presença no seio da sociedade – em particular nas escolas, liceus e universidades –, e por afastá-los de espíritos que, em circunstâncias diversas, poderiam muito bem ouvir-lhes o reclamo no fundo de si mesmos, ela jamais impediu aos verdadeiros amigos da poesia – nunca muito numerosos, sobretudo na França – de preservar-lhe a necessidade, encarecer-lhe a diferença e, por fim, resgatá-la das leituras que não reconhe-

---

[1] "Língua de madeira": modo como se designava na União Soviética a linguagem oficial do partido comunista (*N. do T.*).

cem o seu valor. Passou o tempo em que jovens pesquisadores me confessavam não precisar afetar qualquer interesse por poesia – ou, em todo o caso, nenhum que fosse além das dissecções nos diversos laboratórios: lingüística, psicanálise... – se quisessem obter um posto de conferencista. Já desde há muitos anos tem havido uma grande renovação da intelecção do poético no ensino, em especial o universitário. Baudelaire e Rimbaud são ouvidos, Mallarmé é um pouco menos idolatrado por razões a que não gostaria de anuir. Eu poderia citar alguns professores que hoje sabem mais sobre o que é a poesia, na sua essência e a sério, do que muitos dos que se dizem poetas. É preciso sublinhar esse fato, para extirpar desde logo certos preconceitos detestáveis. Foi o que eu tentei fazer ao publicar recentemente *La communauté des critiques* (*A comunidade dos críticos*), um livro em que mostro os inúmeros liames que existem hoje entre a universidade e a poesia: entre a palavra dos grandes poetas do ocidente e do oriente, e a preocupação de historiadores e filósofos.

Filósofos! Nesse livro eu não falo de Jacques Derrida, mas poderia tê-lo feito, com grande estima e simpatia. Pois de nenhum modo eu confundo o pensamento estruturalista, que rebaixava a experiência poética ao texto que dela proveio, e reduzia esse texto a certas formas que nele pensava encontrar, com um trabalho de desconstrução como o que Derrida empreendeu. Derrida percebia a incessante deriva que acomete os conceitos no momento mesmo em que crêem estabelecer-se em sistemas. Ele estava, pois, muito próximo da poesia, que é, por definição, a palavra que questiona o conceitual, a transgressão dos sistemas que se tentaram estabelecer, assumindo então esta pseudo-intemporalidade que é o olvido e a negação da verdade propriamente humana: ela é um saber do tempo que é vida e morte, uma adesão ao que esse tempo espera de nós.

Qual é a relação entre a política e a poesia? (Penso precisamente num conceito esboçado por Lucy Alford, uma filósofa norte-americana cujo intuito seria fundar uma teoria dos direitos do homem sobre a qualidade da atenção inerente à leitura – e também à composição – de um poema.)

Desconheço completamente os escritos de Lucy Alford, mas o que você diz sobre eles já de imediato faz um enorme sentido para mim: antes quisera conhecê-los. Ora, diante do que eu acabo de recordar, a propósito da compreensão estruturalista da poesia, destaque-se desde logo que aquilo que chamo de poesia é antes a recusa dos sistemas conceituais totalizadores, mesmo quando substituem simples esquemas do mundo como tal: esse mundo que é um conjunto de existências, não de coisas. E visto que ela toma consciência e guarda a memória dessa grande realidade una e indissociada que o discurso conceitual fragmenta e quer-nos fazer esquecer, vê-se logo que essa poesia nos levará a recusar outra visão dos homens e mulheres senão como presenças plenas, vivas e livres para fazer valer o seu direito próprio, autorizadas na sua dignidade: o que, precisamente, é o projeto da democracia. Posso afirmar, e esta é uma das minhas grandes certezas, que, se possuímos o senso da poesia, se queremos fazê-la florescer em nossa consideração do mundo, fatalmente seremos democráticos em nossa relação com a sociedade. Saber escutar a poesia é reencontrar na própria fonte a declaração dos direitos do homem, é revitalizá-la, é extraí-la das interpretações ideológicas que lhe costumam dar, é dar-lhe um futuro: se é isso o que Lucy Alford ensina, ela tem toda a razão.

Digamo-lo de outro modo: o poético e o político são a mesma coisa. O pensamento conceitual, analítico, é intemporal por natureza, limita-se a enunciar generalidades, e, pois, não pode alcançar a nossa relação com o tempo que, em nossa vida, feita de nascimento e morte, de acasos e reencontros, é a relação essencial. E como, nessas condições, um tal pensamento poderia nos permitir ver plenamente os outros seres, mesmo os mais próximos? Se nos fiamos no conceito, o outro desaparece do nosso horizonte, a sociedade se fragmenta, a abstração reina, a ideologia predomina: essa ideologia cujo escopo fundamental é destruir o indivíduo que a contradiz. Mas para lutar contra esse mal, inerente à sociedade, há, pois, a consciência poética. É ela que pode executar o que é da alçada do político – a reflexão sobre as relações sociais –, diferente da constatação da fragmentação, da pulverização que acabo de mencionar.

Quando Milosz disse "O que é a poesia que não salva/ povos e nações?", levantava essa questão entre as ruínas de Varsóvia, antes de se lamentar por ela. O senhor acredita que possa haver uma salvação na poesia? Em caso afirmativo, para quem?

E o que é que acaba de me ocorrer, justamente agora, senão que a poesia, e apenas ela, é que pode reerguer a sociedade humana? Ou, melhor dizendo: a intuição que procura aprofundar-se e perpetuar-se nos poemas é a única que permitiria ao Eu e ao Outro que se reencontrassem, que se aliassem. A poesia é, pois, um caminho para a sociedade. Mas esta última pode não escutar a primeira. E nada prova que basta essa ambição poética dentro de nós para que triunfemos sobre outros aspectos do nosso ser no mundo, eles sim destrutivos, evidentemente. São essas forças malignas que pareciam ganhar o jogo em Varsóvia, quando Milosz andava por aquelas ruínas.

Mas a luta nunca chega ao fim, e se receamos que a poesia jamais pudesse vencê-la de fato, continua sendo verdade que ela jamais deixará de querer recomeçá-la. E Milosz teria cometido um erro se, ao pronunciar tais palavras, o seu intuito fora incriminar o poético como tal, em vez de simplesmente deplorar-lhe a força excessivamente fraca, em certos momentos da história. Teria cometido um erro, pois isso equivaleria a trocar a poesia por uma ilusão que não tem pé na realidade, por um devaneio que o evento histórico não cansa de desmentir – e fazer crer numa tal coisa seria nos privar do nosso principal recurso.

Ora, sim, com efeito, é bem verdade que os poetas sonham, e crêem muito facilmente que a sua exigência de uma sociedade rejuvenescida, uma vez transparente, satisfaz-se com esta ou aquela maneira de viver, que acreditam ser a melhor – e são ingênuos, tomam seus próprios desejos por bens naturalmente compartilháveis, e tudo isso é motivo de revés, e os dias que se seguem a esse revés são extremamente infelizes. Mas a poesia não pode ser confundida com os sonhos a que muitos poetas sucumbem. E o que são, na verdade, esses sonhos, senão propriamente sistemas conceptuais que ocultam a profundidade cuja memória a poesia busca preservar? A poesia deixou-se iludir por eles? Sim, e mesmo então apenas por um átimo, mas essa memória, que é a sua vida, vai pedir-lhe um ressarcimento. E esse ressarcimento, essa obstinação em se retomar a si mesmo, é que é de fato o seu grande recurso, o qual seria desastroso desconhecer, enxergando no poético apenas o ilusionismo que o corrói.

Por que Rimbaud é um poeta tão imenso? No livro em que falo da "necessidade" que temos da sua poesia, intitulei a introdução de *Espérance et lucidité* (*Esperança e lucidez*). E o que eu procurava dizer com essas duas palavras não é senão isto: ao longo da sua breve carreira, Rimbaud deixou-se arrebatar por diversas utopias, por exemplo, ora a idéia da revolução comunista, ora a esperança de uma vida que o "desregramento" sistemático "de todos os sentidos" lograsse modificar. E toda vez ele fracassou, mas transformou a lucidez que descobria esse revés numa incitação a se retomar a si mesmo. Ele tentou essa retomada várias vezes, donde o seu valor paradigmático e a necessidade que temos da sua obra, da sua palavra. Nós precisamos desses recobros da esperança — uma esperança laica — nesta "hora nova" em que não dispomos mais do recurso (insistentemente enganador, diga-se de passagem) das promessas supra-terrenas.

Se considerarmos a cultura essencialmente religiosa do Ocidente com olhos incrédulos, o que veremos?

Boa pergunta, depois dessas considerações sobre Rimbaud, cuja lucidez foi de encontro aos ensinamentos da religião do seu tempo, mas não sem sofrer grandes tentações nesse domínio, nem tampouco sem haver compreendido mui profundamente o que há de verdade na palavra cristã. É verdade que nos cercamos de todos os lados seja das dogmáticas ou das angustiadas palavras do cristianismo. Milhares de monumentos, de imagens, a extraordinária música de igreja que, com Bach, com Haendel, com Haydn, nos faz participar de eventos em que absolutamente não acreditamos, como a ressurreição dentre os mortos. Tudo não passa de profissões de fé, e o mais das vezes explícitas. Mais embaixo disso, porém, em nosso lugar natural e também social, encontramos as formas sempre ativas dos mitos do paganismo, que também são crenças de que não podemos mais nos apropriar, mesmo se – e de modo bem mais instintivo – aderimos a boa parte da sua sensibilidade. Se você visita nossas aldeias, escuta-lhes o nome, e reconhece os deuses e semideuses celtas e até pré-celtas em trajes levemente emprestados ao culto dos santos ou à lenda dos mártires. É muito difícil não se deixar tomar de novo pela fé, tal como a vivíamos antes – a fé dos camponeses medievais, ingênua, imiscuída nos seus trabalhos quotidianos –, quando continuamos a conviver com essas capelas, esses oratórios que eles construíram como simples casas, com tanta seriedade, tanto senso, dir-se-ia, inato da beleza simples. Na França, somos todos pagão-cristãos que, de um modo ou de outro, geram conflito entre as duas verdades, das quais a segunda tem desde há muito tratado a primeira de diabólica, recusando muitas das suas necessidades. Mas tenhamos cuidado! Um ambiente assim complexo é, sim, motivo de embaraço, isto é, de infelicidade. Rimbaud apela aos seus ancestrais gauleses, mas se sente escravo do próprio batismo, e se verá obrigado a fugir desse "continente em que a loucura ronda". Mas é também um meio de que dispomos para nos libertar, para compreender.

Esse mundo que herdamos, esses pontos da sociedade ou do solo em que o antigo sagrado floresce ainda, costumam identificar-se com certos lugares, com efeito, lugares com seus caminhos, suas árvores e vegetação características, seus vastos campos à volta das aldeias ou a montanha quase ao pé da porta da última casa. E também – se não desde o início – com certas cores, certos odores que foram recolhidos através dos séculos para cerimoniais ao mesmo tempo renovados e semelhantes, como o odor do manjericão, que a Antiguidade legou ao cristianismo. As crenças da nossa história se estabeleceram em lugares, e esses lugares, por sua vez, inculcaram nelas a sua verdade própria, a qual transcende em muito as tensões que se produzem na religiosidade fundamental quando esta última não aprofundou suficientemente a relação consigo própria. Sol e nuvens, vindimas, colheitas – são cifras que repatriam a seriedade do espírito na existência vivida, e a sua verdade, tão simples, é uma pacificação. O Cristo para oferecer o vinho? Sim, o vinho da videira à mão. Jesus à procura da ovelha desgarrada? Sim, mas como um pastor abrindo caminho por entre o rebanho que berra à sua volta, dentro do redil. A terra cresce nas crenças. O passado das crenças vividas outrora, não extintas senão transformadas, faz-se um solo, um húmus em cuja fermentação se formaram – e viveram – novas plantas. Há verdade nessas fossilizações, nessas macerações de sonhos antigos, uma verdade à moda vegetal, de necessidades fundamentais que reverdecem na primavera sobre a selva morta dos fantasmas.

Pensemos em *Waste Land*, de T. S. Eliot. O que esse poema diz, em última instância, é o desarranjo de uma sociedade que se privou dos lugares onde as evidências do mundo natural regeneram o espírito extraviado pelas crenças. Enquanto, na verdade, há muito que receber do nosso ambiente, mesmo – ou sobretudo – se ele foi expressão de religiosidades sucessivas. Olho para esta ou aquela capela do século XI ou do século XII. E ela me fala por meio de que coisa senão por meio da pedra que a constitui, blocos admiravelmente desiguais acoplados por juntas de mera argila? E o que faz essa pedra, que ao mesmo tempo, e plenamente, afirma o seu próprio ser de pedra, de matéria, e consente com o projeto do mestre de obras, senão manifestar, não só a evidência, mas também a boa vontade, a porção de verdade de uma realidade natural que não se pode desconhecer, como faz o cristianismo, e que se deve empregar para viver melhor? Depois disso, quantas imagens de pintores e de escultores para receber esse ensinamento e no-lo transmitir! Nas estátuas de pedra ou de madeira do século XV, ou nos quadros do século XVII – pensemos nos irmãos Le Nain –, a inteligência do lugar terrestre e sua vida simples é igual à da arquitetura romana. Nesses trabalhos, as palavras do universo religioso são levadas em consideração, nuançadas, quase curadas, pela forma do corpo, pela evidência das suas emoções e dos seus desejos: o corpo, esse outro aspecto da terra viva, que, como ela, mostra a sua face, a despeito das ideologias que se valham de termos abstratos para pilhar e saquear suas riquezas.

A privação de determinada paisagem alguma vez o inspirou?

Sem dúvida nenhuma! Mas isso se você, como eu, entende por "inspiração" o ímpeto repentino que nos arrebata a esta investigação de si mesmo que é a escrita de poesia, porque pressentimos que um acontecimento ou um lugar ou uma pessoa são o influxo a partir do qual nos reencontramos, e podem abrir novos caminhos por entre nossas palavras rumo à nossa presença diante de nós mesmos. Sim, eu tenho escrito sob o estímulo de lugares, de paisagens que amei e de cuja presença me vi privado. Mas essa mesma privação me deu azo a uma enorme renovação. Meu livro *Dans le leurre du seuil* (*Na ilusão do limiar*) foi escrito na Alta Provença, numa região de *garringues*[2] e de pedregulhos, com montanhas baixas na linha do horizonte, e azuis vespertinos, como em Poussin. E essa região que eu amava tanto e tão profundamente foi o lugar e mesmo a causa de uma tomada de consciência, a saber, consciência do caráter ilusório da minha empreitada, àquela altura – a reforma de uma casa muito grande e de estrutura excessivamente forte (tratava-se de um convento, cujo centro era a capela), com o intuito de lá viver –, mas essa renúncia não significava que eu tinha de abandonar essa região, essa paisagem. Precisei de alguns anos para me dar conta dessa conseqüência, para medir-lhe os efeitos sobre mim. Foram dez anos sem escrever poesia, depois dos quais eu voltei com *Ce qui fut sans lumière* (*Aquilo que foi sem luz*).

Mas essa coletânea, e também as que se lhe seguiram, era mui diferente de *Dans le leurre du seuil*, e isso precisamente porque a Alta Provença deixara de ser uma experiência direta e quotidiana, para tornar-se, a partir de então, tão-somente uma lembrança. "Le souvenir" (*A lembrança*) era o título do primeiro poema do livro novo. O qual inaugura uma outra prática da escrita, a passagem de uma experiência imediata do sensível à obsessão das lembranças, com todos os outros traços do tempo passado que encontramos na memória, o que reorientou minha investigação justamente para esse tempo, e me induziu a questionar-lhe as lições e tentar desarmar-lhe as armadilhas. Donde as boas razões para me engajar mais que antes na escuta do sonho, que tão evidentemente é um dos guardas da memória. O primeiro poema de *Ce qui fut sans lumière*, que acabo de mencionar, é ao mesmo tempo uma lembrança e um sonho, um sonho efetivamente vivido, em algum lugar entre o sono e a escrita, e procura o seu caminho nesse nível de indistinção em que, depois, amiúde me encontro, não porque adoro sonhar, como se diz, sonhar para afastar-me da vida, senão porque o fluxo onírico oferece para todos

---

[2] Vegetação característica das regiões em torno do Mediterrâneo, de arbustos baixos, esparsos, muitos deles aromáticos e de floração colorida (*N. do T.*).

as suas encruzilhadas de lucidez. Uma paisagem interior se entreabria em "Le souvenir" lá mesmo onde uma paisagem terrestre se desvanecia.

O projeto da poesia, numa existência, não é, pois, ao menos às vezes, o de clarificar uma pela outra? O de encontrar nas grandes paisagens do lugar terrestre as sugestões simbólicas que nos permitem analisar e expulsar nossos fantasmas, esses simbolismos incrustados no não-ser? E quando falta o lugar, quando o horizonte que escolhemos por haver pressentido uma afinidade imediata com nossos desejos e nossa inquietude desaparece, bruscamente, dos nossos dias e noites — não se trata de nos voltar para ele pelo ardente pensamento, a fim de rememorar suas grandes proposições, mais bem compreendidas agora porque começamos a ter justa noção das arapucas em que andávamos metidos desde a terrível primeira infância? Bem como o cavaleiro da busca do Santo Graal, à medida que avança, faz a terra gasta voltar à vida, e dissipa os feitiços que paralisavam, no seu caminho, as comunidades em que temos de reconhecer os problemas, bem o sei eu, de um estar no mundo de que se alija a poesia.

Os poemas de Raturer outre *têm um estilo bem despojado, mais próximo da língua falada. Por quê?*

Suponho que você mo pergunte, precisamente, porque eu acabo de falar da relação essencial entre poesia e memória. *Raturer outre* (*Rabiscar além*), com efeito, foi para mim uma sondagem da minha memória mais antiga. Em certos poemas do livro anterior, isto é, *La longue chaîne de l'ancre* (*A longa corrente da âncora*), eu me havia dado conta de que confinar-me a uma forma mais ou menos fixa — no caso, a estrutura estrófica do soneto — fazia, pela necessidade de obedecer-lhe, com que surgissem palavras imprevistas, palavras carregadas, inclusive, de pensamentos que eu costumava reprimir. O soneto se revelava um agente de elucidação, um método de anamnese. Decidi, então, confiar-me a ele, e surgiu *Raturer outre*, cujo título já é o programa. E, com efeito, esse trabalho me permitiu uma descoberta. Não tanto uma descoberta dos próprios problemas — minha relação de criança com o meu pai, com aquela sua tristeza, aquela sua solidão —, senão a intensidade do afeto que lhe nutria: reprimem-se sentimentos tanto quanto se reprimem desejos.

E é esse retorno do que estava reprimido que explica o que você chamou de estilo despojado, e mais próximo da língua falada, dessa vintena de poemas. Pois o que eles mostram são momentos da minha infância, cujos protagonistas viviam em lugares e tinham ocupações maneiras de falar que não sou capaz de reencontrar se lhes não permanecer mais ou menos fiel. Eu me revejo em casas, em ruas, em jardins que voltaria a perder se me ativesse às palavras mais universais e mais fundamentais que a poesia emprega em sua busca de uma vida "nova", de uma terra. Eu ouço nesses sonetos a palavra ordinária de antigamente: se não exatamente as mesmas palavras, ao menos palavras do mesmo registro, no uso quotidiano. E se o estilo, como você diz, tende para o oral, para a língua falada, é porque esses poemas são fruto do meu enorme desejo, hoje em dia irrealizável, de falar, simplesmente, diretamente com quem então não falava. Eu era muito jovem para saber falar assim, enquanto meu pai inda era vivo. Mas descubro nesses poemas que nem por isso eu deixava de o desejar.

Talvez a onipresença, em meus livros anteriores, de um vocabulário essencial – árvore, pedra, estrada: palavras decalcadas das situações ordinárias da existência social – seja efeito, em certa medida, da repressão que acabo de mencionar. O relato do projeto de "mudar a vida" de uma energia que ficara ociosa quando vim a compreender que não podia mudar vida nenhuma, que doravante estava extinta.

Por que a mimese nos dá tanto prazer?

É verdade que, na situação que acabo de evocar, em que a criança encontra em espírito o pai a quem não soube se dirigir, a representação pictórica das coisas, mais ou menos como as vemos em nossa experiência quotidiana, aparece como verídica: permite-nos quedar com o que o pai e o filho teriam visto juntos, no momento em que houvessem conversado. A mimese não é somente a captação do mundo visível pela malha dos conceitos, a qual substitui o infinito interior das coisas por suas figuras e definições: ela é também o que reata a imaginação na condição efetiva e na situação presente das pessoas tais como são, o que a dota de seriedade, de gravidade, e até de algum calor. Ao protegê-lo das deformações do sonho, a mimese reconstrói-nos o lar na imanência do que vivemos, com nossas aspirações, nossas aflições.

Vem-me à mente um quadro – o retrato de Korovin, feito por seu amigo, o também pintor Serov –, em que, sob o cotovelo do modelo, se pode ver um coxim raiado de vermelho e branco. Esse coxim, evidentemente, é o que via o retratista, o qual tentou reproduzi-lo tão fielmente quanto possível, com uma arte, na relação das cores entre si, que já produz beleza, isto é, o tipo de beleza que uma pintura abstrata procura. Mas essa pintura, esse retrato, não é precisamente uma abstração e, você tem toda a razão, o que nos agrada nas cores é a circunstância de pertencerem a esse coxim em particular, esse coxim que existe fora da obra e cuja vida elas perpetuam. Por que tanto interesse por esse coxim, por que esse prazer na representação tal como a mimese a concebe, por que temos prazer nessa coisa humilde que provavelmente nem notaríamos se estivéssemos naquele mesmo cômodo, em presença de Korovin? Mas você observou: o coxim é esmagado pelo cotovelo do modelo. E eu, por meu turno, me pergunto se Serov não exprimiu, clara mas inconscientemente, esta virtude que eu atribuo ao trabalho da mimese: esse trabalho, ao menos de vez em quando, pode reunir a realidade imediata em torno da relação entre o eu e o outro, instituindo um lugar que ambos compartilham, um lugar onde o artista pode se levar, por pouco que seja, e nós com ele, ao encontro do outro. Enquanto as imagens criadas pela imaginação errante e livre de rédeas consagram o pintor à solidão.

Eu sinto em Camille Pissarro uma espécie de prosaísmo salvacionista.

Sim, eu também, mas não consideremos essa palavra – prosaísmo –, que dá refúgio às coisas simples, como oposta à idéia de poesia. Pissarro, o grande Pissarro, evoca nas casas do vilarejo, na forma da estrada, no trabalho dos ceifeiros, aquilo que constitui o lugar humano em seu nível próprio, isto é, o nível em que a

> *Saber escutar a poesia é reencontrar na própria fonte a declaração dos direitos do homem, é revitalizá-la, é extraí-la das interpretações ideológicas que lhe costumam dar, é dar-lhe um futuro.*

relação mais íntima com o mundo pode estabelecer-se. Pissarro pinta reunindo, estreitando a trama do lugar vivido, a sua prosa é fidelidade à coisa ordinária, mas com fito de vê-la em nossa presença. Por isso foi mais poeta que Cézanne, que foi seu aluno. Porque Cézanne só pensava em pesquisas de pintura pura, em experiências do ser solitário, visando ao absoluto sem cura de ninguém além de si.

Às vezes os "poetas menores" têm mais a nos dizer que os grandes poetas; nos tocam mais de perto.

Sem dúvida nenhuma! Pissarro está no limiar desta outra vertente da nossa herança, a saber, aquela em que não reinam – com os seus gemidos, com a sua dor – os grandes poetas com que temos de nos revigorar. Mas eu não gosto da expressão "poetas menores", a qual pode dar a entender que a poesia estaria apenas minimamente presente nos autores assim designados. Pois a experiência poética é um instante de intuição que ou é ou não é, que não conhece gradações, e que, uma vez havida, permanece viva no espírito: tanto que um Maurice de Guérin ou um Gilbert Lely, cujas obras somam pouquíssimas páginas, são tão verdadeiramente poetas quanto quaisquer outros. A sua diferença em relação a Baudelaire ou Rimbaud, a Wordsworth ou Goethe, deve-se procurar em outros planos que não na intensidade do sentimento poético – por exemplo, na idéia da vida que mantêm mais próxima da sua existência particular e, pois, devotada a seres e coisas que não têm vontade de colocar à vista dos outros. O que pode parecer trair a vocação para o universal do projeto da poesia, mas não por isso deixa de ter o seu sentido. Pois compartilhar suas afeições não é desde logo um tipo de generalização, isto é, um risco de perder de vista, numa escrita já desatenta, o infinito interior, o infinito secreto? O poeta considerado menor é freqüentemente o que mantém sua intuição recolhida às circunstâncias da sua existência pessoal. Mas se o visitarmos com simpatia, poderemos reviver-lhe experiência: estar bem perto de coisas que não sabíamos mais como são.

Típica dessa maneira de existir em poesia é a obra de Pierre Albert Jourdan, cuja qualidade – e grandeza – ignota eu devo recordar. Jourdan focalizara sua relação com o mundo no seu pequeno jardim de Caromb, na Alta Provença, cujas árvores em flor, abelhas, – aparentemente bem pouca coisa – ele evocava, mas escutemo-lo com atenção, e eis que na filigrana dessa palavra modesta os grandes aspectos do ser no mundo, o sentimento taoísta do vazio, a necessidade cristã da compaixão, nos falam com singular eloqüência. Digamos que há muitos falsos poetas, macaqueadores cujo nome às vezes é célebre. Admitamos que há autores canhestros, que não acedem ao poético senão casualmente, sem qualquer consciência. Mas lembremos que Gérard de Nerval foi por muito tempo considerado – salvo por uma exceção: Baudelaire – um poeta "menor".

O senhor me revelou a existência de uma sua correspondência com Bruno Tolentino. Fale-nos um pouco dessa amizade, que alguns, fiando-se (por assim dizer) na mitomania de Tolentino, já quiseram colocar em dúvida.

É verdade que conheci Tolentino, é verdade que lhe tinha amizade, mas isso me autoriza a pensar que o compreendi suficientemente bem para falar a seu respeito hoje? Eu não saberia pintá-lo com coerência, quando mais não seja, à falta de poder reencontrar em minha memória suficientes traços dos acontecimentos, sempre de pouca importância, que balizaram nossas relações. Você diz que na correspondência que depositei no IMEC, um local de arquivamento da literatura contemporânea, há uma vintena de cartas dele, que vão de 1966 a 1981 – e julgo rever essas missivas, a sua escrita cerrada em vivo movimento que às vezes se estendia por numerosas páginas. Mas não lhes tenho mais o conteúdo presente no espírito.

Bruno Tolentino, um fabulador? Em Paris ele já dava a impressão de sê-lo, tão espantosas eram algumas de suas afirmações, mas também porque ele falava assim como andava, a passos largos, o que fazia supor que não olhasse muito onde punha o pé. E pode ser que mais tarde, de volta ao Brasil, ele tenha dito coisas inexatas de nossas relações, ao menos sob certo aspecto; mas da existência de uma relação amigável não é possível duvidar. Durante os anos em que Bruno viveu na Europa, ele veio me ver muitas vezes, mostrou o que escrevia, chegou mesmo a enviar-me – para a leitura e uma eventual publicação, mas absolutamente não pude ajudá-lo, pois sempre me recusei a exercer um papel de conselheiro no Mercure de France – todo um manuscrito escrito em francês, excelente francês: *Le Vrai Le Vain (O Verdadeiro O Vão)*. E esse livro justificava que se levasse o seu autor a sério. Havia em tais páginas uma facilidade de escrita, um gosto da forma por si mesma, que levava a suspeitar de uma idéia antes passadista da poesia, ou ao menos pouco ciosa do voto de "escavação", de esquadrinhamento da profundidade psíquica, próprio ao trabalho especificamente poético. Mas Bruno era jovem, e mostrava uma ânsia de escrever, de viver, que não havia razão de não olhar com simpatia. Ele imitava outros poetas nesses poemas que evidentemente inventara em língua francesa, mesmo se palavras portuguesas lhe nascessem da pluma no mesmo momento? Sim, mas quantos jovens autores não o fizeram antes de encontrar o próprio caminho? E esse primeiro texto em francês era uma bela ocasião para Bruno visitar a herança prosódica da nossa língua, que ele falava de fato fluentemente! E para os que nasceram em meio francês e sofreram desde a infância os logros da prosódia regular – ocasião de saber compreender a tempo o que precisavam fazer, em poesia!

Nós conversávamos sobre os mais diversos assuntos. Sobre pintura, por exemplo. Eu o apresentara, juntamente com sua jovem esposa, a Jacqueline Lamba, cujos quadros ele adorava e até mesmo, me parece, chegou a comprar um. Bruno também veio a conhecer, por meu intermédio, alguns dos meus amigos, como Gaëtan Picon e Jean Starobinski, o último dos quais provavelmente se lembrará dele. E eis um fato que demonstra bem que ele não era sempre um mitômano no burburinho das relações de amizade. Como eu me houvesse violentamente emocionado com "Morte e vida severina", apresentada no Théâtre de l'Odéon, Bruno me convidou a passar um dia na companhia de João Cabral de Melo Neto em Berna, o que então fizemos: uma recordação, essa, que não perdi, pois é grande a minha admiração por esse poeta, e grande também a simpatia que desde logo me inspirou. Almoçamos juntos, passamos a tarde a falar de poesia e de amigos pintores como Tapiès, e Cabral de Melo parecia nutrir uma amizade efetivamente sincera por Bruno Tolentino, e parecia conhecê-lo há bastante tempo. O que também levava a pensar que esse poeta evidentemente "de esquerda", como se diz, não avaliava o amigo tão mal assim no quadro político da terra natal, comum a ambos.

> ***A poesia não é feita para significar, mas para deixar as palavras cheias de intensidade, e poder de designar coisas fundamentais, na nossa relação conosco ou com outros seres aqui e agora, isto é, nos acasos da vida que não se deve sequer sonhar em abolir.***

Depois disso, veio o dia em que o jovem brasileiro – jovem e um pouco tresloucado – trocou Paris por Londres ou Oxford, e então só mandava raras notícias, até desaparecer por completo, mas eu não sabia por quê. E minha surpresa foi grande, certa vez em que eu tinha de dar uma conferência em Oxford, ao encontrá-lo na primeira fila da sala. Sempre o mesmo, um pouco volúvel, muito caloroso. Eu partiria no dia seguinte, ele veio me procurar em meu hotel para acompanhar-me no ônibus rumo a Cambridge, falando de si e de tudo o mais, dizendo-me sei lá mais o quê. E era como se não tivéssemos deixado de nos ver, aqueles últimos anos, mas logo se seguiu o maior silêncio da sua parte. O tempo passava, e eu fui levado a crer que doravante não teria mais notícias dele.

São muito imprecisas essas indicações que eu lhe dou a respeito, caro Chris, tenho pouca lembrança de fatos e datas, e não tomo nota deles, não tenho um diário – e, ao menos por ora, não disponho mais das cartas que recebi de Bruno Tolentino. Mas posso dizer mais o seguinte: certa feita, eu recebi do Rio de Janeiro, me parece, em todo o caso do Brasil, um telefonema de alguém – tratava-se de um livreiro – que queria saber se eu havia mesmo conhecido Tolentino, como este último alegava. "Sim, é verdade", respondi-lhe, depois conversamos, e percebi que ele retornara ao país, e dava o que falar. E ainda muitos outros anos se passaram, e uma tarde o telefone tocou, e era Bruno. "Estou em Paris", disse-me, como se houvéssemos conversado na véspera. À noite ele viria jantar comigo, mas então que surpresa! Não era mais, evidentemente, aquele jovem vivaz, agitado, alegre, que eu conhecera. Mas o homem maduro que eu via diante de mim absolutamente não era o que eu podia imaginar que o Bruno de outrora viesse a ser. O que era, pois, aquele senhor engravatado, vestido de pardo, e portanto todos os signos da sociedade mais ordinariamente burguesa?

Como quer que seja, muito subsistia, debaixo das aparências, do Bruno de antanho, sobretudo uma como que pressa que lhe inflamava os assuntos. Esse ressurgido falou-nos de roldão dos livros que publicara – foi então que mencionou pequenos opúsculos devocionais em verso, escritos por ele e vendidos aos milhares? – e dos dramas da sua saúde. Ele deveria estar morto, dizia, fora inclusive considerado perdido pelos médicos, contando apenas com algumas horas de vida, mas então ressuscitara, o que ele considerava uma graça divina. Escutamo-lo com estupefação, e estávamos a ponto de crer nas suas palavras. Chegando a hora, ele se foi, prometendo mais uma vez mandar notícias suas. Mas eu não tive mais o menor sinal de vida.

....

Nascido em junho de 1923 em Tours, Yves Bonnefoy realizou estudos em matemática, história das ciências e filosofia na Universidade de Poitiers e na Sorbonne, onde diplomou-se com tese sobre Baudelaire e Kierkegaard sob a direção de Jean Wahl. Após viagens de estudos pela Itália, Holanda e Inglaterra, instalou-se definitivamente em Paris decidido a se consagrar à poesia. Convidado a lecionar em diversas universidades desde 1960, foi professor do Collège de France de 1981 a 1993. Doutor honoris causa por várias universidades, entre as quais as de Oxford, Roma e Chicago, foi condecorado com o Prix des Critiques (1971), o Grand Prix de Poésie da Academia Francesa (1981) e o prêmio Kafka (2007), entre outros. Além de sua consagrada obra poética, publicou dezenas de ensaios sobre literatura, artes plásticas e filosofia.
Nesta edição de D&C o leitor encontrará alguns de seus poemas inéditos traduzidos por Mario Laranjeira, além de um ensaio de Chris Miller sobre sua obra.

Tradução de Érico Nogueira.

ATEÍSMO OU SUPERSTIÇÃO?
A INATUALIDADE DE UM PROBLEMA CONTEMPORÂNEO

por Rémi Brague

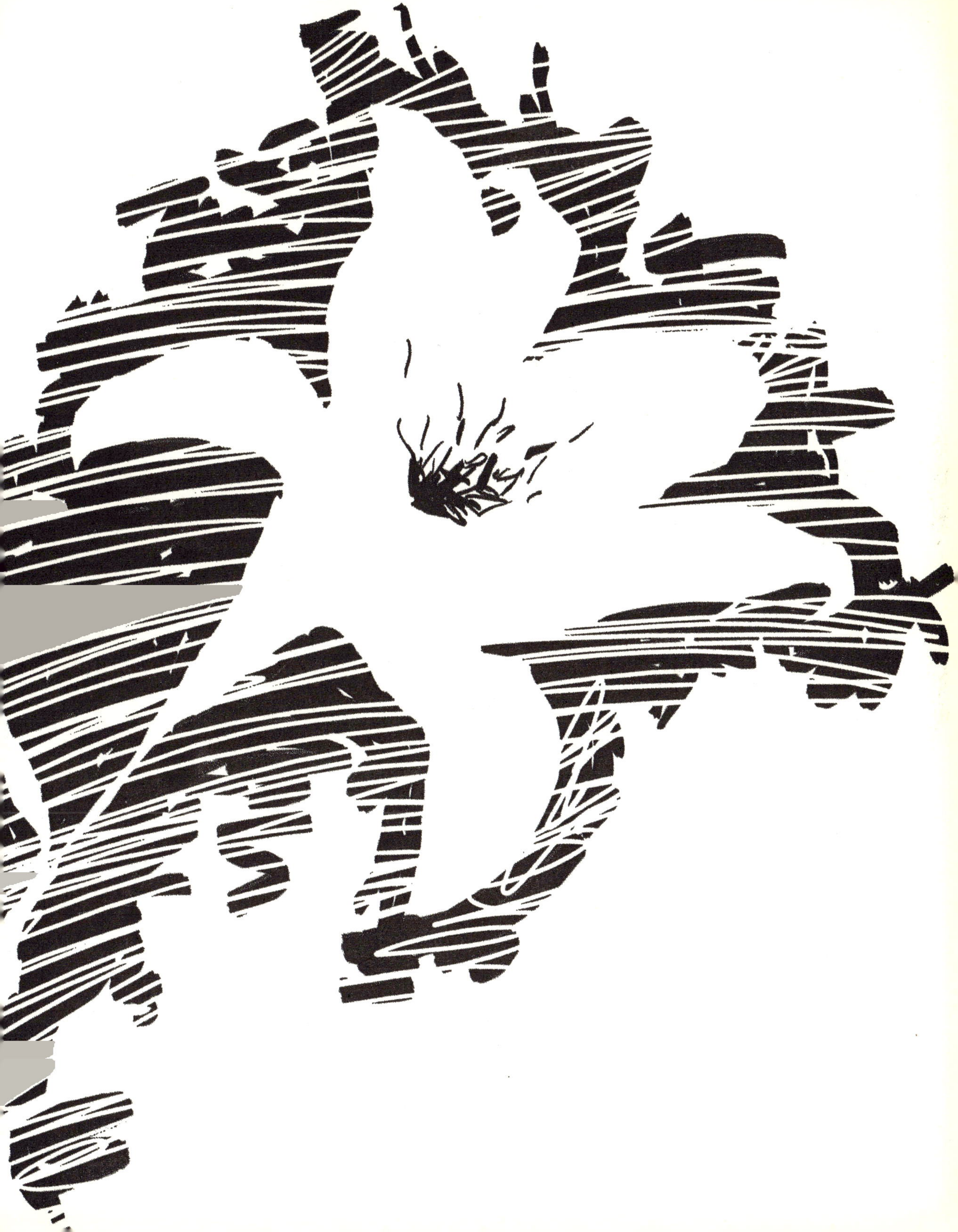

Em 1873, Ignace Goldzhier deixou Budapeste e partiu para o Oriente. O jovem, então com 23 anos, que se tornaria o maior especialista no islã de todos os tempos, encontrou em Istambul, enquanto estava de quarentena, um grupo de turcos. Rapidamente travou boas relações com todos, à exceção de um, "o mais fanático entre eles", em suas palavras. Este explicou-lhe que os incréus, a quem falta a característica distintiva da humanidade, isso é, a razão enquanto faculdade que permite o conhecimento de Deus, não são homens, mas animais com aparência humana.

Estamos diante de uma espécie de "cena primitiva". O erudito ocidental, que tinha perante o islã uma atitude favorável, e até de admiração, já possuía uma categoria para classificar imediatamente seu interlocutor: tratava-se de um "fanático". Por sua vez, o turco se considerava um crente piedoso, que tão-somente conhecia bem o seu Corão. Por isso, ele via Goldziher, que prezava muito seu judaísmo, como um daqueles ateus que, por não possuir a verdade religiosa, tinham deixado o domínio humano, e constituíam "os piores dos animais" (Corão, VIII, 22).

Encontrei essa história por acaso, enquanto tentava familiarizar-me com a personalidade de Goldziher para escrever uma introdução a uma seleção de artigos seus. Mas sem dúvida seria possível encontrar coisas análogas em todas as situações em que os ocidentais entraram em contato com outras culturas.

Infelizmente, essa cena não perdeu nada de sua atualidade, tirando o fato de que, nela, os protagonistas não são sempre os mesmos. Os inimigos hereditários são rapidamente trocados. Há poucos anos, o "mau" era o "comunismo ateu", e nós, tão bondosos, formávamos o "Ocidente cristão". Hoje, aos olhos de nossos adversários favoritos, somos os "sem Deus"; e eles, para nós, são fundamentalistas que vivem na superstição mais obscura. E também aqueles de quem tanto queremos nos distinguir são, quer venham do Texas ou da Arábia Saudita, "fanáticos".

Desejo aqui tomar uma certa distância da atualidade. Esse é o primeiro sentido de meu subtítulo, que promete considerações inatuais. Gostaria de esclarecer um pouco os conceitos de base que, nesses casos, empunhamos com a confiança de um sonâmbulo: não é a primeira vez que se contrapõem de um lado o ateísmo, a superstição e o fanatismo — estando a religião, talvez em alguma parte entre os dois extremos. Pelo contrário, aqui estamos diante de uma questão bastante antiga: o que é melhor, a incredulidade ou a superstição?

O objetivo deste trabalho é tratar dessa questão. Por isso, precisarei contar na forma de um esboço a história da comparação entre superstição e ateísmo. Como diversos conceitos nela se misturam, é útil fazer uma breve lista de três aspectos que guiaram essa comparação. De início, há uma questão psicológica: será mais agradável ser supersticioso do que ser ateu? Depois vem uma questão teológica: qual das duas atitudes constitui a blasfêmia mais grave perante a divindade? Por fim, surge a questão política: desses dois tipos humanos, qual constitui o cidadão mais dócil e mais pacífico?

A superstição como ateísmo

As duas primeiras questões já foram propostas na Antigüidade Clássica. Não são, portanto, completamente originais.

A idéia de superstição apareceu, na verdade, como uma subespécie do ateísmo, não como seu contrário. Para Platão, há três tipos de ateus. Os primeiros simplesmente não acreditam que os deuses existam; os segundos admitem a existência dos deuses, mas não acreditam que eles se ocupem das coisas humanas; os terceiros acreditam na existência dos deuses e em sua providência, mas supõem que eles se deixam corromper pelos homens e que fecham os olhos para suas transgressões, graças a propinas como preces e sacrifícios.

Segundo Epicuro, que fazia parte da segunda categoria distinguida por Platão, o maior ateu era aquele que tinha dos deuses a mesma imagem que o vulgo: "Ímpio (*asebés*) não é aquele que nega os deuses da turba, mas aquele que atribui aos deuses as opiniões dela".

Platão e Epicuro formam *strange bed-fellows*. Ainda assim, suas concepções de ateísmo são semelhantes. Para Platão, o supersticioso é *um* certo tipo de ateu; para Epicuro, é o ateu por excelência.

Esse argumento foi mantido pelos Padres da Igreja. Por exemplo, Arnóbio, no começo do século IV, reuniu todo tipo de argumento contra os deuses pagãos para utilizá-los a favor do cristianismo. Por que, perguntava-se ele, chamavam "ateus" àqueles que ou negam a existência dos deuses, ou duvidam dela, ou ainda aqueles que, no espírito de Evêmero, divinizam os benfeitores da humanidade, ao mesmo tempo em que se esquecem de que eles mesmos deveriam ser considerados ateus, uma vez que atribuem a seus deuses diversos crimes indignos deles?

Plutarco: ateísmo ou superstição?

Plutarco (45-120) foi o primeiro autor a considerar o ateísmo e a superstição duas atitudes diametralmente opostas. Um tratado inteiro compara-os, de maneira breve, mas sistemática. O opúsculo exerceu grande influência sobre o público culto de toda a Europa. Isso aconteceu sobretudo por meio de traduções – o original grego foi impresso pela primeira vez em 1509 por Alde Manuce em Veneza, como parte de uma edição integral dos *Moralia*. Em 1471, esses ensaios já tinham sido traduzidos para o latim. A tradução de Jacques Amyot (1572) é uma das grandes obras da língua francesa, tendo obtido sucesso considerável, inclusive fora da França.

Os termos usados por Plutarco são interessantes por si próprios. Ele não fala em nenhum momento de "ateísmo" no sentido de uma teoria, mas sim de uma atitude em relação ao divino. A palavra grega que ele usa nesse sentido é *atheotès*. A palavra que ele usa para referir à superstição, *deisidaimonia*, não contém de modo algum a idéia de "fé", idéia que aliás só transmite de modo bastante problemático o que existia na religião grega. A palavra significa antes de tudo o temor perante o divino.

Segundo Plutarco, convinha preferir o ateísmo à superstição. Mas, para ele, que era um homem piedoso, e até sacerdote de Apolo em Delfos, o ateísmo só podia ser um último recurso. A melhor atitude, cuja menção conclui o pequeno tratado, é uma piedade esclarecida que constitui a posição justa entre os dois extremos, que Plutarco decidiu designar como *eusebeia*.

O objeto cuja existência é afirmada pelo homem religioso e negada pelo ateu não são tanto os deuses, mas sim o divino, no neutro (*to theion*). O ateu é aquele que imagina que "não existe nada de bem aventurado e de incorruptível" (*mèden einai makarion kai aphtarton*).

O ateísmo é uma decisão da razão (*logos*); a superstição é uma paixão (*pathos*). O ateísmo é uma insensibilidade diante do divino (*apatheia pros to theion*); ele crê que o Bem não existe; a superstição é um excesso de paixão, que suspeita de que o Bem seja maligno.

O ateísmo não diz nada de mau sobre os deuses. A superstição, por sua vez, é uma blasfêmia. Honra mais os deuses quem diz que eles não existem do que quem os chama de ladrões, de vingativos, de adúlteros. Plutarco mesmo não ficaria ofendido com alguém que negasse sua existência. Ele também preferiria que as pessoas achassem que Plutarco não existe a que achassem que ele devora seus filhos no momento em que nascem, como Cronos teria feito, segundo os poetas.

A superstição é essencialmente um medo (*phobos*), e isso porque tem um efeito paralisante sobre as inteligências. Como paixão, ela tira da alma tudo que a impulsiona a agir (*drasterios horme*). Ela conduz a um fatalismo extremo: o doente supersticioso não procurará o médico. Deus, diz Plutarco numa fórmula magnífica, deveria ser a esperança da virtude, não o pretexto da lassidão (*aretes elpis ho theos estin, ou deilias prophasis*).

Não só o ateísmo é impiedade (*asebeia*); também a superstição merece ser estigmatizada como impiedade. O homem supersticioso concebe a dominação dos deuses como uma tirania. Ele deseja secretamente que os deuses não existam (*tê proairesei atheos*). Ele chega a ter inveja dos ateus, que não sentem medo. Assim, a superstição é um ateísmo preguiçoso ou inconseqüente.

Alguns dos Padres da Igreja se aproximaram da visão de Plutarco. Um exemplo foi Hilário, bispo de Poitiers. Uma frase sua foi citada por Edward Gibbon. Hilário escreveu que uma ignorância total de Deus era melhor do que uma fé equivocada. Com um sorriso que percebemos sem dificuldade, o historiador escocês observa que o bispo teria ficado surpreso com a companhia filosófica de Bayle e de Plutarco (*the bishop of Poitiers would have been surprised in the philosophical society of Bayle and Plutarch*).

A idéia teve vida longa e foi retomada diversas vezes. Assim, pouco depois da metade do século XIX, os irmãos Goncourt escrevem em seu *Journal*: "Se Deus existe, o ateísmo lhe deve parecer uma injúria menor do que a religião."

Entretanto, nem todos consideravam o ateísmo melhor do que a superstição. Encontramos também defensores da tese contrária. Um exemplo é Jean Bodin, que, em seu tratado latino sobre o método da historiografia (1572), menciona historiadores como Tito Lívio, que relatam milagres inacreditáveis, e depois Políbio, que zomba desse tipo de relato. Ele então escreve que perdoaria com mais facilidade os primeiros, que são supersticiosos, do que os céticos pertinazes. De fato, a superstição é melhor do que a impiedade, e é melhor ter uma religião falsa do que nenhuma (*illi venia digniores, quod superstitione praestat quam impietate obligari; et falsam quam nullam habere religionem*).

Todavia, a maior parte dos autores tenta, como Plutarco, encontrar um meio termo, a saber, a piedade ou a religião. Em seu tratado *De la Sagesse* (*Sobre a sabedoria*), publicado em 1601, Pierre Charron (1541-1603) distingue dessa maneira a religião da superstição. Ele sequer leva a sério a terceira possibilidade, a do ateísmo teórico. O critério da religião é para ele de natureza moral, é a honestidade, a "probidade", que deve ser conseqüência da piedade. A piedade sem honestidade é superstição; a honestidade sem piedade é ateísmo.

Bacon e a possibilidade de uma moral atéia

No início dos Tempos Modernos, a questão assume feição nova. Isso acontece na obra de Francis Bacon. Na segunda edição de seus *Essays* (1612), o chanceler da Inglaterra começa pela passagem já citada de Plutarco: é melhor acreditar que não existe um homem chamado Plutarco do que acreditar que esse homem é um criminoso. Contudo, Bacon começa de onde Plutarco parara.

Assim como há mais blasfêmia na superstição do que no ateísmo, o risco para o homem é igualmente maior. Bacon examina um aspecto da questão que fora negligenciado pelos Antigos, ou que eles apenas roçaram: as conseqüências sociais e políticas das posições religiosas. O ateísmo deixa ao homem o bom senso, a filosofia, a piedade natural, as leis, a reputação (*Atheism leaves a man to sense, to philosophy, to natural piety, to laws, to reputation*). Tudo isso pode ajudar o homem a adotar, ao menos exteriormente, uma atitude correta. À época, o ímpio costumava ser visto como vil, e não havia distinção entre ateísmo e libertinagem moral. Segundo Schopenhauer, essa confusão de conceitos seria bem acolhida pelos padres, e permitia o surgimento do "monstro assustador" (*furchtbare Ungeheuer*) do fanatismo.

A superstição, ao contrário, retira todas as inibições e "instaura nas almas das pessoas uma monarquia absoluta" (*erecteth an absolute monarchy in the minds of men*). A metáfora política torna-se princípio de uma reflexão autenticamente política: o ateísmo jamais destruiu uma nação. De fato, uma de suas conseqüências é que as pessoas agem de modo prudente (*it makes men wary of themselves*), porque limitam suas perspectivas ao presente (*as looking no further*). É por isso que observamos que as épocas que tiveram uma propensão ao ateísmo foram também épocas civilizadas (*civil times*). Bacon cita como exemplo o século de Augusto. Por outro lado, a superstição ocasionou a ruína de muitas nações (*the confusion of many states*).

Bacon, como de costume, conclui com uma imagem: a superstição introduz um novo primeiro móvel (*a new primum mobile*) que arrasta todas as esferas do governo (*ravisheth all the spheres of government*). O sentido dessa imagem não é muito claro. Obviamente, o contexto é a representação cosmológica antiga e medieval de um mundo de esferas homocêntrico. Mas Bacon não está falando de um novo primeiro motor, e sim de um móvel, isso é, de uma nova esfera de fixos. O ensaio de Bacon foi traduzido para o latim e desse modo tornou-se acessível ao público culto de toda a Europa. A passagem foi citada com aprovação por diversos livres-pensadores, como por exemplo o erudito e libertino La Mothe Le Vayer.

Já em Bacon está claro que um ateu pode portar-se como homem honesto. Mas tudo isso ainda é ilusório e a comparação como um todo cambaleia, segundo as próprias declarações de Bacon, que também escreveu um ensaio sobre o ateísmo e o colocou logo antes do ensaio sobre a superstição. Segundo ele, o ateísmo como posição teórica simplesmente não é viável. Ele é apenas a capa com que o depravado busca dissimular sua sede pelos mais inconfessáveis dos prazeres. O ateu declarado certamente é capaz de professar sua incredulidade com os lábios, mas não consegue pensá-la de modo conseqüente.

Bacon não esclarece de que maneira a superstição abala os Estados e não dá um único exemplo. Mas o plano de fundo de suas idéias pode ser reconstituído sem dificuldade: é o dilaceramento religioso da Europa provocado pela Reforma. Realmente, aquela foi a primeira vez que uma revolta religiosa foi sustentada pela força política dos Estados. Isso levou a guerras realizadas em nome da religião. Isso deveria ter conseqüências ainda piores, com a Guerra dos Trinta Anos, que irrompeu enquanto Bacon era vivo, menos de dez anos após a publicação de seu ensaio. Bacon tentou fundar a paz civil sobre a tolerância mútua das confissões, e nisso ele se insere numa tradição que, depois dele, incluirá pessoas como Erasmo e muitos outros depois desse, como John Locke e Leibniz.

O mais importante sem dúvida é que o modo como representamos o adversário não é mais o mesmo que o da Antiguidade. O supersticioso de Plutarco era idêntico ao que Teofrasto caricaturava em *Caracteres*, tendo como fundo a definição da superstição como lassidão (*deilia*) em relação ao divino. Para a Antiguidade, o homem supersticioso era ridículo. Podia-se ter pena dele, podia-se zombar dele. Mas não se podia ter muito medo dele. Os Tempos Modernos repetem a história, mas aqui ela começa como comédia e termina como tragédia. O supersticioso torna-se um revolucionário perigoso. Assistimos ao nascimento do conceito que ofereceria às Luzes seu pesadelo predileto: o "fanatismo".

Bayle e a possibilidade de uma sociedade de ateus

As décadas de 70 e de 80 do século XVII atualmente são consideradas um divisor de águas na história intelectual da Europa. Com o *Tractatus Theologico-Politicus* de Spinoza (1670), com a "Querelle des anciens et des modernes" em Paris (1687-1688), com os *Philosophiae naturalis principia mathematica* de Newton (também de 1688), com a *Epistola de tolerantia* de Locke (1689) começa aquilo que foi chamado "crise da consciência européia".

Em seu *Pensées diverses sur la comète* (*Pensamentos diversos sobre o cometa*), publicado nesse contexto, em 1682, Pierre Bayle discute nosso tema de modo tão penetrante que seu raciocínio foi determinante para todo o século XVIII. Aproveitando a aparição de um cometa, ele tenta demonstrar que esse fenômeno não constitui milagre nenhum e que não anuncia nada. Depois ele pergunta o que um milagre como esse poderia mostrar e quem teria interesse em ver um sinal. A aparição de um cometa seria mais vantajosa para a superstição do que para o ateísmo. Em uma palavra: "Nunca houve um mal menos perigoso do que o ateísmo". O diabo prefere a idolatria ao ateísmo (§113). De fato, os ateus não o honram em nada. Por outro lado, parte do culto prestado aos deuses falsos vai para o Demônio.

Além disso, Bayle mantém uma opinião que caracteriza explicitamente como um paradoxo: "Que o ateísmo não é um mal maior do que a idolatria". Nesse contexto, ele cita o principal argumento de Plutarco.

A idolatria, a crer no que dizem os Padres da Igreja, é o pior de todos os crimes (§116). Os idólatras eram os verdadeiros ateus. Conceber Deus como uma pluralidade na verdade significa ignorá-lo completamente (§117). O conhecimento de Deus só faz tornar os crimes dos idólatras ainda mais graves (§118). Os idólatras são mais difíceis de converter do que os ateus (§119). Os ateus não poderiam cometer crimes mais graves do que os idólatras (§129). Os mais perigosos celerados da Antiguidade não eram ateus. Pouco depois, Bayle menciona alguns ateus virtuosos. O conhecimento de Deus – se não se leva em conta a graça etc. – é muito fraco diante das paixões. Para construir uma sociedade, os ateus necessitam, exatamente como os idólatras, de um freio mais forte do que a religião: as leis humanas.

Pouco depois, na obra de Bayle, o paradoxo fica ainda mais agudo: uma sociedade de ateus seria, no que diz respeito aos costumes e às ações sociais, semelhante em tudo a uma sociedade de idólatras. Essa sociedade imporia "as ações civis e morais" de modo tão eficaz quanto outras, por menos que faça para punir severamente os crimes, e que associe honra ou vergonha a certas ações. De fato, há entre os homens representações da honra que são obra da natureza, isso é, da providência geral.

Com Bayle, como que damos uma passo adiante. É verdade que a questão dos incidentes políticos da religião e do ateísmo já existia há muito tempo. Mas o ateísmo só dizia respeito a indivíduos a círculos restritos. Era, em todo caso, uma questão privada. O historiador grego Políbio (200-120) observara que uma sociedade de sábios não teria necessidade de religião. Contudo, como o vulgo continua sempre cego e supersticioso, era oportuno contê-lo por meio dos terrores que a religião lhe inspirava.

Bayle avalia então a possibilidade de uma sociedade de ateus. Sua resposta é surpreendente: uma sociedade de ateus seria não apenas possível, mas ainda mais fácil de governar do que uma sociedade de fanáticos. Assim, o ateísmo atinge o status de possibilidade teórica e de atitude viável.

Por trás das reflexões de Bayle, encontra-se a nova filosofia política de Thomas Hobbes. Segundo Hobbes, é o medo da morte, o maior mal, que constitui o mecanismo mais potente da ação humana. É somente sobre essa base, e não, por exemplo, sobre a busca do Bem supremo, que se pode fundar a sociedade, como garantia mútua contra a violência. Se houvesse objetos mais temíveis do que a morte, como por exemplo o inferno, todo o edifício social ficaria ameaçado. Por conseguinte, a sociedade tem de se livrar dessas quimeras para promover as "luzes" em matéria de religião.

A importância de Bayle foi reconhecida pelos autores posteriores. Edward Gibbon (†1794) observa em sua autobiografia póstuma que Bayle no fundo não fez muito mais do que retomar o velho paradoxo de Plutarco, tendo porém lhe conferido uma força dez vezes maior ao orná-lo com as cores de sua inteligência e ao afiá-lo com o rigor de sua lógica. Não sabemos aonde Bayle efetivamente queria chegar, e não nos cabe ocuparmo-nos disso agora. Vico cita diretamente Bayle em uma discussão de um de seus princípios, segundo o qual todos os povos acreditaram em uma divindade providente (*tutte le nazioni credono in una divinità provvedente*). Segundo Bayle, há povos que desconhecem Deus completamente, e que ainda assim são capazes de viver segundo a justiça (*poss[o]no i popoli senza lume di Dio vivere con giustizia*). Vico compara essa tese com o sonho deveras anterior de Políbio, uma sociedade de fi-

33

lósofos. Em 1845, Karl Marx enxerga em Bayle o profeta de uma nova forma de sociedade: "[Bayle] anunciou a sociedade ateia, que deveria começar a existir imediatamente, ao demonstrar que uma sociedade inteiramente constituída por ateus poderia existir, que um ateu poderia ser honesto, que o homem não se rebaixa a si mesmo pelo ateísmo, mas pela superstição e pela idolatria".

O conflito no século XVIII

O Século das Luzes tomou diversas posições diante do paradoxo proposto por Bayle, segundo o qual o ateísmo era superior à superstição.

Alguns tentaram afirmar que a disputa era vã. É assim que Mendelssohn, em sua *Jerusalem* (1783), tenta definir e delimitar a tarefa. Ateísmo e fanatismo são dois males, e nenhum deles deve ser tolerado. Em última análise, é indiferente saber qual dos dois é o mal maior.

Outros manifestaram-se decididamente a favor do ateísmo. De início, isso aconteceu de modo discreto, nas entrelinhas; depois dos anos 60, de modo mais aberto, e nessa década já se percebe uma mudança geral no clima em favor da "filosofia", como escreveu Voltaire numa carta a Helvétius. Pessoas como Holbach permitiram-se defender abertamente o ateísmo.

A superstição não encontrou um defensor, o que não surpreende.

A resposta habitual permanece fiel à solução de Plutarco e rejeita os dois extremos em favor de uma "religião purificada". Os representantes moderados das Luzes combatem os argumentos de Bayle em favor do ateísmo.

Montesquieu

Em *O espírito das leis* (1748), Montesquieu enfrenta o paradoxo de Bayle em dois capítulos. No primeiro, retoma o argumento teológico de Plutarco. Não há nele nada mais do que um sofisma, que desaparece quando se passa a levar em conta a utilidade social da religião. Que se creia que existe um homem chamado Plutarco é algo completamente indiferente ao gênero humano. Por outro lado, é utilíssimo crer que existe um Deus. Da idéia de que Deus não existe segue-se a da nossa independência. Ou então, caso não sejamos capazes de apreender essa idéia, a conseqüência do ateísmo é a revolta. A religião existe para reprimir. De modo divertido, Montesquieu usa um vocabulário político que o prometeanismo romântico do século seguinte restabeleceria, mas dessa vez com sinal invertido. À religião cabe o papel de força repressora. E seu abuso não é um mal tão grande quanto sua ausência total.

No segundo capítulo, Montesquieu retoma a afirmação de que cristãos verdadeiros não seriam capazes de construir um Estado capaz de subsistir. Montesquieu afirma que esses cidadãos conheceriam claramente seus deveres e que os cumpririam com o maior zelo. Aquilo que eles devem à religião também seria devido à pátria. Os princípios do cristianismo seriam mais fortes do que os dos três tipos de governo, isso é, a honra, a virtude e o temor. Bayle se enganou, porque deixou de distinguir entre os mandamentos e os conselhos evangélicos.

Voltaire

Em 1763, Voltaire publicou seu *Tratado da tolerância*. No começo do capítulo XX, ele faz uma comparação entre a superstição e o ateísmo. Seu ponto de partida é pessimista: o gênero humano é tão fraco e tão perverso que precisa de um "freio". Qualquer crença é melhor do que o ateísmo. Um ateu que argumentasse bem, que fosse violento e forte, seria uma calamidade tão devastadora quanto um supersticioso sedento de sangue. Onde quer que haja uma sociedade, é preciso que haja uma religião; as leis vigiam os crimes manifestos e a religião vigia os crimes secretos. Aqui Voltaire faz uma distinção: enquanto os homens não tiverem nenhuma concepção sadia da divindade, terão necessidade da superstição como sucedâneo. Mas, uma vez que adotem uma religião pura e santa, a superstição torna-se não apenas inútil, como extremamente perigosa. Voltaire conclui com uma imagem: a superstição é para a religião aquilo que a astrologia é para a astronomia.

Sete anos depois, Voltaire retorna à mesma questão e a discute em maior detalhe. Na segunda edição do *Dicionário filosófico*, publicada em 1770, Voltaire consagra à nossa questão um capítulo bastante extenso. O próprio título dá testemunho daquilo que se tornou um *locus classicus*: "Sobre a freqüente comparação entre o ateísmo e a idolatria". Segundo ele, o argumento de Plutarco, segundo o qual seria menos grave dizer que alguém não existe do que caluniar esse alguém, atribuindo-lhe todo tipo de crime, não é válido. A questão de saber se Deus se sente mais gravemente ofendido quando se nega sua existência do que quando se diz a respeito dele coisas falsas e grosseiras, é, no fundo, inútil. Sem uma revelação, não nos é possível saber como Deus reage. E tudo que se disse da cólera de Deus, de seu ciúme, de seu desejo de vingança, é pura metáfora.

A verdadeira questão, "o objeto interessante para todo o universo", é saber se não é melhor, para o bem de todos os homens, admitir "um Deus recompensador e vingador", ou seja, um Deus que premia as boas ações ocultas e que pune os crimes secretos, do que um Deus inexistente.

Voltaire esboça uma interessante reabilitação do paganismo. Ele distingue entre a mitologia dos Antigos, que representa os deuses como adúlteros e ladrões, e sua "verdadeira religião", segundo a qual, por exemplo, Júpiter manda para os infernos os culpados de perjúrio.

Há a pergunta sobre se um povo ateu conseguiria subsistir. Voltaire distingue entre o povo no sentido estrito e uma comunidade de filósofos, que estaria acima do povo. Em todos os países, "o populacho" tem necessidade "do freio maior". Se Bayle tivesse de governar quinhentos ou seiscentos camponeses, teria dito a eles que há um Deus que recompensa e que pune. Por outro lado, ele não precisaria anunciar um deus desse tipo aos discípulos de Epicuro. Estes, de todo modo, eram ricos, pacíficos, praticavam as virtudes sociais, particularmente a amizade, evitavam meter-se em política etc.

O testemunho dos "povos inteiramente selvagens" não vale nada. Eles estão fora do âmbito da opção entre o ateísmo e o teísmo. É verdade que eles vivem em sociedade. Mas será que aquilo é mesmo uma sociedade, ou será que é "uma matilha de lobos"?

Utilidade da superstição

A idéia de que a superstição não é algo que deva ser simplesmente suprimido também aparece em Kant. Em seu livro sobre a religião, publicado em 1793, ele desaconselha colocar em perigo a "fé do povo" (*Volksglauben*). Não seria sensato (*ratsam*) "apagá-la" (*vertilgen*), porque, em suas palavras, poderia vir em seu lugar "um ateísmo ainda mais perigoso para o Estado" (*ein dem Staat noch gefährlicherer Atheism*).

Depois da Revolução Francesa e das guerras napoleônicas, Joseph de Maistre se exprime de modo análogo nas *Soirées de Saint-Pétersbourg*, publicadas postumamente em 1821. Um dos personagens do diálogo filosófico, um oficial, propõe uma imagem militar: "A superstição é o posto avançado da religião. Não temos o direito de destruí-lo. Sem ele, o inimigo poderia chegar perto demais da verdadeira fortificação".

Rousseau: vantagens do fanatismo

Com Rousseau nasce um novo ponto de vista, que se desdobra em duas proposições originais.

Em *O contrato social* (1762), Rousseau menciona mais uma vez o paradoxo de Bayle. Ele distingue entre dois tipos de religião. De um lado temos o cristianismo concreto, cujas conseqüências são devastadoras para a constituição do Estado. Mas continua existindo a possibilidade de uma religião que não possa trazer nenhuma conseqüência negativa. Trata-se da "religião civil" que ele mesmo esboça.

Num segundo texto, ele apresenta outra questão: até então, opusera-se o ateísmo à superstição, também chamada idolatria. Isso foi feito ora em favor do ateísmo ora da religião, entendida como o devido meio termo entre os dois. Em certos casos, também se poderia ficar mais favoravelmente inclinado pela superstição. Aquele que quisesse falar em favor da superstição deveria mostrar que uma religião, mesmo rudimentar e parcialmente mágica, poderia ser vantajosa para a vida em sociedade. A superstição era uma ingenuidade anódina e não apresentava risco nenhum. O perigo era a violência, o "fanatismo". Ninguém teria a ousadia de defender esse espantalho. Os inimigos das Luzes de fato eram acusados de fanáticos por seus propagandistas. Mas eles mesmos se viam como pessoas piedosas, como crentes, e de jeito nenhum "fanatismo" era algo que poderia servir para designar a si próprios. Quando, por exemplo, o padre catalão Jaime Balmes tenta demonstrar a superioridade do catolicismo sobre o protestantismo, ele responsabiliza o último ao mesmo tempo pelo "fanatismo" e por sua tendência ao "indiferentismo".

Com Rousseau, são argumentos novos em favor do fanatismo que entram em jogo, ao mesmo tempo em que a possibilidade de uma sociedade radicalmente atéia é posta em dúvida. Na famosa "Profissão de fé do vigário saboiano", publicada em 1762 como parte de seu tratado de pedagogia *Emílio ou Sobre a educação*, Rousseau resume sua doutrina a respeito da religião. Ao final do discurso do padre, ele acrescenta uma longa nota, em que trata diretamente de nosso problema. Com a diferença essencial de que ele contrapõe o ateísmo não à superstição ou à idolatria, e sim ao fanatismo. Ele começa com uma crítica do fanatismo que não vai muito além dos lugares comuns iluministas.

Mas ele prossegue: Bayle demonstrou de modo irrefutável que o fanatismo é mais pernicioso do que o ateísmo. Mas ele negligenciou outra verdade: o fanatismo, por cruel e sanguinário que seja, é "uma paixão grande e forte", que eleva o coração do homem, que o faz desprezar a morte, que lhe dá uma força surpreendente. Basta guiá-lo melhor para tirar dele as virtudes mais sublimes.

Essa idéia de Rousseau, e o uso em sentido elogioso do termo "fanatismo", tiveram, ao menos até onde sei, pouca repercussão. Só encontrei dois exemplos: Auguste Comte, que, numa carta, fala da "necessidade atual de um fanatismo digno", porque "a abnegação tem de tomar o lugar da devoção"; e André Breton, que defende "a libertação de uma força cega", que é preciso saber aceitar mesmo que ela traga um "rebaixamento indiscutível do nível intelectual".

O elemento novo aqui é que o fanatismo aparece como algo que vivifica. Ele constitui uma paixão ativa. Isso o distingue da superstição. Para Plutarco, como dissemos, a superstição era essencialmente um medo (*phobos*), e é por isso que ela exerce sobre as almas uma ação paralisante. O fanatismo, por sua vez, aniquila o medo da morte. E, assim como ela, que é o maior dos medos, todos os outros medos podem ser suprimidos.

Rousseau parte de uma idéia, já antiga em sua época: a do entusiasmo criador. E, de outro lado, ele enceta um tema ao qual pensadores posteriores darão ampla orquestração: só é possível criar à luz de alguma crença, mesmo que ela seja ilusória.

Por outro lado, convém reconhecer que "a irreligião e de modo geral o espírito da razão e da filosofia amarram a vida, efeminam, aviltam as almas, concentram todas as paixões na baixeza do interesse particular, na abjeção do eu humano, e assim solapa discretamente os verdadeiros fundamentos de toda sociedade, porque aquilo que os interesses particulares têm de comum é tão pouco que jamais será possível equilibrar aquilo que eles têm de contrário".

A palavra que Rousseau usa para descrever conseqüências funestas é "efeminar". Desse modo, ele devolve, talvez de modo inteiramente consciente, a objeção que Maquiavel fez ao cristianismo: ele teria enfraquecido o mundo, e desarmado o Céu (*effeminato il mondo, e disarmato il Cielo*).

"Se o ateísmo não derrama o sangue dos homens, isso se deve menos ao amor pela paz do que à indiferença ao bem: [...] Seus princípios não matam os homens, mas os impedem de nascer, destruindo os costumes que os multiplicam, separando-os de sua espécie, reduzindo todas as suas afeições a um secreto egoísmo, tão funesto para a população quanto para a virtude. A indiferença filosófica se assemelha à tranqüilidade do Estado no despotismo; trata-se da tranqüilidade da morte, que é mais destrutiva do que a própria guerra".

Rousseau alude a uma tema que naquele momento atraía atenção pela primeira vez: a contracepção. As práticas contraceptivas começavam a difundir-se nas classes baixas da população francesa, de tal modo que a França começou sua revolução demográfica nada menos do que um século antes do resto da Europa.

Em conclusão, "o fanatismo, embora seja mais devastador em seus efeitos imediatos do que aquilo que se chama hoje 'o espírito filosófico', é-o muito menos em suas conseqüências".

Nossa situação atual

Após a época de Rousseau, a problemática mudou inteiramente, de tal modo que a questão praticamente não foi mais colocada.

Como se apresenta esse problema hoje? Não se pretende aqui fazer um mapeamento exaustivo da situação. Na Europa, as grandes Igrejas vão perdendo sua influência. Será que isso diz respeito à "religião" em bloco? Há razões para duvidar disso. Um intelectual europeu ou norte-americano pode viajar pelo mundo e permanecer dentro de canais impermeáveis aos fenômenos religiosos. Para esse tipo de pessoa, o sociólogo americano Peter L. Berger encontrou a feliz expressão "sueco por adoção".

Naquilo que diz respeito à superstição, o número daqueles que a professam é, como sempre, igual a zero. Aquilo que nós, esclarecidos, estigmatizamos como superstições, não desapareceu por causa disso. Pelo contrário: elas se continuam a se manifestar, e, aliás, crescem.

O ateísmo não é mais visto com suspeita. Ele se tornou inteiramente apresentável. Aquilo que outrora era um insulto hoje é aceito como "profissão de fé" absolutamente neutra. O ateísmo conseguiu demonstrar pela prática não apenas que pode haver ateus perfeitamente honestos, mas também que o Estado pode ser neutro em matéria de religião. A Revolução Francesa mostrou que as sociedades secularizadas são possíveis, ou – pelo menos! – reais. Para muitos, o ateísmo já perdeu até sua conotação polêmica. Testemunha disso é o sucesso do termo mais modesto criado por Thomas Huxley em 1869: "agnosticismo".

Inatualidade

Consideremos rapidamente os argumentos que examinei e perguntemo-nos quais dentre eles ainda podem ser usados.

O fanatismo com que hoje nos deparamos baseia-se exatamente no fundamento que Hobbes queria eliminar. Nossas democracias supõem implicitamente que basta ameaçar de morte seus inimigos. Mas os autores dos atentados suicidas não têm medo da morte e desprezam aqueles de nós para quem a morte permanece "o último inimigo". Contra pessoas que têm uma convicção dura como o ferro de que existe um paraíso e um inferno, nossas democracias não têm armas.

O "ateu capaz de argumentar bem" que Voltaire temia tornou-se uma figura histórica, e até uma figura capaz de fazer história, como por exemplo os ideólogos, cujo melhor exemplo é Lênin. Países foram submetidos a um ateísmo que pretendia ter bases "científicas" e que era imposto pela força do Estado. Esses regimes deixaram muitíssimo para trás os recordes do fanatismo religioso, mesmo que aceitemos por questões de método os números das vítimas da Inquisição, das Cruzadas etc., do modo como foram inchados pela historiografia "iluminista". Quando se compara os inquisidores com as pessoas que organizaram a Shoah, o Gulag ou o autogenocídio do Camboja, aqueles primeiros ficam parecendo amadores pouco competentes, quando não menininhos de coral.

A questão da utilidade social da religião teve recepção paradoxal. De um lado, a função social da religião é geralmente aceita como fato sociológico. O sonho de uma sociedade ateia parece ocupar apenas algumas pessoas presas ao passado, tão mais virulentas quanto mais se sentem ameaçadas. De outro lado, a afirmação dessa utilidade, quando utilizada como argumento, não desperta nada além da desconfiança, quando não a repulsa. Desde Spinoza, e desde suas fontes medievais, a distinção entre as opiniões verdadeiras e as opiniões úteis tornou-se lugar comum, assim como a advertência de que aquilo que é útil nem por isso é verdadeiro.

Na passagem já citada, ao final da "Profissão de fé do vigário saboiano", Rousseau distingue entre o curto e o longo prazo. A curto prazo, o fanatismo certamente é perigoso; a longo prazo, por outro lado, o ateísmo tem conseqüências ainda mais funestas.

Essa idéia de Rousseau, pelo menos até onde sei, não teve repercussão. É só de maneira excepcional que se adquire uma consciência clara das conseqüências lógicas do ateísmo. Um dos raros exemplos se encontra em Félix Le Dantec, biólogo e filósofo francês do final do século XIX, um pouco esquecido hoje em dia. Num livro publicado em 1907, intitulado simplesmente *L'Athéisme* (*O ateísmo*), ele explica que "o ateu lógico" não pode ter interesse nenhum pela vida; nisso estaria a verdadeira sabedoria. Mas isso é ir longe demais. Naquilo que lhe diz respeito, Le Dantec se regozija por possuir, junto do ateísmo conseqüente que professa, uma consciência moral que é o resultado de uma enorme quantidade de "erros ancestrais" e que lhe dita sua conduta nos casos em que sua razão se deixaria perder-se. Numa sociedade de autênticos ateus, diz ele, o "suicídio anestésico" seria comum; por isso, a sociedade provavelmente desapareceria.

Mais perigoso do que os atentados suicidas seria um suicídio indolor, sem atentado. Assim, continua aberta a questão de Rousseau: quais são as conseqüências de longo prazo do ateísmo? Aonde leva a "indiferença ao bem"? Supondo-se que o ateísmo se mostre benéfico para a sociedade, será que ele provou que pode promover a vida?

No texto de Bacon há uma frase que não tenho muito certeza de ter interpretado corretamente. Do modo como a compreendo, os ateus seriam, segundo Bacon, pessoas que não enxergam muito além do que esta vida e que por isso são inteligentes. Os ateus são míopes e, paradoxalmente, por causa disso mesmo, prudentes.

Tocqueville retomou essa idéia, mas não sem lhe dar um novo tom e sem alterar seu sinal: segundo ele, a incapacidade de considerar o longuíssimo prazo é uma das características do homem democrático, na medida em que este guarda suas distâncias da religião. Esta seria um remédio salutar contra essa incapacidade.

Essa é a segunda razão por que renunciei, no subtítulo desse texto, a usar a *captatio benevolentiae* habitual, que é a menção à atualidade de um problema, e preferi falar conscientemente de sua "inatualidade". O perigo do ateísmo, se temos de crer em Rousseau, não pode jamais ser atual. Nosso problema mais atual é justamente que nossa sensibilidade está demasiado voltada para as questões atuais, para o aqui e para o agora.

....

A versão deste texto com todas as notas e referências bibliográficas será futuramente disponibilizada em www.dicta.com.br.

Rémi Brague *é membro da Academia de Ciências Morais e Políticas francesa e professor na Universidade Paris I Panthéon-Sorbonne onde dirige o centro de pesquisa "Tradição e o pensamento clássico", além de lecionar na Universidade Ludwig-Maximilian de Munique. Especialista em filosofia grega e medieval, particularmente árabe e judia, notabilizou-se ainda como comentarista de Heidegger e Leo Strauss. É autor de* Europe, la voie romaine *(1992),* La sagese du monde *(1999) e* La Loi de Dieu *(2005) entre outros.*

Tradução de Pedro Sette-Câmara

A MORAL EM GUERRA

por Michael Burleigh

O presente ensaio foi redigido pelo professor Burleigh com base em uma palestra pronunciada em 18 de outubro de 2010 no Centro para os Arquivos Militares do King's College em Londres. Na ocasião, manifestou à audiência a sua ansiedade com o andamento que estava sendo dado à reformulação do Strategic Defence Review, *documento de 1997 que definia a política militar britânica:"é possível que amanhã, a essa hora, nossas forças armadas tenham somente Deus ao seu lado". Efetivamente, no dia seguinte, o governo britânico promulgou o* Strategic Defence and Security Review *reduzindo drasticamente o orçamento militar.*

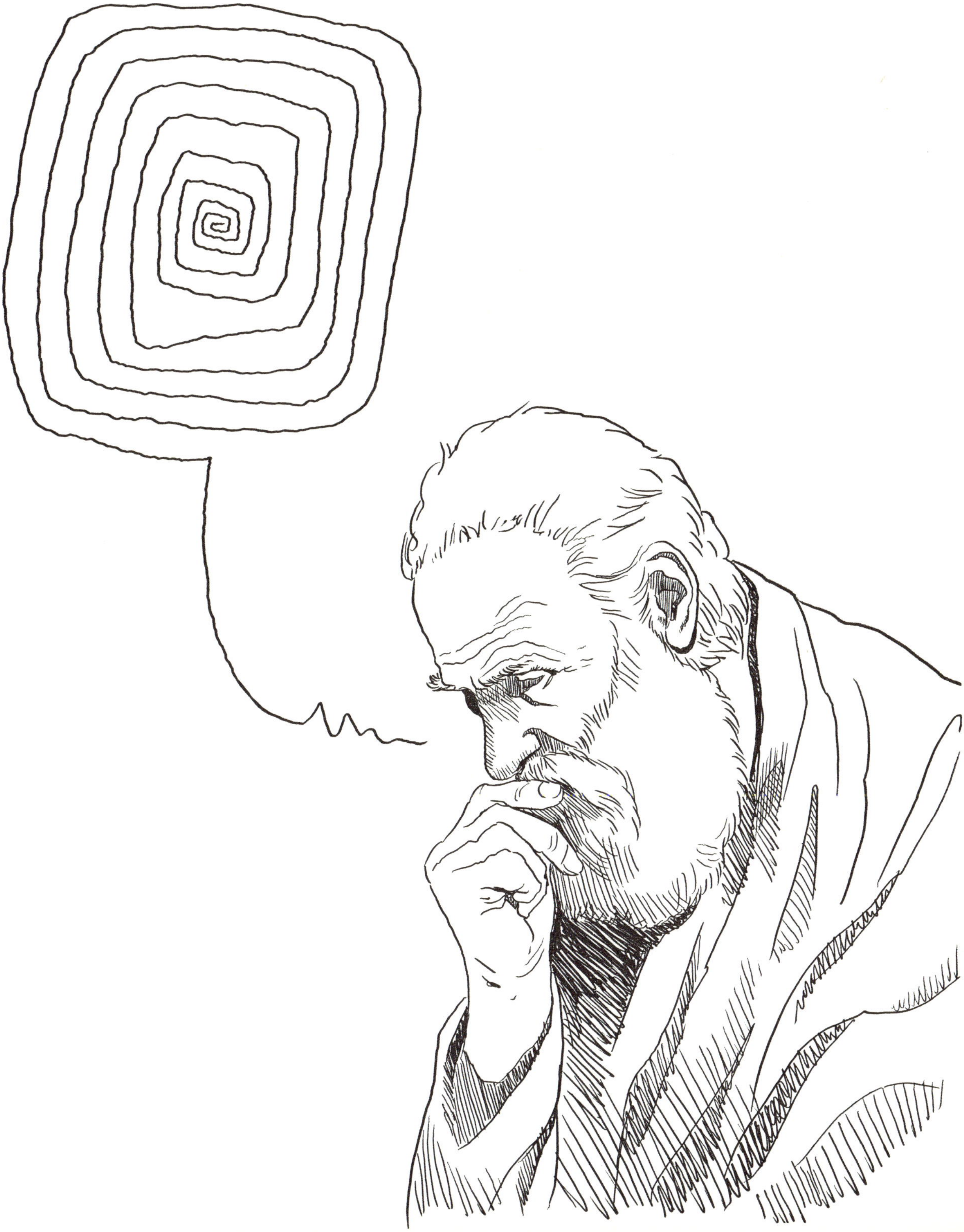

Deus Armado e Perigoso

Em uma carta escrita num domingo de julho de 1940, logo após um sermão numa igreja, Christopher Seton-Watson, oficial subalterno da Royal Horse Artillery britânica, observava: "Gostaria que falassem menos de como nossa causa é justa, e que não houvesse tantas simplificações grosseiras transformando a disputa numa questão de o bem contra o mal. Uma vez que creio na existência de um Deus, não consigo acreditar que Hitler pudesse ter chegado tão longe sem que Deus o permitisse. A justiça não está inteira de um lado... Não devemos presumir que Deus está automaticamente do nosso lado. É preciso que nos tornemos dignos de sua ajuda, que mostremos nosso valor".

E Seton-Watson efetivamente mostrou seu valor, tanto no serviço militar, que lhe valeu uma Cruz Militar com Barra, quanto como professor celibatário, escrevendo ótimos estudos sobre a Itália moderna, e incentivando os alunos do Oriel College a abraçarem nobres vocações que, infelizmente, não cabe enumerar aqui.

Surpreende que a presunção do Antigo Testamento de que Deus estava de um dos lados ainda fosse onipresente durante a Segunda Guerra Mundial. Não se tratava do cristianismo militante da Primeira Guerra, quando, a bem da verdade, os historiadores também se auto-denominaram guardiãs das sagradas chamas nacionais. Durante os anos 30, as igrejas haviam assimilado o apaziguamento e o pacifismo então absolutamente em voga entre as classes cultas. Mas Deus era certamente uma força a ser conjurada pelos círculos mais altos no momento em que as democracias foram à guerra.

Consideremos as palavras de Churchill sobre o culto religioso a bordo do HMS Prince of Wales, em 10 de agosto de 1941, quando ele e Roosevelt assinaram a Carta do Atlântico. É moda entre os biógrafos do Primeiro Ministro fazer pouco de suas idéias religiosas, que de fato eram idiossincráticas. Mas eis o que ele escreveu sobre o culto: "Eu mesmo escolhi os hinos: 'For those in Peril on the Sea' ('Para aqueles em perigo no mar') e 'Onward Christian Soldiers' ('Adiante, soldados cristãos'). Encerramos com 'O God, Our Help in Ages Past' ('Oh, Deus, auxílio nosso em eras passadas'), que, como recorda Macaulay, os Ironsides

> *"Aqui, certo e errado se invertem; tantas guerras no mundo, tantas faces do mal" (Virgílio).*

cantaram enquanto enterravam o corpo de John Hampden. Cada palavra parecia tocar o coração. Era um grande momento para se estar vivo".

Depois, houve a Prece do Dia D, que o Presidente Roosevelt, episcopaliano, transmitiu pelo rádio enquanto as tropas desembarcavam: "Deus todo-poderoso: nossos filhos, o orgulho de nossa nação, hoje iniciam uma empresa extrema, uma luta para preservar nossa República, nossa religião e nossa civilização, e para libertar uma humanidade que sofre... Com tua bênção, prevaleceremos sobre as forças ímpias do inimigo. Ajuda-nos a vencer os apóstolos da ganância e das arrogâncias raciais". Segundo Antony Beevor, a freqüência das tropas aos cultos era altíssima nos navios da armada aliada. Abrigados nas lanchas de desembarque que a custo atravessavam o Canal da Mancha, eles refletiam consigo, misturando o Salmo 23 às minúcias das apólices de seguro de vida.

"Em nome do ateísmo e de Stalin!" não é um grito de guerra muito sonoro, ainda que, creio eu, Darwin Dawkins esteja disposto a pegar em armas por causa da primeira parte se for preciso ir às vias de fato.

O terceiro elemento da Grande Aliança, a União Soviética, foi obrigado, por força da necessidade de agregar os recursos da Rússia, a abrandar o ateísmo militante e a dar alguma folga a uma Igreja Ortodoxa profundamente nacionalista. Isso aconteceu em parte porque os alemães haviam reaberto as igrejas e as mesquitas a fim de ganhar colaboradores locais. A Igreja Ortodoxa teve licença para levantar fundos: coisa de 150 milhões de rublos até 1944. O mosteiro de Dimitri Donskoi arrecadou recursos para uma brigada de tanques.

Para aumentar a ironia, a última edição de *Bezboznhik*, o jornal da Liga dos Ateus Militantes, dedicava-se a denunciar as perseguições nazistas às igrejas protestantes e católicas na Alemanha, ao mesmo tempo em que dirigia a atenção para um rico livro intitulado *A verdade sobre a religião na Rússia de hoje*. O principal objetivo disso era fazer com que os católicos americanos dessem seu apoio financeiro aos soviéticos por meio da Lei de Empréstimos e Arrendamentos.

Do lado do Eixo, havia uma nação beligerante que podia afirmar com toda a sinceridade que Deus estava do seu lado: o Japão. Afinal, tinha como regente uma divindade viva, um descendente direto da Deusa do Sol. Os japoneses acreditavam que a razão pela qual jamais haviam sido derrotados nos 2.600 anos de existência da raça Yamoto era que "somos protegidos pelo deus no céu".

Numa sociedade moderna sofisticada como o Japão, a mistura entre budismo, xintoísmo e confucionismo variava bastante de pessoa para pessoa, mas pelo menos uma coisa não era certamente objeto de dúvidas agnósticas. Hirohito pode ter sido um humilde biólogo marinho, mas era o foco dos *kokutai*, os princípios cardeais que uniam a sociedade japonesa, e que colocavam o Japão acima de todas as outras raças.

Esse credo, e os valores samurais que o acompanhavam, tiveram um papel central na mentalidade dos homens que sofreram, proporcionalmente, as maiores baixas da guerra. Foram necessárias em média 1.600 balas para matar cada um dos dez mil japoneses que estavam defendendo Peleliu em setembro de 1944. Muitos japoneses acreditavam que, ao morrer, tornavam-se mártires de seu divino imperador. "Cairei sorrindo e cantando. Rogo-te que visites o Santuário de Yakusuni na primavera e prestes culto. Lá estarei, como flor de cerejeira, sorrindo, com muitos outros companheiros. Morri sorrindo: então sorrias, por favor. Eu te rogo, não chores. Dá sentido à minha morte". Essas foram as últimas palavras de um piloto kamikaze de vinte anos antes de seu suicídio premeditado.

Numa rara digressão da sua história **43**

militar, Basil Liddell Hart escreveu certa vez que "os nazistas podem [mais corretamente] ser definidos como uma festa em que os maus modos chegaram aos extremos". Talvez você ache, como eu, que essa afirmação sugere algo mais do que usar facas no lugar de garfos ou não abrir as portas para as mulheres.

Todo soldado alemão (excetuando as SS) trazia a inscrição "Gott mit Uns" ("Deus conosco") na fivela de seu cinto. Himmler preferia que seus homens fossem "crentes em Deus", porque a crença em forças superiores seria a porta do fanatismo. Além disso, o ateísmo equipararia o nazismo e o comunismo de maneiras politicamente inconvenientes. Assim, seria desonesto afirmar que os nazistas eram ateus, não menos do que declará-los, para todos os efeitos, cristãos, exceto na medida em que um adubo genérico alimenta diversas plantas num jardim.

O nazismo foi um movimento político que mobilizou significativamente os protestantes alemães do norte, ainda que seu líder fosse um católico não-praticante austríaco que só se tornou cidadão alemão em 1932. Isso não significa que não houvesse católicos nazistas, mas que estes estavam antes representados em Weimar pelo Partido do Centro, fundamental para as sucessivas coalizões da República. Os Papas Pio XI e Pio XII deploraram todas as formas de totalitarismo, como se pode ver na encíclica extraordinariamente astuta *Mit brennender sorge* ("Com ardente preocupação"), de 1937, praticando a neutralidade em tempos de guerra com pronunciada inclinação a favor dos Aliados. Roosevelt mantinha um enviado especial no Vaticano, o magnata do aço Myron Taylor; Hitler, ninguém. Na verdade, ele planejou seqüestrar o Papa. Este, por sua vez, estava ciente dos planos da resistência alemã para assassinar Hitler.

Boa parte do apelo político doméstico do movimento nazista vinha de sua alegada pretensão de remoralizar a sociedade alemã, ainda que fosse acompanhada de tentações sombriamente transgressivas. Eram as tais batidas tribais de tambor a respeito das quais George Orwell escreveu tão bem, e que haviam sido sugeridas por Freud.

Hitler repetidas vezes afirmou estar "realizando a obra do Senhor" e via a Providência como guia de suas ações. Assim como os comunistas, os nazistas divinizaram um mecanismo histórico, ainda que este consistisse mais em um materialismo impiedosamente racial do que dialético. Isso foi camuflado por um mito redentor nacional, com Hitler, ao invés de uma classe social salvadora, no centro de um culto idólatra do Führer.

Ainda que os nazistas tenham dado completa vazão ao anti-clericalismo, eles também tinham certeza de que a ciência triunfaria, e, ao contrário do que fizeram com as sinagogas, abstiveram-se de destruir fisicamente as igrejas. Nada disso serve como desculpa ao clero das duas maiores denominações alemãs por ter abençoado, à distância ou no campo de batalha, a invasão da União Soviética, declarando-a uma cruzada contra o bolchevismo ateu.

As faces do mal

Deus é só um dos aspectos do amplo tema

do combate moral, que significa não apenas aquilo por que as pessoas lutavam, mas também como elas lutavam. Há muitas maneiras de se falar sobre a moralidade e a guerra, sendo que as mais tradicionais, na cultura cristã (ou islâmica), ocupam-se de questões como a guerra justa ou a proporcionalidade, a respeito das quais Lord Guthrie e Michael Quinlan escreveram linhas notáveis.

A idéia de que a guerra prejudica a moral humana também é venerável. Em 29 a.C., Virgílio escrevia nas *Geórgicas*: "Aqui, certo e errado se invertem; tantas guerras no mundo, tantas faces do mal". Nós, modernos, também sabemos disso, ainda que na linguagem do jornalismo e da psicologia, mais do que da poesia épica.

Em 1946, cerca de 12 milhões de soldados voltaram para casa, causando pânico moral nos Estados Unidos. Os jornais traziam manchetes como "Veterano decapita esposa com facão" ou mesmo "Veterano chuta tia", enquanto notícias a respeito de um civil que já tinha matado três pessoas com um machado ficavam escondidas em algum lugar da página 17.

Um estudo sociológico ressaltava diversos paradoxos: "Os veteranos perderam seu senso moral no campo de batalha, mas voltaram para casa com muitas críticas aos pecadilhos da nação". "Os veteranos foram arrasados física e mentalmente, mas ameaçam criar um reino de terror por meio da astúcia e da força". "Os veteranos retornaram 'perversos e ateus', ainda que não houvesse 'nenhum ateu nas trincheiras'".

Quem quisesse poderia escrever uma história moral da Segunda Guerra Mundial a partir das taxas de divórcio crescentes, pois elas dobraram nos EUA e no Reino Unido, bem como a taxa de natalidade para filhos fora do casamento; verificou-se ainda uma incidência crescente do crime e da delinqüência, atribuível à ausência de autoridade; ou ainda, no caso alemão, dois milhões de abortos ilegais resultantes

> **O conceito de "guerra total", aliado à relação de dependência entre a guerra e a produção industrial, apagou a distinção básica entre combatentes e civis. O modo como todos os países anunciaram a mobilização total da população civil equivalia a riscar sobre ela um X marcando o alvo.**

de estupros de crianças e de mulheres por soldados do Exército Vermelho.

Também se poderia discutir até que ponto foi sábia a decisão de exigir a rendição incondicional da Alemanha e do Japão – assunto sobre o qual Liddel Hart tinha idéias pungentes –, a qual supostamente inibiu os bons alemães da resistência, e certamente resultou numa quantidade de baixas imensamente maior.

Poder-se-ia ainda escrever uma história de um certo tipo de bravura, talvez além daquela que Gordon Brown tinha em vista em suas histórias de coragem em tempos de guerra. Refiro-me aos comandantes que decidiram interromper a batalha (como o Almirante Raymond Spruance em Midway) uma vez que seu objetivo tinha sido atingido, ou mesmo que, pondo em risco suas carreiras, recusaram-se a ir à batalha.

Qual comandante resistiria a seguir os passos de Alarico, o Visigodo, e tomar Roma? Bem, foi isso que fez o General Matthew Ridgway em setembro de 1943, quando subverteu uma operação chamada Giant II. A idéia, que vinha de Eisenhower, era que o 82o Esquadrão Aéreo aterrissasse nos arredores de Roma, a fim de se juntar a tropas italianas cujos comandantes estavam mudando de lado. Ridgway enviou Maxwell Taylor para as linhas inimigas a fim de realizar tratativas com os generais italianos. Eles temiam que a capital italiana fosse destruída. Enquanto os paraquedistas esperavam sentados, ao som do ronco dos motores, a missão foi abortada; Ridgway chorou de alívio.

Guerra Total

Gostaria, porém, de deixar esses detalhes e abordar um assunto mais grave e sombrio, que é a razão pela qual a Segunda Guerra Mundial foi tão incomparavelmente devastadora.

O fato insistente, que exige explicação, é: por que razão a Segunda Guerra Mundial, ao contrário de qualquer outro conflito anterior, matou mais civis do que combatentes armados? Considerando 55 milhões como um total aproximado, foram 34 milhões de civis e 21 milhões de militares. Na Primeira Guerra Mundial, em contraste, houve 10,5 milhões de baixas militares, enquanto apenas 100 mil mortes civis podem ser atribuídas diretamente à ação militar – 4,5 milhões foram vítimas de fome e de doenças.

Em primeiro lugar, o conceito de "guerra total", aliado à relação de dependência estabelecida entre a guerra e a produção industrial, apagou a distinção básica entre combatentes e civis. O modo como todos os países anunciaram a mobilização total da população civil equivalia a riscar sobre ela um X marcando o alvo.

"O trabalhador de uma indústria de guerra deve ser considerado um soldado, o qual, diante do inimigo, tem a obrigação e o dever de permanecer em seu devido posto de combate", anunciava o comissariado italiano de produção de guerra em 1940. Era isso que os estrategistas aéreos britânicos e americanos chamavam de "centros vitais", sem os quais os homens no campo de batalha não teriam uniformes, armas ou munição.

Ironicamente, eram as memórias absolutamente vívidas do massacre em massa nas trincheiras que aguçavam a ambição de um golpe definitivo, fosse por meio de uma *Blitzkrieg* móvel, como no caso alemão, ou de um bombardeio de saturação, no caso dos Aliados. Uma das memórias mais duradouras de Arthur Harris era a de voar, quando jovem piloto, sobre cenas de carnificina em Passchendaele. As experiências do próprio Liddell Hart na Batalha do Somme o levaram a defender bombas de gás venenoso como um meio de evitar mais massacres – o que torna ainda mais notável a sua subseqüente resistência aos bombardeios de área nos anos 1940. Em segundo lugar, a ideologia e a ciência contribuíram para a crença de que as guerras modernas envolviam sistemas fundamentalmente antagonistas, que deveriam lutar por sua sobrevivência à maneira implacável dos organismos naturais. Essa não era apenas a visão de Hitler, mas sim a de todos aqueles que planejavam conflitos futuros. "A guerra", como escreveu um estrategista militar alemão na década de 20, "não é mais um confronto de exércitos, mas uma luta pela existência dos povos envolvidos".

A guerra já não mais consistia em nações manobrando elegantemente seus exércitos a fim de obter vantagens em campos de batalha perfeitamente definidos, mas uma luta com porretes até a morte com o objetivo de preservar a "civilização", a "democracia", a "revolução bolchevique", a "raça superior", ou, no caso japonês, os valores ancestrais que faziam da sociedade japonesa algo único.

A escala daquilo que estava em jogo foi clarificada por Churchill em junho de 1940, ao explicar, de modo sombrio, que "se fracassarmos, o mundo inteiro, incluindo os Estados Unidos, incluindo tudo aquilo que conhecemos e que estimamos, mergulhará no abismo de uma nova Idade das Trevas, que as luzes de uma ciência pervertida farão mais sinistra e talvez mais duradoura". Essa afirmação capturava exatamente o modo peculiar como os inimigos das democracias liberais fundiam valores guerreiros bárbaros e tecnologias de sociedades avançadas. Hitler foi igualmente claro quando, em 1945, decretou que uma Alemanha que fracassara em seu teste existencial deveria perecer completamente num apocalipse criado por ela mesma. Todos os que tinham qualquer valor racial já tinham sido mortos. A idéia de fugir para outro lugar era alheia ao seu culto da morte.

Em terceiro lugar, guerras que fundem conflitos civis com internacionais agravando-os mutuamente são notoriamente perversas. Elas incluem os desastres pelos quais passaram os espanhóis, retratados de modo tão chocante por Goya no começo do século XIX, ou o genocídio dos armênios pelos turcos em 1915, relacionado com temores de que eles fossem uma quinta coluna russa.

Tanto a Guerra Civil Russa quanto a Guerra Civil Espanhola foram precursoras recentes de conflitos sistêmicos totais, pois as atrocidades começaram depois que as hostilidades formais haviam cessado. A guerra na Espanha não foi apenas entendida como uma cruzada contra pagãos ateus, mas, como mostrou George Orwell, como uma cruzada contra hereges do mesmo lado; foi assim no triste destino dos católicos bascos e dos trotskistas de Barcelona. O nadir do barbarismo dessa espécie refletiu-se na política alemã de matar de fome três milhões ou mais de prisioneiros soviéticos de guerra, e na decisão a sangue-frio de negar alimento a mais "x milhões" de civis, alimento que foi "subtraído" em benefício do Wehrmacht, conivente com essas políticas.

Setenta ou oitenta por cento das baixas alemãs foram infligidas pelos soviéticos no front oriental. Isso colocava as democracias liberais numa posição de gratidão para com uma sociedade em que a barbárie se tornara a norma. Uma sociedade que, tendo passado por fomes de terror e por expurgos – e cujos líderes haviam sido acostumados à violência pela luta revolucionária –, promovia a guerra sem qualquer escrúpulo pelo sofrimento humano. 158 mil soldados soviéticos foram executados por covardia ou por deserção pela NKVD; só em Stalingrado foram 13.500. Parte da motivação dos bombardeios de área promovidos pela Royal Air Force era mostrar a Stalin, nas fotografias aéreas das cidades alemãs em chamas, um sacrifício de sangue similar por parte dos aliados.

A guerra não interrompeu a paranóia generalizada sobre a qual o stalinismo foi construído. Milhões de prisioneiros de guerra repatriados – quase todos vítimas da própria incapacidade militar soviética em 1941 – foram presos ou fuzilados por terem testemunhado uma prosperidade improvável de camponeses na Romênia, ou uma real nas casas com lâmpadas elétricas e banheiros com descargas na Alemanha. Isso para não falar daqueles que foram forçados a trabalhar para o exército alemão, e que foram fuzilados após terem sido repatriados pelos Aliados.

Finalmente, por toda a Europa ocupada, e até pelo sudeste asiático, a Segunda Guerra Mundial também levou combatentes sem uniforme a guerrear contra forças uniformizadas de ocupação, às vezes com métodos que poderiam ser considerados terroristas – certamente o foram aos olhos dos alemães e japoneses. A Executiva de Operações Especiais britânica, que estimulou boa parte dessas atividades, tomou o IRA dos anos 20 como exemplo. Se grande parte dessas atividades são a justa razão celebradas, é preciso admitir que os grupos de resistência usaram por vezes de tortura contra colaboradores e espiões, e que suas fileiras incluíam tanto Kim Il Song na Manchúria quanto as heróicas senhoras cosmopolitas de quem tanto ouvimos falar. Em algumas partes da Europa, a resistência também degringolou em guerras funestas entre grupos rivais de guerrilheiros, nas quais os inimigos, em vez de alemães ou soviéticos, foram de fato poloneses ou ucranianos, croatas ou sérvios. Como a religião era nesses conflitos uma forte marca identitária, acabava desempenhando um papel igualmente forte, com o clero desgraçando a si próprio em todos os lados.

Perversão moral e legal

Gostaria de voltar-me agora para a disputa moral que estava no coração de um conflito muitas vezes descrito, com justiça, em termos de bem e mal – ainda que a morte de 55 milhões de pessoas não possa ser exatamente causa de celebração.

É um erro acreditar que os nazistas abandonaram a moralidade em si. A lei, que nas sociedades liberais supostamente protege nossos direitos contra o Estado, foi redefinida como a vontade da coletividade racial, abstendo-se, como disse um advogado, de "sua prerrogativa de única fonte de decisão do que é legal ou ilegal". Eles abandonaram aquilo que reflexivamente chamavam de humanitarismo sentimental em prol de um etno-sentimentalismo mais limitado e muitas vezes despercebido, tema que já fora posto em prática em campanhas anteriores à guerra para a esterilização dos deficientes, loucos e doentes. A guerra permitiu que ele se tornasse verdadeiramente sanguinário, começando com a eliminação das "existências de peso morto" em hospitais, hospícios e campos de concentração. A ética de uma nação moderna deveria supostamente retornar à dos espartanos, ou pelo menos a um nietzscheanismo bastardo.

Isso se alastrou em um ataque frenético aos judeus europeus tão logo a participação dos EUA tornou a guerra global e total, trazendo a sombra de uma possível derrota e do triunfo daquele que Hitler chamara de "incendiário do mundo". Falando a seu círculo mais próximo um dia após declarar guerra aos EUA, em dezembro de 1941, Hitler disse: "A guerra mundial chegou; a destruição dos judeus há de ser sua inevitável conseqüência".

Por mais perverso que isso pareça, a manutenção de um sentido de certo e errado era tão essencial para o processo exterminatório quanto os escrupulosos documentos jurídicos e recibos que acompanhavam a expropriação, o ostracismo e a deportação.

Não se tratava apenas de levar à corte marcial membros das SS que roubavam relógios, jóias e dentes de ouro de suas vítimas – ainda que o Holocausto inteiro tenha envolvido o roubo sistemático, dos grandes bancos alemães ao roubo de porta-malas de carros nas ruas. A existência daquilo que os tribunais da SS chamavam de "perpetradores de excessos" era uma testemunho essencial para a maioria que matava de maneira mais robótica. O que mais se pode depreender da sentença de dez meses recebida por um membro da Gestapo de Dortmund, detido enquanto cambaleava pelas ruas de Bialystok gritando que era "o Senhor da vida e da morte... se recebesse a ordem de matar trezentas crianças, fuzilaria cento e cinqüenta com suas próprias mãos". Igualmente essencial era a crença de que essa geração de alemães tinha recebido uma oportunidade e uma missão histórica de purificar o mundo de um mal cósmico em forma humana. Como exclamou um perpetrador após chacinar duzentas pessoas: "Diabos!, que se dane; uma geração tem de passar por isso para que as coisas sejam melhores para os nossos filhos".

A criminalização de vítimas inocentes também fazia parte desses eventos: os judeus, alegava-se, seriam responsáveis pelas cenas de tortura e pelos assassinatos que as tropas alemãs e os legistas do exército testemunharam nas prisões da Letônia e da Ucrânia abandonadas pela NKVD. Também eram guerrilheiros. De fato, em 18 de dezembro, foi isto que Himmler escreveu após um encontro com Hitler: "Questão Judia / exterminá-los como guerrilheiros".

Em mais uma torção lógica, não era acaso natural que uma criança, ao crescer, sentisse desejo de vingança contra aqueles que mataram seus pais? E não esqueçamos que a palavra *"Anständigkeit"* (decência) aparece nos anais dos principais perpetradores com a mesma freqüência que *"Ausrottung"* (extermínio).

No outro lado do mundo, o eixo de Hitler promovia aquilo que era propalado como uma guerra de libertação, com o propósito de alforriar seus companheiros asiáticos do colonialismo europeu e americano no sudeste asiático e no Pacífico. Churchill excluiu especificamente esse tipo de libertação nos preparativos da Carta do Atlântico. A mensagem japonesa tinha uma alavancagem considerável entre os nacionalistas dessas regiões, muitos dos quais se beneficiavam indiretamente da mobilização japonesa de populações com o slogan "A Ásia para os asiáticos". Sukarno, nas Índias Orientais Holandesas, seria um bom exemplo de colaborador asiático, ou, na sua própria opinião, um nacionalista que explorava os japoneses; mas isso também se aplicava a boa parte das elites filipinas e a Wang Jingwei na China nacionalista.

Se bem poucas dessas pessoas eram contra dar uns tabefes nos homens brancos, as coisas não caminharam bem quando os japoneses passaram a der tabefes nos asiáticos, ou quanto pediram aos muçulmanos malásios que se ajoelhassem uma vez por dia na direção de Tóquio e não na de Meca. A partir de 1934, na Manchúria, os japoneses viram-se em meio a guerras de contra-insurgência, com táticas com as quais os imperialistas vitoriosos após 1945 tiveram uma grande dívida.

"Conquistar os corações e as mentes", a expressão que tanto usamos, deriva de *minshin haaku* em japonês. O mesmo vale para *shudan buraku* ou capacetes estratégicos, que os japoneses usaram para distinguir camponeses de insurgentes na Manchúria a partir de 1934, e que foram reinventados na Indochina, na Indonésia, na Malásia e na Coréia do Sul nas décadas seguintes. Os comandantes japoneses precavidos também se preocupavam em equilibrar aquilo que chamavam de "o domínio dos galhos e das folhas" (as rebeliões ocasionais) com "o domínio das raízes", com que referiam os problemas econômicos e políticos fundamentais que afetavam a lealdade da população em geral. Ainda estamos lutando com esse domínio no Afeganistão.

Em alguns casos, os Aliados usaram tropas japonesas capturadas para restaurar o poder colonial – um bom exemplo é Douglas Gracey na Indochina – ou, como na Coréia do Sul, viram seu Grupo de Conselheiros Militares instruírem homens que tinham servido nas forças armadas japonesas e que portanto não precisavam que americanos lhes ensinassem a lidar com insurgentes.

Um teatro macabro

Nessa tentativa de retomar a história da moralidade na guerra das mãos dos filósofos e dos teólogos, ou pelo menos dos homens de jaleco branco que examinam a sangue-frio decisões impossíveis tomadas em tempo real, talvez valha a pena retornar ao mundo do jovem Christopher Seton-Watson. Ele lutou em três palcos bem diferentes: no norte da França, no norte da África, e na Itália.

O contexto físico muitas vezes determinou a maneira como as guerras foram travadas, e, nesse aspecto, "Segunda Guerra Mundial" é um termo geral que cobre diversos tipos de conflitos. No norte da África havia poucos civis, nenhum guerrilheiro, e a natureza fluida do combate num terreno sem relevo militava contra a violência mais íntima que as tropas conheceram na Itália e na França. Talvez tenha influído o fato de que nem Hitler nem os americanos consideravam a guerra no deserto algo mais do que um desvio inconveniente ao qual haviam sido forçados por seus aliados italianos e britânicos.

Aquilo que podemos chamar de espiral circunstancial da violência começou no terreno muito mais espinhoso da Itália e do norte da França, repleto de oportunidades para minas e para combates a curta distância. Seton-Watson registrou, em abril de 1945, que, após o desaparecimento de um oficial polonês e da subseqüente descoberta de seu cadáver mutilado, foram divulgadas ordens para não aceitar paraquedistas alemães como prisioneiros, e para matar até mesmo aqueles detidos para interrogatório. Os poloneses "de sangue-frio" podem ter apertado o gatilho, mas os oficiais britânicos também sancionaram tacitamente procedimentos que diminuíram a possibilidade de rendições inimigas.

O ordenamento prévio do arcabouço jurídico, um alto grau de investimento ideológico e uma espiral implacável de violência explicam porque a guerra entre alemães e soviéticos desencadeou brutalidades estarrecedoras de ambos os lados[1], ou melhor, de todos os lados, porque os romenos foram responsáveis por alguns dos piores massacres. Até mesmo os Einsatzgruppen afetaram desdém profissional pelos atos dos romenos que testemunharam em Odessa, o maior massacre isolado de judeus da Europa. Em 1944, aquela que era a norma de conduta no front oriental chegou ao front ocidental quando divisões da SS fizeram na França coisas que faziam todos os dias na União Soviética.

No palco do Pacífico, os Aliados guerrearam com uma ferocidade tremenda. De início, acreditavam que os japoneses eram idiotas dentuços e míopes com óculos gigantes, desconhecendo, obviamente, as atrocidades da guerra sino-japonesa, que, estima-se, pode ter matado até 15 milhões de pessoas. Contudo, reconsideraram rapidamente sua opinião quando as tropas de Yamashita os arrasaram na Malásia, obrigando uma força de dominação muito maior a entregar Cingapura em circunstâncias humilhantes. Logo viram que a atitude japonesa em relação aos prisioneiros de guerra havia claramente passado por uma mudança radical desde a guerra russo-japonesa de 1904-1905, em que o inimigo fora tratado de maneira notavelmente decente.

Talvez a guerra racial dos japoneses na China tenha diminuído o respeito pelas Convenções de Genebra, que os japoneses assinaram "com reservas", mas sem ratificação. Sua própria rendição não era proibida, mas era algo altamente estigmatizado, sobretudo pela platéia de augustos ancestrais que contemplava aqueles que estavam no limiar da morte.

A ansiedade causada pela projeção de sua própria rendição, combinada com uma necessidade de propagandear a humilhação de homens brancos ao mesmo tempo em que os outros asiáticos eram postos "em seu devido lugar", pode explicar o tratamento escandaloso que os japoneses impingiam aos seus prisioneiros. O fato de Yamashita ter tentado assumir o controle da carnificina em massa em Manila sugere que os comandantes possuíam um algum senso de certo e errado, ainda que, ironicamente, ele tenha sido enforcado por não ter exercido a responsabilidade que lhe cabia no comando.

---

[1] Cf. *Katyn: o longo segredo* de Dariusz Tolczyk, em *D&C 5 (N. do E.)*.

O sadismo perverso, praticado muitas vezes por coreanos étnicos e também por japoneses, teve seu próprio clímax de horrores. As tropas aliadas promoveram sua própria guerra de extermínio contra os japoneses, com slogans como "Exterminador de ratos" pintados em seus capacetes. Isso aconteceu, sobretudo, após terem se deparado com (ou ouvido falar de) canibalismo, torturas, mutilações e rendições falsas, ainda que o racismo puro e simples diante de um inimigo incompreensível tenha certamente desempenhado seu papel.

Como os dois lados sabiam o que ia acontecer a qualquer um que buscasse a rendição, o cálculo mais prudente era lutar para evitar destinos piores do que a morte. No caso japonês, isso se traduzia em homens explodindo-se a si próprios com granadas de mão ou dizimando-se em maciças descargas banzai. A visão normativa entre seus adversários foi enunciada de modo sucinto pelo sargento da marinha americana que declarou: "será preciso matar cada um desses calhordinhas amarelos".

Numa inversão das práticas usadas contra os apaches, ou durante a conquista e ocupação americana das Filipinas no início daquele século, a caça de troféus tornou-se lugar comum: as tropas americanas colecionavam bolsas de orelhas inimigas e usavam pulseiras de dentes japoneses. Nem mesmo os prisioneiros japoneses com ferimentos críticos estavam a salvo, como observou George MacDonald Fraser depois que tropas indianas furtivamente os queimaram vivos sob rochas num hospital de campanha em Burma.

A moral da História

Até aqui ofereci aquilo que vocês podem considerar antes um mapa do que uma bússola moral. As lições implícitas são triviais. Não eleja governos que ajam como predadores de outras nações ou que advoguem utopias, sem excluir a última utopia, como a chama Samuel Moyn, dos direitos humanos e do reino universal dos advogados que fazem bico, porque, como bem sabem os historiadores, um mal maior pode muitas vezes resultar da prática do bem.

Invista capitais financeiros, morais e intelectuais no apaziguamento de conflitos, e sempre considere a guerra o último recurso. Lute implacavelmente as guerras existenciais, mas evite aquelas que são desnecessárias. Como equilibrar a ética que livra o mundo de Saddam Hussein sem ampliar inadvertidamente a força regional do Irã é um problema que talvez mereça reflexão. Se temos de nos valer da guerra, então façamos isso de modo inteligente, justo e proporcional, prestando tanta atenção nos meios de encerrá-la quanto nos meios de iniciá-las.

Deus representa um problema particular em nossas lutas contra o islamismo violento. Talvez o pior trabalho que exista seja o de capelão das forças armadas. Parte da tarefa é perene: aliviar as ansiedades de jovens distantes de casa, ou que têm de lidar com a dor causada pela perda de algum camarada da sua unidade, com os quais se ligam tão intimamente, como mostram vividamente as memórias dos veteranos, de George MacDonald Fraser a Patrick Hennessey. Naturalmente, os mortos também têm famílias.

O status da religião nessas campanhas é dificultado pelo fato de que nossos adversários lutam gritando *Allahu akbar!*, enquanto as fileiras de nossas forças incluem soldados que são muçulmanos ou cristãos ou de outras religiões ou de nenhuma. *Deus le veult!*, o grito de batalha dos cruzados medievais, já não é mais uma opção, e o termo "cruzada" é rejeitado até como analogia. Dizer que "nós" estamos lutando pela "civilização" também é complicado, porque há diversas outras civilizações, da China comunista até a Indonésia muçulmana, passando pela Índia hindu, todas envolvidas na luta contra insurgentes e terroristas islâmicos, e por vezes, ao que parece, de modo muito mais eficiente do que nós. A civilização também parece não ter muita importância para os protestantes fundamentalistas, que consideram boa parte da nossa civilização, de Homero aos homossexuais, a obra do Diabo. Um grande número de capelães militares americanos vem dessa cultura evangélica.

Se vemos que Deus é excessivamente controverso em nossos atuais esforços expedicionários, exceto como conforto para indivíduos, então é ainda mais importante que tenhamos clareza mental a respeito da disputa moral em que estamos envolvidos. Somos com toda razão convocados a admirar a bravura de nossos jovens soldados e pilotos. Mas esse conflito não diz respeito apenas a eles, e sim, também, à vontade organizada das sociedades civis e seculares de perseverar num combate que pode durar não quatro, cinco ou nove anos, mas talvez cinqüenta, e muitas vezes sob a pressão de opiniões duvidosas ou superficialmente sofisticadas.

Isso também faz parte do pacto militar, junto com os coturnos, os alojamentos, os rifles e os veículos blindados. O inimigo é multiforme, e pode perfeitamente atacar da Somália, do Iêmen, do Mali ou da Mauritânia por meio de pessoas que vivem em Bradford, em Luton ou em Walthamstow como nossos concidadãos. O universo moral (do modo como está atualmente configurado) de nossos adversários – sua histeria moralista, poder-se-ia dizer – não é um assunto com o qual estamos lidando muito bem. De fato, sinto-me tentado a dizer que a equiparação feita por Liddell Hart do nazismo com os "maus modos" antecipa muitas de nossas dificuldades atuais para explicar por que estamos em guerra, porque os bons modos muitas vezes incluem uma relutância em ofender. E espero não os ter ofendido com minhas palavras.

....

Michael Burleigh *é historiador e professor titular do New College de Oxford, da London School of Economics e da Universidade de Cardiff. Membro da Royal Historical Society britânica, integra o conselho editorial da revista* Standpoint *para a qual contribui regularmente. Especialista em história moderna e contemporânea, é autor de diversos livros, entre os quais* Blood and Rage: A Cultural History of Terrorism *(2008),* Sacred Causes: Religion and Politics from the European Dictators to Al Qaeda *(2006), e* Earthly Powers: Religion and Politics in Europe from the French Revolution to the Great War *(2005). Os temas tratados neste ensaio foram desenvolvidos extensamente em sua publicação mais recente:* Moral Combat: A History of World War II, *de 2010.*

Tradução de Pedro Sette-Câmara

DO LADO DE LÁ

QUATRO ENSAIOS SOBRE TEATRO
por David Mamet

INSTINTOS DE CAÇA

Um homem nunca é tão feliz quanto ao sair para caçar
(Ortega y Gasset)

O homem é um predador. Sabemos disso porque nossos olhos estão na parte frontal de nossas cabeças. Pode-se chegar à mesma conclusão lendo os jornais.

Como predadores, encerramos o dia ao redor da fogueira a contar episódios da caça.

Tais histórias, tal como a perseguição em si, atiçam nosso mais primitivo instinto de busca:[1] o herói da história tem em vista a sua meta – o lugar onde se esconde o cervo, a causa da praga de Tebas, a questão da castidade de Desdêmona ou ainda o paradeiro de Godot.

Na história de caça, a audiência é colocada na mesma posição do protagonista: aquele que vê é informado sobre a meta e, como o herói, procura escolher o melhor a fazer em seguida – ele imagina o que vai acontecer. Como poderia determinar o melhor a fazer? Observando. Ele, o expectador, observa a conduta do herói e os seus antagonistas, e adivinha o que acontecerá depois. Eis a essência da história contada ao redor da fogueira: "E você não imagina o que aconteceu depois..."

Para fazer esse tipo de prognóstico usamos a mesma área do cérebro usada na caça: a habilidade de processar espontaneamente a informação e agir com base nela sem submeter tudo isso a uma revisão verbal (consciente).

É o paradoxo aparente da escrita dramatúrgica. Não se trata, como parece, de uma comunicação de idéias, mas sim de um suscitar na audiência os instintos de caça. Semelhantes instintos precedem o verbal e em momentos de tensão o excedem; são espontâneos e mais poderosos do que a assimilação de uma idéia.

A mera apresentação de uma idéia é chamada de palestra. Esta leva o ouvinte àquele ao estado reflexivo necessário para a comparação e avaliação de idéias. Trata-se do estado usual do ser civilizado – um amenizar dos instintos predatórios com a finalidade de permitir a cooperação comunitária.

Isso parece muito bem. Mas não toca ainda a matéria do teatro, que, ao satisfazer uma necessidade mais básica – exercitar nossos instintos mais primários –, tem o poder não apenas de agradar, mas também, curiosamente, o de unir as pessoas. Pois quando a platéia é comovida, ela o é num plano pré-verbal. Ela não participa das idéias da peça, e sim experimenta o suspense de uma caçada comunitária. Esse suspense também é experimentado no ato de se apaixonar, no jogo, no combate, no esporte.

Quando a peça termina, voltamos às nossas pretensões intelectuais e atribuímos nossa fruição à nossa habilidade de apreciar os seus temas empolgantes e idéias. Trata-se (como na eleição de um crítico de jornal para censor) de uma tentativa de se recuperar a autonomia.

Mas na verdade, numa peça, não nos co-

---

[1] É por isso que nossos olhos estão na frente: para auxiliar na busca. Os olhos das presas estão sempre nas laterais, para buscar predadores.

movemos com as idéias e nem, fundamentalmente, com o elemento poético presente. Gostamos de peças traduzidas; e o que sabemos do russo de Tchekov? E discutimos há cem anos a respeito do "significado" de *Hamlet*.

Certamente uma peça, não sendo uma celebração da caçada pela caçada, se beneficiará caso o autor seja um poeta – Shakespeare é o maior poeta da língua inglesa. Mas o segundo melhor foi Yeats e ele não seria capaz de escrever uma peça nem para salvar a sua alma. A poesia é insuficiente; a beleza da linguagem é um aspecto (veja-se Tchekov traduzido, novamente) acidental. O que é essencial? O roteiro.

O amor que os críticos e acadêmicos têm por peças "de idéias" revela uma confusão a respeito do teatro. É uma confusão do homem civilizado, ou seja, uma apreciação errada do poder da razão humana. "Estamos aqui todos juntos no teatro; assim, façamos prudente uso do nosso tempo e prestemos atenção a uma palestra cujo sentido pode ser encapsulado e levado para casa".

Mas semelhante palestra não tem o poder de unir. Pois mesmo que apreciemos a proclamação certeira de uma verdade, nós, os espectadores, nada experimentamos juntos.

Nós, os espectadores, apenas ficamos presos numa palestra.

E o teatro é, essencialmente, gente presa num elevador.

Aqueles entre nós que experimentaram uma situação desse tipo guardam-na por toda a vida, por mais desafiadora e inconveniente que tenha sido na época; lembramo-nos da unidade do empreendimento comum e valorizamos o fim das nossas preocupações mundanas. Certamente foi uma experiência renovadora o termos colocado de lado as atividades tão angustiantes do dia e descoberto que o mundo continuava de qualquer modo, enquanto a nossa pequena tribo recém-estabelecida procurava por uma solução para o seu problema comum.

As horas no elevador, as horas no teatro constituem uma caçada comunitária em busca de uma solução. Como tais, as experiências são indeléveis, e isso por uma simples razão: elas entretêm, não a consciência, mas uma porção diversa, de outra ordem, do cérebro.

O soldado, o jogador, o lutador exigem que se lhes mostre a coisa uma só vez. Não precisam ser convencidos por qualquer sorte de explicação. A partir do momento em que vêem algo que lhes custará ou salvará a vida, estão decididos. Suas ondas cerebrais já foram alteradas – pois a sua vida depende disso. Eles são, aqui, animais predadores.

Mas a passividade de quem ouve uma palestra ou assiste a uma peça "de idéias" é a reação de uma presa: fiquem parados e escutem enquanto lhe dizem algo de que você já sabia e pelo qual está sendo cobrado. Não tenha medo. Nada o vai excitar.

Usamos na verdade uma parte diferente do cérebro para apreciar uma peça. Nós, gente civilizada, a usamos raramente, mas adoramos fazê-lo. Vá ao teatro e sinta a platéia enfeitiçada por uma peça. Pode-se percebê-lo no *backstage*, com os olhos fechados – uma mudança fisiológica ocorre por meio da absorção comum no processo da caçada.

O que contribui na verdade para o prazer especial que temos no teatro é a excitação do instinto de caça. (O contador de histórias ao redor da fogueira atrai a nossa participação comunitária na fuga das garras do urso, que está perto; mas o espectador não corre perigo).

Notemos que suspensão da descrença não significa que aceitamos o implausível, mas sim que suspendemos o processo racional de intelectualização, ou seja, de comparação do fenômeno com a idéia – um processo lento demais para se usar numa caçada.

A suspensão da descrença é melhor caracterizada como uma suspensão da razão e, como tal, pode ser vista como uma ação essencialmente religiosa – um render-se diante dos deuses ou do Fado, ou uma confissão de que nossa tão prezada razão, e portanto nossa humanidade, padece de uma falha fundamental e que somos pecadores, esmagados entre o bem e o mal, entre consciência e paixão, enganados na avaliação dos nossos próprios poderes.

Nessa caçada, nossa autoconfiança é ao final revelada como um ato de arrogância, a nossa razão como loucura. Por sermos rebaixados, somos purificados – como num confessionário, em Yom Kippur, ou em qualquer pedido autêntico de perdão.

Eis a história da caçada, da guerra, a história ao redor da fogueira. É sempre uma confissão da impotência humana diante das intenções dos deuses. Aqui, falhamos nas tarefas mais fáceis e somos bem sucedidos nas mais impossíveis, como quer o Fado.

Como predadores, entendemos nossa vida inteira, e cada porção discreta dela (o dia, a semana, a juventude, a maturidade, a velhice, o novo trabalho), como uma caçada.

Caçamos pela segurança, pela fama, pela felicidade, pela compensação etc. A psiquiatria é uma tentativa de trazer à mente consciente a natureza da caçada e, portanto, uma procura pela razão mais profunda por baixo das necessidades daquele que sofre; trazer consciência ao que inconscientemente assumimos e colocamos como meta, cuja incompatibilidade com a possibilidade real faz de nós, pacientes, pessoas infelizes.

O teatro não é uma tentativa, por parte do dramaturgo, de esclarecer, mas sim de apresentar, em sua forma não filtrada, perturbadora, a caçada do indivíduo (o protagonista), de modo que, em sua forma perfeita (tragédia), o final da peça revele a loucura das presunções do herói (e portanto as da platéia) a respeito do mundo e dele mesmo.

EMOÇÃO

Ninguém dá a mínima para o que você sente.

Ninguém liga para o que o médico sente, para o que o bombeiro sente, para o que sente o soldado, o dentista. Espera-se que eles façam o seu trabalho, não importa o que sintam, e, enquanto fazem o fazem, espera-se que guardem os seus sentimentos para si. Semelhante circunspecção é chamada de respeito próprio.

E também ninguém liga para o que você, ator, sente. Espera-se que você faça o seu trabalho, que é aparecer no horário e dizer o seu texto, atuando de modo a que a platéia possa entender a peça.

Stanislavsky, creio eu, pode não ter sido um gênio; mas ele era sortudo e sábio. Teve sorte em razão da entrada, no cenário, de Anton Tchekov, cujas peças lhe serviram de inspiração para a idéia de que a atuação não precisa ser formalista; e ele foi sábio ao reconhecê-lo e no conter-se, saindo da frente quando o ator queria passar.

E como eu sei que foi assim? Por que as peças de Tchekov fizeram sucesso. Para a maioria de nós, assistir a uma peça dele costuma ser um passatempo lúgubre e medonho. Isso é o resultado de diretores "atormentando" as peças, adicionando-lhes "boas idéias" (peças que, a propósito, dispensam esse tipo de coisa).

E Stanislavsky era um bom diretor? Muito provavelmente, e eu pauto a minha conjectura em parte nas fotos profissionais dele quando era ator. A julgar por elas, Stanislavsky com toda certeza não era nada bom, se o colocamos na posição que a maioria de nós diretores (incluindo eu) prefere – nós que, tendo-nos sido negado o desejo de atuar, acabamos ficando, ao final, apenas com o desejo de observar e admirar.

Presumo que os seus atores eram bons, uma vez que o seu teatro tinha boa fama, de modo que ele tinha lá o seu material. Como ocorreu com o Actors Studio e muitas outras escolas, se teria dado crédito a uma teoria ou à capacidade da organização quando, na verdade, o sucesso se devia (estivessem eles conscientes disso ou não) apenas ao talento e ao esforço dos artistas.

O diretor sábio é mais semelhante a um treinador esportivo do que a um coreógrafo. Ele faz a sua seleção com base na capacidade e procura levar os talentosos a trabalhar com vistas a um objetivo comum: a peça.

O grau de influência que alguém pode exercer sobre um ator é mínimo. Ele adicionará a seu papel idiossincrasia e facilidade – os maiores componentes daquilo a que chamamos talento. O treinador pode ajudar os talentosos a eliminar maus hábitos (ombros arqueados, baixo volume da voz, dar as costas à platéia, falas inacabadas, movimento sem intenção), mas eles sempre precisam ser tratados com cuidado.

Em primeiro lugar, eles receberam um dom, algo que precisa ser respeitado e que está, em grande medida, fora do seu controle. Uma autoconsciência auto-destrutiva pode ser – e será – induzida por um discurso teórico, ou até mesmo longo e tedioso, do diretor.

E o que pode o diretor fazer? Sugerir de modo cuidadoso a natureza da cena (uma despedida, uma expulsão, uma súplica, uma repreenda), mantê-la assim e depois cair fora para fumar um cigarro. É isso.

Os livros teóricos de Stanislavsky são um lixo. São impraticáveis e, por isso, inúteis para um ator.

O seu grande dom foi ter reconhecido Tchekov. E as peças do Tchekov é que transformaram a arte de atuar.

POLITICAMENTE CORRETO

A essência da democracia é isso aqui: o indivíduo é livre para adotar ou rejeitar, louvar ou abominar qualquer posição política – nesse aspecto ele não deve prestar contas a ninguém, e nunca precisa, na verdade, dar as suas razões ou defender a sua escolha.

Que qualquer ato político possa ser tido como correto pressupõe uma autoridade universal, incontroversa e supra-democrática – ou seja, uma ditadura.

O politicamente correto só pode existir – já que é um instrumento particular dela – numa opressão totalitária. O sentido atual da frase é "ortodoxia ideológica".

Muitos de nós têm "boas idéias", mas aqueles que têm um emprego de ocasião – ao contrário dos ideólogos – são impedidos de envenenar (com elas) os seus companheiros, os seres humanos.

O teatro é um exemplo magnífico dos efeitos daquele baluarte particular da democracia, a economia de livre mercado. Ele é a mais democrática das artes; porque se a peça não exerce nenhum apelo imediato sobre a imaginação ou o entendimento de uma parte considerável do público, é substituída. O teatro é um exemplo especial do livre mercado, uma vez que as interações entre o espectador e o apresentador, entre o consumidor e o fornecedor são imediatas, absolutamente sem peias, não sujeitas a regulamentos – pois interações não exigem a intervenção de um terceiro que as verifique (o vendedor não precisa explicar porquê apresentou determinado bem e nem o comprador explicar porquê o escolheu ou rejeitou).

Existe um retorno imediato entre as partes envolvidas na transação, e cada uma delas fará as suas manobras até que atinja este ou aquele objetivo (para a platéia, diversão, entretenimento; para o artista, apoio), sem recorrer a proposições logicamente válidas ou verificáveis. As interações do teatro, uma instituição de livre mercado, parecem-se muito mais com uma luta livre do que com um processo judicial.

Em nossa sociedade livre, o teatro é livre: para agradar, para desagradar, para afrontar, para entediar, para ter sucesso, ou para fracassar – de acordo com nenhuma regra ou padrão que seja. Ele é território não de ideólogos (sejam eles pagos pelo Estado, os "comissionados", ou subsidiados tributariamente por meio do sistema universitário, os chamados "intelectuais"), mas de gente que precisa aparecer, tentando sobreviver.

Numa democracia, é assim que as coisas devem ser. O fato de que um diretor seja bom em fazer a gente se mover em volta de um sofá – ou que um escritor seja habilidoso em dar respostas espertinhas – não o habilita a usar o tempo da platéia para pregar. Na verdade, uma platéia que tenha pago os ingressos honestamente não suportará (nem deveria) um absurdo desse tipo e mandará o doutrinador pastar e arranjar outro emprego. A não ser que ele seja subsidiado.

É apenas num teatro subsidiado pelo Estado (seja o subsídio direto, na forma de concessões, ou indireto, como em doações com deduções de impostos a universidades) que o ideólogo pode exercer influência, uma vez que ele está sujeito não ao veredito imediato da platéia, mas aos bons desejos da autoridade subsidiadora, que ele de bom grado tentará fomentar, devotando à tarefa todas as suas energias.

Veja a multidão de diretores e dramaturgos do bloco soviético inundando as nossas praias desde os anos 60, exibindo, com efeito, *son et lumières* diante das quais uma platéia cativa estava suficientemente entediada a ponto de lhes procurar conferir sentido.

Veja também os seus imitadores americanos: grupos de mímica, de marionetes, laboratórios financiados por universidades, conjuntos de *agitprop* etc., oferecendo espetáculos sem sentido, essencialmente construtivistas, os quais a platéia era convidada a entender (como durante o regime comunista) qual fossem apresentações inefáveis da batalha contra a repressão – uma batalha tão, mas tão profunda, que seria impossível traduzi-la em palavras –, cheia de movimentos frenéticos.

Desde a queda do comunismo, os defensores desses exemplos construtivistas do texto como opressão e como veiculador de preconceitos esperam que eles celebrem e elevem a "consciência" da opressão: não dos trabalhadores pelos capitalistas, mas das mulheres pelos homens, do Oriente pelo Ocidente, das trevas pela luz.

Os auto-canonizados santos do pensamento correto podem funcionar *apenas* em um ambiente controlado pelo Estado (ou pelo seu simulacro, a correção política) – porque uma platéia que esteja livre para escolher vai se partir de rir deles, com um profundo desprezo.

Os defensores da chamada "teoria", seja feminista, marxista, multiculturalista, ou outra qualquer, numa tentativa de despojar a expressão dos preconceitos, acabaram por se envolver numa edição pós-moderna da queima de livros. Porque a questão da arte não é "Quem de fato serve o Estado?" (stalinismo) e nem "Como isso pode servir a humanidade?", mas: "Como isso pode servir a platéia?"

Por quê?

Até agora ninguém descobriu como servir a humanidade. Aqueles que notadamente conseguiram adquirir poder por meio da sua pretensão de servi-la são conhecidos como tiranos.

Mas alguém pode lutar por servir a platéia e aplicar testes nesse sentido a fim de saber se foi bem sucedido. (Eles riram? Choraram? Contaram aos seus amigos?)

Nós rimos, choramos, suspiramos, engasgamos – enquanto a peça nos revela que tudo aquilo em que acreditamos até agora era uma loucura. (Eis o poder da apresentação dramática, seja ela a brincadeira do "toc toc – quem está aí?" até a tragédia shakespeareana. Estamos diante de uma declaração de fato claramente enunciada: por exemplo, de que nada no mundo poderia me fazer duvidar da honestidade da minha esposa). E nós a seguimos, passo a passo, até que ela nos leva à derrota e, assim, ao reconhecimento da trágica falta de valor do nosso processo racional. Ao final desse processo (seja uma piada, seja uma peça), ficamos livres do fardo da repressão que esse conhecimento nos colocou sobre os ombros.[2]

Considere, em oposição a isso, os pseudo-dramas, os espetáculos multimídia, a arte performática, o *agitprop* e outras sugestões de que existe *a* visão politicamente correta, e que o lugar apropriado para ela ser mostrada é a arena dramática.

Esses espetáculos essencialmente sem sentido, mais uma vez, convidam a platéia (previamente selecionada pelas opiniões políticas dos seus membros) a assistir a uma celebração da morte do sentido. Eles não exploram a interação humana (a tarefa do teatro), ou seja, eles não investigam com o objetivo de obter uma

---

[2] Ultimamente, eu dava uma aula sobre estrutura dramática numa grande universidade. Para minha vergonha, permiti que a aula fosse usurpada por um jovenzinho que insistia que uma aula nessa matéria que não fizesse finca-pé no direito de dois homossexuais de se beijarem no palco nunca poderia fazer sentido. Chocado diante da veemência jacobina do rapaz, não me ocorreu a idéia de lembrá-lo de que a sabedoria dramática, desde tempos imemoriais, aconselha que *ninguém* beije num palco. Não é interessante, e pode no máximo sinalizar que a peça acabou. A melhor resposta para ele deveria ter sido: "Então tente, vá lá checar a bilheteria e depois volte para falar comigo".

> **O teatro é sobre mentiras. O teatro é sobre repressão. Quando algo reprimido é liberado – ao final da peça –, o poder da repressão se extingue, e o herói (o substituto da platéia) se torna mais completo. O teatro é sobre o encontro, no caos, de um sentido dantes ignorado; sobre a descoberta da verdade que estava previamente obscurecida pelas mentiras e sobre nossa persistência em aceitar mentiras.**

conclusão, mas começam com uma conclusão (o capitalismo, os EUA, os homens, e daí por diante, são maus) e recompensam a platéia por aplaudir a sua concordância.

As origens da correção política atual pode ser encontrada nas peças e filmes de regimes totalitários (especialmente na Rússia stalinista), que eram criados ou aprovados por um estado que precisava negar a possibilidade de uma interação humana sem peias – que precisava taxar o sentido da arte.

Aos artistas que estavam sob esses regimes, já que a liberdade de expressão das próprias idéias lhes era vedada, era concedida a opção de se julgarem afortunados, recebendo uma subvenção estatal, ou, fossem muito espertinhos, alimentar o público com mensagens subliminares contra o estado.

Os pseudo-dramas que se seguiram foram (e são) a epítome do politicamente correto. Eles devem estar certos; por não terem nenhum sentido, ninguém pode provar o contrário.

O teatro é sobre mentiras. O teatro é sobre repressão. Quando algo reprimido é liberado – ao final da peça –, o poder da repressão se extingue, e o herói (o substituto da platéia) se torna mais completo. O teatro é sobre o encontro, no caos, de um sentido dantes ignorado; sobre a descoberta da verdade que estava previamente obscurecida pelas mentiras e sobre nossa persistência em aceitar mentiras.

No grande teatro, reconhecemos que a liberdade pode estar além, e que pode ser atingida por meio do doloroso questionamento de algo que anteriormente se julgava inquestionável. Nele, seguimos um supostamente compreendido primeiro princípio até a sua conclusão chocante e inesperada. Encontramos prazer em descobrir que somos capazes de revisar nosso entendimento.

Pode ser que haja um espetáculo politicamente correto; mas não pode haver teatro politicamente correto. A própria expressão deveria causar repulsão em alguém que valoriza a democracia e a mais democrática das artes, o teatro.

PRODUÇÃO TEATRAL

Toda indústria difere no modo como as coisas são descritas no escritório de entrada e no modo como elas realmente acontecem lá atrás na linha de montagem. O recém promovido lugar-tentente ficará na sua, quieto, e ouvirá o que o velho sargento tem a dizer.

A tradição judaica refinou a interação com os aprendizes assim: ache um rabino, obedeça-o, e não faça perguntas. Este último sistema, para mim, é a única melhora que pode sobreviver ao sistema socrático: neste, o estudante não apenas responde as suas próprias perguntas como também as faz.

A produção teatral só pode ser aprendida no palco, diante de uma platéia pagante. Porque, como em muitas outras coisas, o que é necessário para fomentar o conhecimento é o – sempre muito tosco – trauma do fracasso.

O ator pergunta: por que essa risada não funciona? Por que eu percebo que a atenção da platéia falha naquele ponto? Por que determinado ator chama a atenção, e eu não? A resposta pode ser: uma má compreensão da peça, má direção ou, até, falta de habilidade dele como ator.

E a cura pode ser a produção teatral. Não se trata de atuação ou análise, mas de simples técnica mecânica. E qual a diferença dela para a atuação?

É o seguinte. O cirurgião estuda anatomia e cirurgia na escola, no laboratório e na sala de dissecção. Ele aprende muitas coisas ali, mas pode *não aprender* a checar com cuidado o número de suturas preparadas antes da incisão, ou a abrir o paciente muito rapidamente a fim de ganhar tempo suficiente para o trabalho em fases mais críticas do procedimento.

O boxeador pode treinar a vida inteira na academia, mas é possível que seja necessária uma aprendizagem mais intensa nos ringues para que ele aprenda a terminar o *round* no seu próprio *corner*, pois assim o seu adversário precisará andar um pouco para descansar...

Essas coisas talvez não permitam chegar ao *status* da grandeza na arte – mas estão em um estágio superior aos truques, sempre serão praticáveis e úteis à performance e à sua recepção.

Sempre gesticule com a mão mais próxima da platéia. Isso deixa a pessoa mais próxima a ela.

Nunca se posicione paralela ou perpendicularmente com relação à parte frontal do palco. Como no boxe e na dança, isso torna o corpo morto e de pés chatos.

Fique num ângulo. As diagonais são poderosas. Carregue com você a cena. Sua cena termina não quando você pára de falar ou quando você "sai da sala", mas sim quando a platéia não o pode mais ver.

Mantenha os olhos elevados. A platéia não quer olhar para a sua testa. Os olhos, sendo o espelho da alma, são o que a platéia veio ver.

Não faça gestos. Muitos atores assombram o palco como lulas gigantes usando palmilhas.

Relaxe, mantenha os seus braços e mãos quietos. Assim, se você fizer algum gesto talvez a platéia possa prestar atenção.

Preste atenção na sua fala

É praticamente impossível (dada uma boa dicção) falar muito rápido no palco. A maioria dos atores faz uma pausa antes de cada linha. Por que? Acerte a velocidade. Ninguém paga para "vê-lo pensar".

Fale para fora. A amplificação eletrônica fez mais para arruinar o palco americano do que todos os diretores do bloco soviético juntos. O autor da peça escreveu as falas para que fossem ditas em alto e bom som.

Eis o corolário: pronuncie bem a consoante final.[3] A maioria dos atores, não tendo uma boa dicção, engolem a consoante final e a última ou as últimas duas palavras da frase.

Muitos podem pensar que isso é ser natural. Mas estar no palco não é, absolutamente, algo natural. Você está ali para atuar. Fale em alto e bom som. Pronunciar bem a consoante final ensina-lhe uma das coisas mais importantes da música: terminar a frase.[4] E o corolário: comece a frase; quando é hora de falar, fale. Dedique-se à frase e você se dedicará à peça. E é só isso.

Nunca atravesse uma risada (a sua ou, Deus não o permita, a de outro). Muitos atores tentam preencher aquilo que consideram uma pausa estranha (uma risada) entrando em cena com uma fala. Pode-se fazer isso até com algo tão sutil como um ligeiro movimento com a cabeça.

A platéia, numa comédia, veio para rir. *Deixe-a* rir. Qualquer tipo de movimento – um leve endireitar da postura, por exemplo – mata qualquer risada. Não estão pedindo para que você congele, mas que relaxe. Nunca atravesse uma risada.

E nunca atravesse a fala de outro ator. O dramaturgo escreveu as falas em benefício da platéia. Se você está se movendo, a atenção irá passar da fala ao seu movimento. (Pode ser que você seja orientado pelo diretor a quebrar algumas ou todas essas regras infalíveis – e nesse ponto, você será taxado para aprender não só produção teatral, mas também filosofia).

Nunca peça desculpas depois que as cortinas caírem

A queda das cortinas não é um medidor de aplausos, mas um reconhecimento da platéia. Você está ali para agradecer a platéia pela atenção dispensada.

Muitos atores iniciantes e ruins usam o momento após a queda das cortinas para dizer à platéia que sentem muito a respeito da sua má performance e que sabem que não foram muito bem. Assuma uma posição ereta, não fique se mexendo, e comunique, com uma reverência, o seu agradecimento à platéia pela sua atenção. E quando sair, faça-o com dignidade e mantenha a cabeça levantada. O prazer resultante de uma peça perfeitamente boa (e perfeitamente encenada) pode, e será diminuído pela sua indicação, pelo sinal dado (que pode ser uma cara macambúzia, uma cabeça pendente, ou empurrar o outro ator para que se apresse e caia fora de modo que você possa se esconder), de que "eu acho que poderia ter sido melhor".

Se poderia ter sido melhor, então faça melhor da próxima vez. As suas lamúrias para o público só poderão diminuir o entusiasmo por algo que pode, de fato, ter sido uma performance perfeitamente boa da sua parte e uma agradável noite para ele.

O pior sintoma desse pedido de desculpas é

---

[3] No português, mais adequado seria pensar nas vogais finais (*N. do T.*).
[4] Frase, em sentido técnico-musical ("*phrase*") (*N. do T.*).

pegar algo. Muitos atores amadores – e até alguns profissionais com pouco treino – costumam pegar alguma peça de vestuário ou objeto de palco ao sair, depois dos agradecimentos. Oh, pelo amor de Deus. Não é o seu trabalho; isso cabe a quem administra a coisa. Tal gesto significa: "Eu queria fazer mais..."

Bem, você teve a sua oportunidade e terá outra na próxima. (Observamos esse comportamento estranho também em atores que, numa audição, não conseguem sair da sala).

Muitos iniciantes, e muitos deles já de idade, terminarão a sua audição, sairão da sala, e voltarão para pegar o cachecol, o script, o fox terrier que esqueceram. Não faça uma coisa dessas. Se você foi burro o suficiente para deixá-los lá, esqueça, o direito prescreveu; e aprenda a nunca mais fazê-lo.

Não ria. Não chore

Ninguém vai ao teatro para ver atores rindo ou chorando. Eles vêm para rir e chorar eles mesmos.

O aforismo dramatúrgico mais antigo e correto é: "Se você rir, eles não hão de rir. Se você chorar, eles não hão de chorar". Ele é tão verdadeiro como o pôr-do-sol. Estudantes iniciantes se preocupam com "aprender" a chorar, e com "O que eu faço se eles me pedirem para chorar?"

Vire-se. Mas se o diretor de fato "determinar" que você chore, eu sugiro a você que trate essa ordem como um pedido de natureza física e não emocional. Ou seja, se o personagem precisa espirrar, você poderia muito bem dispensar um monólogo psico-neurótico sobre se você de fato "sente" ou não vontade de espirrar. O que o impede de tratar um pedido do diretor para chorar (ou rir) de modo semelhante?

Pelo amor de Deus, não se impaciente. Ninguém dá a mínima para o seu precioso *insight* a respeito do modo como um personagem deve ter brincado com o fecho do seu casaco. Quem chama a sua atenção numa festa? O garoto ou a garota que estão fazendo coisas interessantes? Ou aquele que tem dignidade o suficiente para ficar quieto, sentado?

Sempre leve a sua carteira para o palco

George Burns disse que essa dica era o que de mais importante ele tinha aprendido em oito anos no *show business*.

Existem, certamente, muito mais exemplos de produção teatral que me ocorrerão quando eu tiver terminado esse artigo. Mas eles, e os seus amigos, serão todos aprendidos pelo honesto devoto da arte que estiver se exercitando no palco profissional. Boa sorte!

....

Publicado pela Faber&Faber em 2010, Theatre, *do qual apresentamos aqui alguns pequenos trechos, será lançado no Brasil no segundo semestre de 2011 pela editora* Record.

David Mamet *é dramaturgo, ensaísta, roteirista e diretor de cinema. Vencedor dos prêmios* Pulitzer *por* Glengarry Glen Ross *(1984) e* Speed-the-Plow *(1988) e indicado a dois* Oscar *de melhor roteiro por* The Veredict *(1982) e* Wag the Dog *(1997), é autor de diversos livros entre os quais* The Old Religion *(1997),* Five Cities of Refuge *(2004) e* The Wicked Son *(2006).*

Tradução de Julio Lemos

65 | **GALERIA** *por Daniel Faiad Barreto*

66 PERFIL

PELOS CAMINHOS TORTOS DE MARSHALL McLUHAN
OU "UM GRAMÁTICO ACIDENTAL"
por Leandro Oliveira

Qual Marshall McLuhan? O analista da cultura e autor premiado ou o *causer* frasista, o *clown* de si mesmo em filmes de Woody Allen? Ambos? Então, por força, antes de começar um perfil sobre McLuhan é necessário um esforço de síntese para o qual se exige absoluta atenção. A escolha das palavras é cuidadosa e é de bom tom evitar repetições desnecessárias. Marshall McLuhan: este é o "quem". O "onde", Edmonton, capital de Alberta, uma não pouco importante província do Canadá. O "o quê" é simples: professor de literatura. O "quando" é controverso: seu nascimento inequivocamente o dia 21 de julho de 1911, mas sua obra mais importante, a que motiva sua presença nas páginas desta revista, 1962 – a publicação de seu livro mais influente. Sobre o "por quê"? Interesses amplos que vão da educação medieval às mais recentes tecnologias de comunicação, e uma evidente perplexidade quanto ao papel e atitude do homem contemporâneo e suas expressões artísticas e culturais. O que nos deixa somente com o "como". E aí, como diria Hoffmansthal, no "como", é que reside toda a diferença.

Para o "como" temos o princípio, e para os incautos ele deveria estar em Gossage & Feigen. Este é o nome da empresa de Howard Gossage e Gerald Feigen, dois publicitários da Califórnia responsáveis pela estratégia de divulgação do livro. Para tanto se valem de estratégias básicas da propaganda, uma rede de jornalistas obsequiosos espalhados por distintos veículos da costa oeste e a promoção de encontros com grupos de formadores de opinião influentes – como o Festival McLuhan, em 1965.

Entre esses formadores de opinião, Tom Wolfe, que acabara de lançar seu best-seller *The Kandy-Kolored Tangerine-Flake Streamline Baby* (1965) com relatos plenos do charme do chamado *new journalism* ou jornalismo literário – e cujo tema são as manifestações da contracultura norte-americana. Logo após o Festival McLuhan, um artigo de Wolfe "What if He is Right?" é publicado no "New York Herald Tribune" e replicado em diversos outros veículos de mídia da época[1].

"What if He is Right?" é incluído no segundo livro de ensaios de Wolfe, a coletânea *The Pump House Gang* (1968). Com ele, artigos sobre Hugh Helfner (o fundador da revista Playboy), Carol Doda (*stripper* de São Francisco, famosa por popularizar os seios siliconados), diversas socialites de Nova York e o surfista Jack Macpherson. A inferência óbvia é que, justificado ao lado desta fauna, Marshall McLuhan já faz parte do folclore do "homem eletrônico".

....

[1] "Por todo lado há centenas de figurões do mundo dos negócios, designers de embalagens de *fastfood*, vice-presidentes dos departamentos de criação de canais de televisão, "representantes de mídia" de agências de publicidade, herdeiros milionários da indústria de abajures, sorridentes advogados de patentes, espiões industriais, acionistas visionários, todo tipo de empresário magnata se perguntando se este homem, Marshall McLuhan... está certo... E lá está ele, sentado em um pequeno escritório num canto qualquer da Universidade de Toronto que mais se parece com o depósito de um sebo, provas e mais provas de seus alunos empilhadas em sua mesa, vestindo – bem, ele não parece se importar muito com o que veste... Mas e se... Todo tipo de mega multinacional está tentando empacotar McLuhan em uma caixa ou algo assim. Valioso! Nosso! Suponha que ele é aquilo que parece ser, o pensador mais importante desde Newon, Darwin, Freud, Einstein e Pavlov, os figurões do jogo da *intelligesntsia* o tomam pelo oráculo dos tempos modernos – e se ele estiver certo?"

Ao contrário do que possa parecer, no entanto, até ali McLuhan era apenas um inquieto professor de literatura de gosto eclético – de alguma maneira, boa parte de sua produção é decorrente de sua perplexidade para com o *Finnegans Wake* de Joyce – mas também com uma visão de mundo bastante conservadora. Certa vez um estudante lhe perguntou, durante uma discussão em torno a um certo poema, se por acaso este lhe despertava algum sentimento pessoal. A classe já gastara algum tempo em análises exaustivas e no exame crítico de alguns versos, e a pergunta, da forma que veio, causou evidente surpresa. McLuhan respondeu que claro, experimentava sentimentos, acrescentando que tal questão, a seu ver, era um pouco óbvia. O aluno (poeta, por sua vez) então perguntou por que o professor jamais mencionava tais sentimentos em classe. Não ocorria a ele que talvez outro aluno precisasse de algum encorajamento ou inspiração no assunto, algum guia de como responder mais completamente à poesia? McLuhan replicou, com efeito, que tais questões eram naturalmente privadas e não um assunto apropriado para comentários ou críticas públicas.

A pequena anedota seria, utilizando o jargão do próprio McLuhan, uma *probe*, ou seja uma "pista". E sua postura, menos a de um anglo-saxão como nós brasileiros gostaríamos de imaginar, e mais a expressão de uma espécie de reserva típica do homem de uma cultura profundamente letrada. McLuhan provará, anos mais tarde, que tal sentimento de privacidade é uma conseqüência da invenção de Gutenberg... mas me adianto.

É que, paradoxalmente, sua reserva sobre sentimentos privados deve ser vista à luz da exposição pública suscitada pelo sucesso de *Understanding Media*. A partir dali, McLuhan passa a ser inspiração para artistas radicais como John Cage e personalidades da contracultura como Timoty Leary – a quem ajuda, a propósito, já em 1966, a cunhar o slogan *"Turn on, tune in and drop out"* –, torna-se tema de programas de TV (em 1967, a NBC leva ao ar o programa "This is Marshall McLuhan"), e é visto na companhia de figuras como Andy Warhol, Lennon & Yoko, Woody Allen... Ironicamente McLuhan se transforma naquilo que observa.

Understanding Media seria traduzido para mais de vinte idiomas, sendo publicado no Brasil como *Os meios de comunicação como extensões do homem* (em tradução de Décio Pignatari pela Cultrix em 1969, e, desde então, reeditado reiteradamente – em 2011 celebrou sua 20ª edição no país). Hoje é comum que o encarem como um trabalho pouco sério ou inconsistente. Mas o fato é que, menos pela exuberância de suas teses – algumas delas definitivamente exóticas – ou pelo risco de sua forma, e mais exatamente pelo impacto de sua recepção, McLuhan culmina ali um dos mais impressionantes e influentes percursos intelectuais do século. Curiosamente, se hoje é esquecido no âmbito acadêmico mais rigoroso, não o é por ter sido refutado, mas, ao contrário, precisamente porque suas idéias e observações foram completamente absorvidas, naturalizadas e levadas adiante.

Seu primeiro livro segue inédito no Brasil. *The Mechanical Bride: Folklore of Industrial Man* ("A Noiva Mecânica: Folclore do Homem Industrial", de 1951) é uma bem humorada e charmosa coletânea de ensaios sobre propagandas de revistas populares (cinco anos antes de *Mythologies* de Roland Barthes). Mas ao contrário dos libelos contra a mídia – já em voga àquela altura – não há qualquer afetação moral nos ensaios do livro: seu objetivo é revolver as imagens e suas contrapartes textuais com a pretensão de sair do redemoinho das tantas referências daquele embrionário, mas já sedutor, discurso da nascente cultura publicitária. Ora, como sempre, o objetivo das agências de publicidade, tanto à época quanto hoje, é emocionar através da manipulação de certa "gramática" visual. Então, por que não usar o veneno como antídoto, e entender esta "gramática" desdobrada em uma espécie de "nova retórica" assumindo-as como instrumento para a educação dos nossos sentidos e mecanismos nem sempre completamente conscientes?

"A Noiva Mecânica" é um estudo pioneiro sobre a cultura popular, certamente influenciado por *Culture and Environment – The Training of Critical Awareness* de Frank Raymon Leavis e Denys Thompson. O título "The Mechanical Bride" é derivado de uma obra famosa – e controversa – do dadaísta Marcel Duchamp: *La mariée mise à nu par ses célibataires, même*, mais conhecida como "O Grande Vidro".

A impressão que tenho ao ler "A Noiva Mecânica" é que para McLuhan a publicidade, com seus *headlines* equivalentes a aforismos pouco inspirados, é uma expressão do fauvismo modernista. Existe em *The Mechanical Bride* um certo prazer em expor o *nonsense* de algumas propagandas, e com o treinamento literário que McLuhan possui, parece fácil desmascarar as fracas referências da sub-cultura de seu tempo. Afinal, não é assim quando hoje percebemos a associação recorrente e evidentemente débil de "bem-estar" com "margarina"?

No momento desta publicação, McLuhan estava às vésperas de tornar-se "full professor" do St. Michael's College, o departamento de letras da Universidade de Toronto. O início de suas atividades intelectuais acontecera em 1936 quando, com 25 anos de idade, estudante de literatura em Cambridge, publica seu primeiro artigo, "G. K. Chesterton: A Practical Mystic". Em pleno New Deal, no momento de ascensão do partido nacional-socialista e do purgo stalinista, McLuhan elogia Chesterton por sua "oposição inspirada ao alargamento do oficialismo e da burocracia" considerando-o "um revolucionário, menos por achar tudo igualmente detestável, mas por seu temor de que certas coisas infinitamente valiosas, como a família e as liberdades individuais, pereçam". Seu PhD seria completado na mesma universidade em 1941 (defendido em 1943), com uma dissertação sobre o *trivium* medieval orientada por F.P. Wilson, titular do Departamento de Inglês da Universidade de Londres.

A tese, segundo seus colegas "uma das mais cultas da instituição", é uma investigação sobre a história da educação medieval a partir de Cícero e Santo Agostinho, das escolas mais importantes dos Estóicos, Epicuristas e Cínicos, além é claro da grande tradição gramática que inclui Orígenes e Fílon de Alexandria. A estrutura da dissertação tem quatro capítulos: "O Trivium até Santo Agostinho", "O Trivium de Santo Agostinho a Abelardo", "O Trivium de Abelardo a Erasmo de Roterdã", "Thomas Nashe" – este último (1567-1601) um "escritor excêntrico e original" que serve como estudo de caso ao final do trabalho.

À diferença da influente revisão do *trivium* feita por Mortimer Adler e implementada no Saint Mary's College em 1935 como uma espécie de "grade curricular"², McLuhan defende que as artes da gramática, dialética e retórica preservam-se como visões distintas e complementares de mundo, funcionando como irmãs siamesas em permanente disputa – um jogo orgânico de forças onde algumas delas, por vezes, agem de modo antagônico. Anos mais tarde, em 1978, McLuhan comentaria algumas referências esboçadas em sua tese em uma carta a um de seus orientandos:

> Quando realizei o estudo do *trivium*, anos atrás, encontrei as técnicas pelas quais a Gramática foi eliminada dos estudos humanísticos. A estratégia de eliminar o estudo da língua é pela abstração. O que é eliminado é a base corpórea da expressão pela concentração de figuras de linguagem e pensamento. O alvorecer da lógica no mundo antigo veio com as abstrações figurativas euclidianas... A página da Natureza, e as páginas da Escritura mantinham o homem medieval em freqüente contato com o *logos*; então a ascendência da "escolástica" e suas figuras e conceitos mais uma vez usurparam os desafios da percepção... A lingüística atual, em geral, tem tentado a adaptação da Gramática e da literatura aos esquemas abstratos outrora familiares aos escolásticos e a Peter Ramus. Isto permite transformar percepto em *concepto* e reduz a experiência literária a esquemas lógicos.

Em toda sua obra posterior, McLuhan jamais deixará de enfatizar a distinção epistemológica entre o *percepto* analógico da gramática e o *concepto* lógico da dialética – que ganhará força incontestável com o projeto cartesiano. Não à toa, o título *Understanding Media: The Extensions of Man* é uma homenagem deliberada a *Understanding Poetry* (1938) de Cleanth Brooks e Robert Penn Warren – uma alusão que sugere seu livro como uma espécie de "gramática humanista", agora não de textos poéticos, mas da tecnologia.

> Desde Descartes, Hobbes e Newton a tradição não é mais aquela dos Patriarcas [gramáticos], mas dos "*schoolmen*" ou *Moderni*. É um pouco desconcertante que alguns escritores tenham tido dificuldades em reconciliar Erasmo e Bacon com os "modernos". Humanistas como Erasmo, Vives, Reuchlin, Agrippa, Mirandola e Bacon se esforçaram fortemente para serem entendidos como "antigos" (...). A Alta Renascença, que tradicionalmente é associada a Petrarca, é, em primeiro lugar, a reabsorção dos predicados da gramática contra os 'godos e hunos' do aprendizado (dialético) feito em Paris; do ponto de vista do gramático medieval, o dialético é um bárbaro.

Em outra carta (de 1961), esta a Walter J. Ong, McLuhan escreve que sua teoria é aceitável somente a tomistas, para quem a noção de consciência como proporção analógica entre os sentidos, cujo equilíbrio é necessariamente dinâmico, é fácil de entender. E emenda: "mas a tecnologia da imprensa móvel [invenção de Gutenberg] estraçalha esta consciência analógica na sociedade e no indivíduo".

---

² Sobre Adler cf. *Além do analfabetismo*, Felipe Ortiz, em *D&C* 6 (*N. do E.*).

McLuhan investigava já àquela altura como a tecnologia da imprensa realiza tal "estrago". Lança a propósito aquela que é sem dúvida sua mais importante publicação, *A Galáxia de Gutenberg: a formação do homem tipográfico* (em 1962, publicado pela EDUSP em 1969 com a tradução de Leônidas Gontijo de Carvalho e Anísio Teixeira). Se a Idade Média marca o ponto alto do equilíbrio entre as disciplinas do *trivium*, o Renascimento marca sua derrocada. Estabelecendo uma espécie de paralelismo, com fins meramente explicativos: o que Lutero, Calvino e outros da Reforma teriam feito para a Igreja romana, Peter Ramus e seus seguidores farão para a educação guiada pelas artes da retórica e gramática. A explicação para esta coincidência? A introdução de uma nova tecnologia revolucionária, com a decorrente organização de uma "cultura gutenberguina", a cultura do homem tipográfico. A premissa da Galáxia de Gutenberg é repetida diversas vezes:

> Se uma tecnologia é introduzida seja a partir de dentro ou a partir de fora de uma cultura, e se ela gera tensão ou ascendência a um ou outro sentido, a proporção entre os sentidos é alterada. Nós não nos sentimos os mesmos, nem nossos olhos ou ouvidos ou qualquer sentido seguem os mesmos.

Seu foco é a invenção da imprensa e seu impacto na cultura manuscrita do alfabeto exatamente em razão da linha direta que há entre ambas, e, ainda, entre elas e as tecnologias mais recentes, como aquelas do telégrafo e do nascente computador. Sobretudo, tal liame se dá por serem todas – a escrita alfabética, a imprensa, o telégrafo e o computador – tecnologias reorganizadoras da expressão. Todas elas *tecnologias da palavra*. Esta talvez seja a maior colaboração teórica de McLuhan: ao assumir a especificidade das tecnologias de comunicação na organização da cultura, ele abre as portas para todo um campo de pesquisa teórica sobre a epistemologia do conhecimento e a própria consciência. Quaisquer das outras invenções tecnológicas como o avião, os óculos ou o relógio, por mais radicais e revolucionárias que sejam, nada têm a ver com aquelas, na medida em que não participam e interferem diretamente no gerenciamento do pensamento e da expressão. Para McLuhan e sua *Galáxia*, lida à luz de sua tese de doutorado, a era que se seguirá à invenção de Gutenberg será construída a partir de modalidades de organização do conhecimento que rompem com o reconhecimento de algo fundamental, estruturado na oralidade e seu liame decisivo com o Lògos.

Esta volta aos aspectos cognitivos preocupados, mais uma vez, com a distinção entre *percepto* e *concepto*, colocados agora à luz das condições culturais que afetam a consciência em seu nível mais empírico e através do efeito das tecnologias de comunicação, coloca McLuhan distante dos estudos da área de viés mais sociológico. Já no prefácio McLuhan declara que seu livro é um complemento a *The Singer of Tales* (1960) de Albert B. Lord (1912-1991), cujo foco é a tradição oral como composição literária. Pesquisando as manifestações de bardos servo-croatas, Lord encontra formulações composicionais comuns às encontradas por Milmam Parry algumas décadas antes. Em *The Singer of Tales* Lord teoriza o conceito de "literatura oral" com implicações estilísticas potencialmente úteis para a compreensão dos poemas épicos de Homero e de parte da tradição medieval.

A pesquisa de Lord é fundamental para McLuhan, pois lhe permite demonstrar como as premissas dos estudos da oralidade podem ser luminosos para a compreensão da revolução cultural do Renascimento e daquela do século XX. "Nós estamos hoje tão mergulhados na era elétrica quanto os elizabetanos estavam avançados na era tipográfica e mecânica".

É por meio de tais paralelismos na compreensão dos processos históricos que *A Galáxia de Gutenberg* prevê alguns de seus vôos mais ousados. Nossa presente era elétrica, por exemplo, proporcionaria uma espécie de resgate de predicados orais tornando-nos novamente tribais de uma maneira *sui generis*: mediados por telefones, aparelhos de rádio e fonogramas, formamos hoje uma tribo cujos tambores ecoam e se fazem ouvir não por uma pequena localidades, mas por todo o planeta.

Vivemos em uma aldeia global.

Outra referência fundamental a McLuhan é Siegfried Giedion (1888-1968) e Harold Innis (1894-1952). Ambos mostraram antes da *Galáxia* como as tecnologias não são elementos neutros da cultura. Mas se *Mechanization Takes Command* (1948) do primeiro é importante por suas explorações gerais, a publicação de *The Bias of Communication* (1951) de Innis é decisiva – tanto assim que McLuhan diz ser *A Galáxia de Gutenberg* uma nota de rodapé a ele. Innis tenta mostrar como algumas tecnologias de comunicação, como o rádio, por exemplo, têm um "viés" tendendo a favorecer a ocupação do espaço, enquanto outras, como os livros, favorecem a continuidade no tempo.

A partir dessa matriz, McLuhan argumenta que a tecnologia de comunicação não é um mero condutor da mensagem, como previsto no modelo de comunicação de Shannon-Weaver, mas um elemento ativo do processo. Mais: cada tecnologia de comunicação prevê um viés específico e um impacto no equilíbrio do *sensorium* humano. Há tecnologias visuais, orais e tácteis.

É assim que McLuhan percebe que a mensagem é mais do que simplesmente alterada pelo meio no qual é comunicada. O alfabeto, mais do que um mero instrumento de registro do pensamento, é um ator fundamental na mudança da linguagem e da sintaxe da língua grega – a crise da cultura helênica é entendida como decorrência da substituição da tradição mnemônica oral por um sistema de instrução e educação onde a mentalidade não poderia suportar mais as estruturas de conhecimento baseados na "enciclopédia oral" homérica. Ele permite novas estratégias educacionais, algumas radicais, como as previstas por Platão em sua *República*.

Mas o tema da *Galáxia* é sobretudo a invenção de Gutenberg, a imprensa, sua ascensão e queda, entendida para além do uso e desuso de uma tecnologia, mas como a implantação e derrocada da *forma mentis* imposta por sua criação. Em assertivas como "cultura manuscrita não poderia ter autores ou público como aqueles criados pela tipografia", "com Gutenberg, a Europa entra na fase do progresso tecnológico, onde a mudança mesma se torna a norma arquetípica da vida social", ou "tipografia tende a alterar a linguagem de um meio de percepção e exploração para um bem portátil", McLuhan tenta realizar as devidas distinções entre a mentalidade da cultura alfabética manuscrita da Idade Média e aquela tipográfica posterior ao Renascimento. A imprensa possibilita a gramática normativa, o dicionário ou a criação dos estados nacionais.

O meio é a mensagem.

É claro que, como todo pioneiro, nem sempre McLuhan será bem sucedido em suas demonstrações. Uma acusação rotineira de sua tese é sua espécie de premissa determinista que por vezes parece ser inescapável (algo refutado diversas vezes por McLuhan). Mas o impacto das controvérsias causadas pelas explorações de *A Galáxia de Gutenberg* será fundamental, sobretudo para a naturalização do problema: apenas após o livro, será possível a boa recepção de publicações como *The Presence of the Word – Some Prolegomena for Cultural and Religious History* (1967, inédito em português) ou *Oralidade e literacia – a tecnologização da palavra* (1982) de Walter J. Ong; *Prefácio a Platão* (1963), *The Greek Concept of Justice: From its Shadow in Homer to its Substance in Plato* (1978, inédito em português), *The Literate Revolution in Greece and its Cultural Consequences* (1981) e *A Musa Aprende a Escrever* (1986) de Eric Havelock; *The Printing Press as an Agent of Change* (1979) de Elizabeth Eisenstein; *Amusing Ourselves to Death: Public Discourse in the Age of Show Business* (1985), *Technopoly: the Surrender of Culture to Technology* (1992), *The End of Education* (1995) e *Building a Bridge to the 18th Century: How the Past Can Improve Our Future* (1999) de Neil Postman, entre tantos outros autores e obras.

Já em 1963, McLuhan ganha a mais alta distinção literária canadense de sua época, o "Governor-General Award". É desde então reconhecido como o primeiro de uma série de autores que fundarão o que hoje chamamos de "mediology", o ramo dentro dos estudos da comunicação dedicado ao estudo do impacto de suas tecnologias.

Praticamente todas as investigações da área fazem ao livro um tributo ou menção específica. Quando Gossage & Feigen trabalham a divulgação de *Understanding Media*, promovem um autor de 53 anos de idade que é um *scholar* respeitado tanto em seu campo específico de atuação quanto em outras áreas das humanidades. McLuhan radicalizaria algumas da suas teses originais esboçando o que viria a estar presente no póstumo *Laws of Media – The New Science*. Ali, argumentará que todos os artefatos possuem a estrutura metafórica da palavra; na verdade, suas histórias são moldadas pelas mesmas forças estruturais. Se o duelo que forma o *trivium* é a encruzilhada histórica que formará a relação do homem com cada tecnologia que se lhe seguirá, em sua obra final é como se McLuhan estivesse fazendo um retorno a sua obra inicial. Ômega e Alpha dando os braços na busca de uma mesma resposta.

Em época de Kindles, E-books e Ipods, os problemas apontados por McLuhan se tornam ainda mais evidentes. À luz da publicação de sua tese doutoral, inédita até 2007, artigos recentes de Joseph P. Duggan (*Marshall McLuhan: Postmodern Grammarian*) ou Grant Havers (*The Right-Wing Postmodernism of Marshall McLuhan*), para quem o autor está bem longe de ser um astro acadêmico pop *démodé*, aos poucos reposicionam sua obra.

Em 2011, Marshall McLuhan completaria cem anos; uma oportunidade para novas edições críticas de seus livros, lançamento de escritos inéditos, seminários com especialistas dos cinco continentes. Para o grande público, esta efeméride pitoresca pode ser a chance de reencontrar um dos mais provocativos intelectuais públicos do século XX.

....

Leandro Oliveira é doutorando em comunicação pela USP com tese sobre Marshall McLuhan, *professor de história da cultura, anfitrião do projeto* Falando de Música *da* OSESP *e editor do site* Ocidentalismo.org.

KLAUSUR. Alguém pensou que seria possível representar o infinito fazendo uso apenas do finito: Andrei Tarkovsky. Temos nossas dúvidas. Podemos certamente fazer referência ao infinito e pretender, na imaginação, ter atingido nosso objetivo sem, em momento algum, ter tocado qualquer coisa de infinito. Veja: talvez estejamos enclausurados para sempre no finito e o infinito não seja mais que a impressão causada por um jogo de espelhos, conceitual ou não.

MIRROR MADNESS. Consideremos um jogo de espelhos empírico – mais precisamente um quarto iluminado de 3 x 3 x 3 com espelhos em cada uma das seis paredes/teto/chão ou faces internas. Um observador dotado de um corpo (não se trata portanto de um olho transparente, concebido por Wittgenstein em algum parágrafo das suas *Philosophische Bemerkungen*) está situado no centro. O que ele vê? Se olhar para uma parte do corpo (um braço levantado, por exemplo) que dê ângulo, verá uma série de reflexos, cuja distância (pensando no contorno do corpo do observador) diminui quando se avança em direção ao centro. O leitor deve ter passado por experiência semelhante. O grande estraga prazeres é o próprio observador, uma vez que, por mais que tente "olhar por cima dos seus ombros" ou apertar os olhos, não terá sucesso. Não é possível ver até onde vai a série de reflexos.

Uma série infinita? Se tiramos o observador, o que vemos? Nada, porque sem ele não há condição de possibilidade de observação. E um hipotético olho transparente, o que vê? A luz, que é o elemento que vai e volta "infinitamente". Provavelmente o reflexo terá como ornamento principal os contornos, o "frame" do cubo. A imagem é quase matemática – temos como que um jogo de espelhos conceitual.

Esse jogo de espelhos tem relação com a idéia de limite. A série de reflexos visível tenderia ao infinito apenas na imaginação, porque o que vemos não tem nada de infinito: a distância entre os contornos tende a zero, e o homem prático em nós sabe que Aquiles alcançará a tartaruga. E, afinal, chegamos, na prática, a um ponto: . . . . . .

Mas se nos esquecemos do observador, deixando, todavia, um ponto mágico de luz – porque sem ela o jogo de espelhos perde sua função –, teremos fótons viajando de um lado a outro. Mas mesmo aqui temos limites: a energia não é infinita. Os fótons estão muito bem dispostos, mas não são deuses.

TRUECOLOR MADNESS. Um experimento um pouco menos empírico, de pretensões mais matemáticas, é o da tela formada por pixels. Suponha uma tela formada por 4 pixels, que podem ser brancos ou pretos. São poucas imagens possíveis: 2^n, sendo n=4, e o dois sendo uma instanciação da variável, digamos, c, que representa o número de cores (no caso, duas: preto e branco). Com nossa tela mínima podemos formar $2^4 = 16$ imagens diferentes. É diferente do caso "Tetris", por exemplo, em que o número de quadradinhos que forma a figura determina, ele mesmo (n^1), o número de figuras concebível (quatro quadradinhos = quatro figuras: .... ..: :: .:·).

O problema, do ponto de vista da "semântica visual", é que não conseguimos representar nada com nossa tela de 4 pixels. No máximo um quadro abstrato. Mas se aumentamos a resolução para o clássico 640 x 480, temos 307.200 pixels e, portanto, o suficiente para representar praticamente qualquer coisa: perspectivas do mundo inteiro, do real ao sonhado.

As cores também podem aumentar. Cada pixel pode ter, por exemplo, uma cor retirada de uma paleta de 256 cores (basta que disponhamos de 8 bits de informação para cada pixel: $2^8 = 256$). Assim temos $256^{307.200}$ imagens possíveis.

Faça um programa que gere imagens aleatórias seguindo apenas essa instrução: preencha cada um dos pixels da tela com uma cor retirada da paleta. O resultado será 99,9999...% de puro ruído visual. Mas teoricamente se pode obter, ao acaso: imagens reais e contrafações; imagens de Marte; imagens do que você pensa que é Marte com uma pegada de um gato ao centro; imagens do seu futuro, e do que seria se... Variações... infinitas? Não! Como vimos, o número é finito: nosso conjunto de imagens contém exatamente $256^{307.200}$ elementos, as telas. Teoricamente temos fotos do universo inteiro conhecido, desconhecido, imaginado, fotos reais com um pixel fora de lugar, dois pixels fora de lugar, etc. Mas não temos uma imagem real sua – uma foto da infância, por exemplo – com 307.201 pixels fora do lugar: nosso limite é de 307.201.

Teoricamente, podemos aumentar a resolução *indefinidamente*. Atualmente, pelo sistema *Truecolor* caseiro conseguiríamos exibir em nosso monitor tecnicamente $(2^{24})^{3.145.728}$ imagens diferentes. Mas não podemos ter uma resolução *infinita*.

O finito nos enclausura: ele começa com as limitações de hardware e termina nas limitações da sua imaginação, passando ainda pelas limitações dos seus olhos – lembrando que nosso sistema ótico funciona de modo semelhante ao dos pixels. A mesma idéia está na biblioteca de Babel de Borges (no lado otimista) e em C. F. Gauss e seu *horror infiniti* típico do século XIX: "*I protest against using infinite magnitude as something consummated*" (*Werke* VIII, p. 216).

I DEMAND TO HAVE SOME BOOZE. A frase é do decadente Withnail (Richard E. Grant), do clássico *brit film* "Withnail & I" (1986). Se você não assistiu, ou (i) é um pedante ou (ii) nunca tinha ouvido falar. Como a segunda possibilidade deixou de existir no momento em que você leu a primeira frase deste parágrafo, venho por meio desta declarar que V. continuará sendo um pedante lascado enquanto não for atrás do filme. Insira aqui um *emoticon* simpático.

....

Julio Lemos tem como interesses a lógica matemática e o direito societário. Dorme nas horas vagas (quando tem estranhos sonhos com acionistas mendicantes e lógicos de invejável saúde mental) e escreve irregularmente no blog www.juliolemos.com.

76 | FILOSOFIA

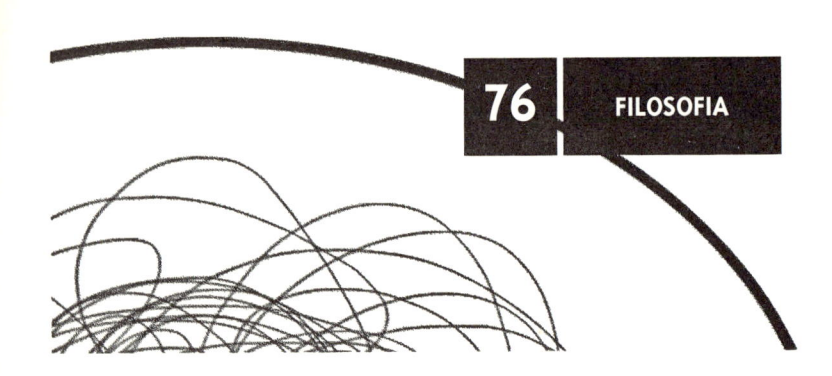

LINGUAGEM DEGRADADA E CEGUEIRA PÚBLICA
por Nelson Boeira

> *Ao desejar justificar atos considerados até então como condenáveis, mudar-se-á o sentido ordinário das palavras.*
>
> (Tucídides)

> *A Novilíngua servia não apenas para fornecer um meio de expressão para a visão de mundo e os hábitos mentais dos devotos do Ingsoc, mas para tornar todos os outros modos de pensamento impossíveis.*
>
> (George Orwell, 1984)

Uma linguagem política e moral nos une. Graças a ela partilhamos conceitos, crenças e práticas que nos permitem estabelecer e constantemente reconstituir um vínculo de comunicação e compreensão mútua que sustenta nossa vida em sociedade. Essa linguagem comum define os limites dos nossos projetos comuns e individuais, seja nos ofertando os instrumentos para concebê-los seja recusando-nos os meios para formulá-los. Para dizer de maneira muito simplificada, os conceitos a que temos acesso através dessa linguagem são critérios de escolha, que nos permitem agrupar ou separar os elementos de nossa experiência em sociedade, classificá-los em propriedades, acontecimentos, relações, narrativas, etc.

As paisagens que cada conceito permite descrever estão de algum modo associadas a ele e não podem ser invocadas por outros conceitos que não pertençam à mesma família. De outra parte, os conceitos que a linguagem nos fornece não podem ser combinados arbitrariamente, de tal modo que a companhia imprópria os intime a dizer o que escapa à sua competência. O mesmo ocorre com os argumentos, essa rede peculiar de conceitos que precisa seguir regras de etiqueta e boas maneiras.

Contudo, como os recursos da linguagem são geridos por seus usuários de acordo com interesses e motivações variáveis, a paisagem no interior da qual os indivíduos e grupos percebem e pensam seus projetos e compõem suas ações é igualmente instável e sempre passível de ampliação ou estreitamento. Com isso, as virtudes e vícios de nossa linguagem pública transferem-se, em ritmo mais ou menos lento, com maior ou menor força, para o desenho de nossas vidas.

Como todas as instituições humanas, a linguagem funciona silenciosamente – sorrateiramente? – quando a ela nos acostumamos, quando a utilizamos como uma ferramenta que nos presta o serviço esperado. Sua degradação, quando lenta e fragmentária, pode não nos chamar atenção. Como ela está imbricada no tecido de nossas experiências, muito freqüentemente não conjugamos seu empobrecimento com o encurtamento de nossa consciência e das nossas possibilidades. Tudo se passa como se ela fosse um utensílio colocado a nossa disposição, constituído sem nossa intervenção e para com o qual, portanto, não temos qualquer responsabilidade, nem mesmo as obrigações mínimas da higiene. De nosso uso inercial da linguagem brota uma impotência em nossas consciências e uma pobreza em nossas vidas no que elas têm de mais comum e, ao mesmo tempo, no que têm de pessoal e intransferível.

    Hegel nos ensinou que a verdadeira política é o mecanismo através do qual uma sociedade toma consciência de suas reais alternativas. Portanto, a política é um trabalho das consciências que em cooperação identificam com nitidez seu leque de futuros e escolhem – dadas as condições de liberdade de pensamento e ação – um caminho a percorrer. Essa formação de intencionalidades coletivas é trabalho das consciências, vale dizer, ofício desempenhado com auxílio da linguagem. Se em alguma dimensão importante a linguagem política e moral de uma comunidade corrompe-se é a capacidade de pensar coletivamente que fica comprometida. Com isso a textura e o dinamismo de nossa vida moral e de nossa convivência política se estiola. Já não vemos com clareza o que há para ver, não pensamos com distinção o que é preciso pensar: o trajeto da autonomia, da escolha e da razão nos fica vedado. O controle e a corrupção da linguagem pública apequena as consciências dos cidadãos e lhes retira a independência.

    Sobre essas lições fomos alertados com veemência por Orwell e por muitos outros. Ele nos pergunta: porque não resistimos à decadência da linguagem? Em parte, responde, porque pensamos que a linguagem escapa ao nosso controle ao supormos que ela espelha a sociedade em que viceja, e, dado esse automatismo, não nos é possível reorientá-la e repará-la através do cuidado com a nossa fala e com a nossa escrita.

    Mas isso não dá conta do fenômeno, pois a corrupção da linguagem se faz com nossos atos de conivência, no nosso envolvimento enquanto usuários – como, aliás, o próprio argumento do reflexo supõe. Mas há outras formas de aceitar ou acentuar a passividade de nossas consciências além do conforto da auto-complacência. Estas nascem da intervenção, ora consciente ora displicente, dos atores políticos.

    Victor Klemperer, tão alerta à indigência e à perversão da comunicação humana quanto Orwell, nos chamou atenção, em *A linguagem do Terceiro Reich*, para os mecanismos de ritmo e freqüência que podem tornar pouco visível um esforço concertado para controlar as consciências através da administração da linguagem: "Não, o efeito mais forte [*de manipulação e controle das consciências*] não foi provocado por discursos isolados, nem por artigos ou panfletos, cartazes ou bandeiras. O efeito não foi obtido por meio de nada que se tenha sido forçado a registrar com o pensamento e a percepção conscientes. O nazismo se embrenhou na carne e no sangue das massas por meio de palavras, expressões e frases que foram impostas pela repetição, milhares de vezes, e foram aceitas inconsciente e mecanicamente". E acrescente-se: não apenas por palavras cheias de ignorância, mas também por padrões retóricos, por contrafacções de argumentos, formas de pensamento e encenações discursivas destinadas a obscurecer e desativar a reflexão atenta. Para controlar a vontade dos cidadãos é preciso investir na falência do pensamento através do embrutecimento da linguagem pública, afogando, no mesmo movimento, a indignação e a disposição para a reação; é preciso padronizar as consciências e seus meios de expressão e de auto e mútuo reconhecimento.

    É de todo justo ponderar que os exemplos e as experiências trazidos por Orwell (em *1984*) e Klemperer falam de casos extremos, de regimes totalitários, que à primeira vista nada dizem sobre outros regimes e outras sociedades menos controladas e arregimentadas. Ainda assim, a lição persiste e ensina. É certo que a nitidez do caso extremo nos mobiliza muito especialmente – tanto mais quando o examinamos à distância – de um modo que não ocorre com o exemplo familiar, aquele próximo de nossa experiência vivida, sobretudo se ele se apresenta de forma mais atenuada e gradativa. Em suma, somos menos atentos à perversão da linguagem política e moral quando ela se instala com marchas e contramarchas, com recuos e reiterações, nas vestimentas de um "autoritarismo cordial" diluído – mas igualmente corruptor. O caso extremo não absolve o caso incipiente: os comportamentos autoritários inarticulados que trazem avarias à linguagem pública, embora possam ser menos perceptíveis e mais dispersos, são ainda assim dissolventes e com freqüência prolongados.

A cegueira e a passividade públicas, desiderato e conseqüência do autoritarismo lingüístico, requerem uma percepção reduzida da complexidade da vida social. Por sua vez, a percepção elaborada dessa mesma multiplicidade, objetivo e condição da verdadeira vida política e moral, supõe o aprendizado constante. Assim, ao reduzir o número e a complexidade das categorias que são disponíveis através da linguagem, ao simplificar e empobrecer o pensamento, o autoritarismo (consciente ou passivo) diminui a necessidade de informar-se sobre a diversidade da vida social, estimulando a preguiça mental, essa companheira sempre solidária da ignorância. A linguagem degradada é com freqüência muito conveniente para os indolentes de todo o tipo. Ao excluir formas e estratégias alternativas de pensamento, ela transforma em inércia o impulso à apatia e ao conformismo.

É por isso que as aventuras real ou incipientemente autoritárias vêm sempre acompanhadas de novas narrativas sobre a história compartilhada de uma comunidade. Trata-se de relatar acontecimentos, realizações e responsabilidades pregressas em um registro mais tosco e, ao mesmo tempo, aparentemente originário: "nunca como antes neste país"; "A verdadeira Alemanha começa agora!" Com mais ou menos nitidez, aparece sempre nesse *discurso* uma obsessão por um "começo", em contraposição a uma construção continuada de muitos atores distintos, distribuídos pelo tempo. Ao redefinir as tarefas cumpridas por muitos e seus significados, redefinem-se as identidades, as responsabilidades, os méritos e as culpas.

Essas narrativas de reconstrução do passado – que simplificam e deformam as experiências das coletividades – apresentam-se não como ficções úteis, versões alternativas ou interpretações possíveis sujeitas a exame ponderado e eventual refutação e abandono, mas como relatos do *realmente acontecido*, merecedores de adesão unânime. Nas sociedades contemporâneas esse efeito de convencimento é especialmente forte, dada a disposição das audiências – mercê de um "treinamento" constante e cotidiano – de tomarem as informações oferecidas de maneira pontual, fracionada e sem complexidade pelo próprio acontecido. A narrativa oferecida deixa de ser vista como uma representação e passa a ser encarada como a realidade. Fecha-se o círculo vicioso: relatos de reconstrução simplificadora e uso empobrecedor da linguagem pública reforçam-se mutuamente para reduzir a complexidade das experiências humanas e de suas etapas de construção coletiva embrutecendo assim as consciências e facilitando o seu controle.

Não há inocentes nesses processos sociais de empobrecimento humano. Somos todos usuários da linguagem: aprendemos juntos a utilizá-la para formular nossos pensamentos, expressá-los e traduzi-los em projetos e ações. As fraquezas, tentações e impotências presentes nesses movimentos se oferecem por igual a todos nós. Mesmo aqueles que têm por tarefa assumida "o exame racionalmente responsável ... [*dos*] projetos e ações [*das autoridades públicas*]" (conforme manifesto eleitoral de professores de filosofia durante a recente campanha eleitoral) não estão infensos ao automatismo dos discursos, ao peso das narrativas oficiais e à inércia do pensamento pronto, como a leitura daquele texto exemplifica.

Nem por isso estão exculpados os que – como o autor – protestam no presente contra os efeitos autoritários da distorção pública da comunicação sem terem contribuído com diligência, no passado, para a conservação e o enriquecimento do patrimônio lingüístico comum, invocando apenas uma folha corrida em que "nada consta", nem a favor nem contra. O esforço continuado para a preservação e ampliação da linguagem moral e política no domínio público é responsabilidade intransferível de cada cidadão nos limites mais extremos de suas competências e oportunidades. Este esforço é uma responsabilidade tanto política como moral, uma exigência da autonomia individual e do compromisso com o que é público.

"O grande inimigo da linguagem clara é a insinceridade". Essa frase de Orwell define, negativamente, por referência ao vicioso, o *ethos* que deve reger a comunicação pública e guiar a conduta no território político e moral. A sinceridade, enquanto disposição firme e constante, assenta-se na fidelidade à própria identidade e aos engajamentos que ela implica. A ocultação consciente desses engajamentos ou a fraqueza na sua afirmação – com as desculpas que costumam acompanhar essa *akrasia* – sustentam e estimulam a manipulação da comunicação pública nas suas diferentes formas, da deformação do sentido das palavras à alteração do ônus da prova na argumentação. O insincero precisa esconder seus objetivos e induzir sua audiência à ignorância. Para tanto, propõe-se a "pensar pelos outros", obscurecendo, simplificando ou substituindo as categorias que os demais necessitam para a formação de representação adequada das intenções e das ações que o movem, apelando a formas de argumentação falaciosas e encenando *performances* discursivas para ratificar a dissimulação.

Já a *akrasia* – a debilidade da vontade – quando não é insinceridade ou conivência disfarçada, invoca de costume a ignorância ("eu não sabia"), sugerindo uma participação não consciente no acontecimento ou mesmo nenhuma participação, e, no limite, a negação do acontecimento sob a alegação de "difamação" ou sua redefinição substantiva por manipulação da linguagem. Ou, alternativamente, erro de cálculo aceitável, circunstâncias desfavoráveis fora de controle, responsabilidade coletiva diluída ou até mesmo desresponsabilização integral ("não tenho como ter conhecimento de tudo aquilo que meus subordinados fazem") etc.

A insinceridade traz consigo um cortejo de artifícios destinados a ocultar, dissimular ou atenuar os reais móveis da conduta do insincero ou deles desviar a atenção, mesmo à custa de uma redução momentânea de sua credibilidade – já que é sempre possível refazer a narrativa dos delitos do passado, mesmo se antes parcial ou vagamente confessados ("o mensalão foi uma invenção da imprensa"). Inversamente, a sinceridade requer a atenção ininterrupta no uso da linguagem e na exploração de seus recursos, sem o que não há nem a formação nem a consciência dos engajamentos que constituem nossa identidade moral e pública.

A lista dos procedimentos abusivos que comprometem nossa linguagem política e moral é extensa e sempre aberta a novas contribuições[1]. É tarefa por fazer a identificação dos vínculos entre nossas disposições de caráter (à parte da insinceridade) e as estratégias de deformação da linguagem a que elas recorrem para seu sustento. Somente a aplicação cuidadosa e persistente do espírito à linguagem nos permite identificar em nós mesmos e nos outros essas disposições e suas astúcias e vinculá-las a procedimentos discursivos específicos. A moralidade pública e privada, a presença a si que constitui nossa identidade individual e nossos compromissos com a vida partilhada exigem o respeito e a responsabilidade para com a linguagem.

A distorção do sentido das palavras ("delinquentes" que se transmutam em "aloprados", "corruptores" que passam a "companheiros mal orientados"), o apelo ao abstrato e ao vago para sugerir profundidade ("sou a favor da vida"), a descontextualização da questão em debate ("a liberdade de imprensa" existente serve para desfocar os ataques reiterados aos "excessos da imprensa"), a extrapolação indevida dos conceitos ("nós somos a opinião pública"), o recurso à confusão como argumento ("onde está esse tal de sigilo que ainda não apareceu ?"), em geral acompanhados de teatralizações destinadas a estimular os consentimentos emocionais impulsivos – esses e outros trâmites precisam ser continuamente expostos e corrigidos[2].

Conforme nos mostra Orwell, a defesa da linguagem não é um arcaísmo, um anseio por padrões do passado ou a busca de um preciosismo na expressão. É o compromisso com a preservação de um dos instrumentos que tecem os diferentes estratos da experiência humana e permitem sua exploração continuada. É também condição para a formação dos hábitos que permitem a cooperação humana honesta. O compromisso com essa defesa é uma responsabilidade a que não podemos renunciar.

Nelson Boeira *é professor do departamento de Filosofia da UFRGS (Universidade Federal do Rio Grande do Sul). Mestre em sociologia pela New School for Social Research, doutor em história pela Yale University, possui pós-doutorado pela Tufts University. Foi Secretário Estadual da Cultura do Rio Grande do Sul e reitor da UERGS (Universidade Estadual do Rio Grande do Sul).*

---

[1] Para a apresentação de alguns de seus registros, quer nos argumentos quer nos discursos, ver, entre outros, *Thinking about Thinking* de Antony Flew, ou *La parole pamphlétaire* de Marc Angenot.

[2] Os exemplos de distorção e manipulação da linguagem pública utilizados neste texto foram retirados do discurso oficial do Governo dos anos recentes. Isso não implica, *de modo algum,* que este tenha, no Brasil, o monopólio dessas perversões do patrimônio público e quebras do contrato de sinceridade que estão ou deveriam estar na base de nossa convivência em sociedade.

AINDA CABE FALAR DE CERTO OU ERRADO?
por Renato José de Moraes

1. Uma breve ficção

Suponhamos que, por um fenômeno inexplicável, os seres humanos perdessem subitamente o paladar. Ao se levantarem para tomar o café da manhã, não sentiriam gosto algum. Pior seria para os que se encontrassem em um restaurante nesse exato momento: aconteceria uma enorme balbúrdia e reclamação pela comida. De um momento para o outro, não haveria mais diferença entre um lanche do McDonald's e um prato elaborado pelo *chef* mais refinado; em termos de paladar, seria o mesmo um bife suculento e tenro e uma porção de grama.

Após um período de estranheza, em que provavelmente continuaríamos com a maior parte dos hábitos alimentares de quando sentíamos o sabor das coisas, por inércia e por saber que eram nutritivos, surgiriam diversos grupos em reação ao fenômeno da insipidez universal. Primeiro, o daqueles que lamentariam o que foi perdido: a riqueza e nuance dos sabores, do doce ao salgado, passando pelo amargo, suave, forte, e assim por diante. Considerariam que ocorreu um enorme empobrecimento, um autêntico cataclismo, e seriam levados a procurar descrever às gerações futuras o que era comer uma porção de batatas fritas, ou um sorvete de chocolate, ou ainda uma esfiha de carne. Escreveriam livros, montariam cursos, discutiriam cenas de filmes em que as pessoas degustavam o que mastigavam, enfim, procurariam manter viva a lembrança do que foram as comidas saborosas e a arte da culinária, para que essa experiência humana não se perdesse.

Outro grupo veria uma vantagem na nova situação. Antes, éramos levados a comer mais aquilo que era saboroso, e não necessariamente o que fosse melhor para o organismo. Sem o sabor, poderíamos ter uma ração diária equilibrada e perfeita, sem que os caprichos nos atrapalhassem. Os obesos desapareceriam, porque o que os atraía na comida desvanecesse, e veriam no comê-la o cumprimento de uma obrigação tediosa e necessária. Ademais, não existiriam mais alimentos nobres ou vulgares; por isso, não teria sentido gastar uma fortuna em um vinho francês, que desceria pela garganta do mesmo modo que a Fanta Uva. Portanto, o fim do paladar acabou se mostrando um meio de progresso e de democratização, eliminando uma diferença repugnante entre os que podiam comer do bom e do melhor, e aqueles que somente se alimentavam de restos insossos.

Podemos imaginar inúmeras variantes em posições entre esses grupos extremos. Alguns se levantariam para dizer que o paladar fora uma ilusão da qual nos libertamos, que os sabores jamais existiram, e que agora começávamos uma época de libertação e autenticidade. Tampouco faltariam os que seriam práticos e procurariam enriquecer-se com a nova situação, lançando em primeiro lugar produtos que substituíssem as refeições anteriores com vantagem em rapidez e custos, ou ainda que pensariam como preencher com diversões inéditas as horas que seriam antes empregadas no ato de comer.

Ao lado de acontecimentos divertidos ou simplesmente indiferentes, esse mundo do futuro certamente teria que contar com um fenômeno bem mais sombrio: um novo tipo de anorexia. Muitas pessoas simplesmente deixariam de se alimentar, porque não se sentiriam motivadas para tanto. Na verdade, ocorreria uma anorexia universal, a falta de apetite seria a regra inexorável. A alimentação passaria a ser encarada como uma tarefa incômoda. O simples esquecer de comer, ou a ausência de desejo em fazê-lo, faria com que quantidades enormes de pessoas adoecessem por isso.

Mais grave ainda seria a nutrição das crianças. Não tendo elas consciência, como animá-las a ingerir um alimento que lhes é insípido? Haveria um choro sem fim, e o próprio amamentar dos bebês seria uma complicação tremenda. Haja aviãozinho com a colher para fazer com que as crianças engulam!

2. A inevitável busca do certo

Por mais fértil que seja a imaginação de um escritor, nunca conseguirá adivinhar com uma precisão razoável o que acontecerá no futuro – quanto mais no caso de uma mudança como a descrita acima. São tantas as possibilidades, grande parte delas imprevisíveis – entre as quais exerce um papel importante a inteligência e a liberdade humanas –, que se afigura quimérico alcançar uma descrição próxima do que será o amanhã.

Não me arrisco a prever esse mundo sem paladar. No entanto, acredito que todos concordariam em que os problemas reais que surgiriam dificilmente podem ser sobrestimados. Uma mudança na natureza humana acarretaria tantas conseqüências que não é possível antever o resultado final. Um dos livros de Monteiro Lobato, *A reforma da Natureza*, trata do que acontece quando a Emília resolve modificar e melhorar o Sítio do Pica-Pau Amarelo, alterando os animais, as plantas, os móveis... O resultado é um desastre, contado com bastante graça.

Que tristeza viver sem o sabor do churrasco, do doce de leite ou mesmo da banana! Entretanto, bastante pior seria existir em um mundo em que não houvesse bem ou mal, verdade ou mentira, certo ou errado... E é exatamente essa a proposta daqueles que negam a lei natural.

O fenômeno da duplicidade entre concepções abstratas e o comportamento na vida real é bem conhecido e todos temos farta experiência dele. No entanto, onde o percebo com maior agudez é exatamente na negação da lei natural, por aqueles que vivem ao menos alguns aspectos dela com seriedade e sacrifício.

Os revolucionários, por exemplo, costumavam sustentar o relativismo moral e a ausência de verdades absolutas. A tentativa dos socialistas utópicos de conjugar socialismo com os ideais cristãos acabou massacrada pela Internacional Socialista. Contudo, esses revolucionários, a maior parte deles jovens, freqüentemente oriundos de famílias de boa posição social, foram movidos a uma luta perigosa, com exílios e toda sorte de sacrifícios, porque queriam eliminar situações de pobreza e desigualdade social. Claro que nem todos tinham motivos tão nobres, e a própria prática de crimes para atingir seus fins lhes retirava qualquer legitimidade. Mesmo assim, buscavam algo melhor, uma sociedade justa, a eliminação de males que consideravam expurgáveis. Ou seja, procuravam estabelecer valores objetivos, não aceitavam que os erros que combatiam eram algo relativo, julgavam o que queriam impor à força como melhor.

Sua revolta só é compreensível na medida em que viviam de acordo com um padrão absoluto, que merecia ser ao menos almejado. Talvez fosse equivocado, maluco ou mesmo demoníaco; mas tal padrão era visto por seus defensores como algo bom em si mesmo!

O mesmo acontece com os liberais modernos, que entendem que a democracia não suporta valores ou verdades incondicionais. Antes, somente o relativismo criaria o ambiente favorável para a tolerância e o respeito entre as diversas opiniões dos membros da sociedade. Por trás dessa postura, há o salutar desejo de manter uma coexistência pacífica entre os cidadãos, de evitar que concepções diversas da vida levem a desacordos que minem a paz social.

Na democracia liberal contemporânea, apesar do discurso de que tudo é indiferente e relativo, percebemos que a prática é outra. Querendo ou não, surgirão tópicos em que não se aceitará essa adesão frouxa, e se vai obrigar a que toda a sociedade siga um mesmo rumo, impondo penas severas a quem desafiar essa prescrição. Isso pode ser bom ou ruim, pois, ao mesmo tempo em que não se admite o racismo nem a exploração de menores, as pessoas podem ser obrigadas a compartilhar de uma definição legal de família que não corresponde às suas crenças e convicções. Nesse ponto, avançamos e recuamos, de acordo com o tema e com o assunto. O certo é que a sociedade sempre vai propor algumas condutas como corretas e outras como equivocadas, por mais que se proclame neutra e relativista.

Isso não surpreende, porque a própria paz social e o respeito mútuo, sobre os quais se constrói a visão democrática liberal, não podem ser eles mesmos totalmente relativos. Pelo contrário, vemos neles bens inegociáveis, e é preciso que seja assim. A democracia sem valores acaba por se diluir e abrir a porta para a tirania da maioria; porém, com fundamentos sólidos, especialmente com o reconhecimento dos direitos humanos e da necessidade de proteção dos mais fracos, a democracia permite que a vida social transcorra com segurança e efetiva participação dos cidadãos.

Em tudo o que escrevi, sempre aparece o princípio de que há um modelo social melhor ou pior que outro. Não há modo de fugir disso. No meu caso, em que desde o início declaro estar convencido de que há uma lei natural, isso não deve chamar a atenção. O que surpreende é que aconteça o mesmo com todos os pensadores políticos ou morais: aspiram a uma sociedade melhor, querem entender seu funcionamento para aperfeiçoá-la, ainda que afirmem não existir certo ou errado, o que, se fosse verdade, tornaria vãos os seus esforços e afirmações.

Em outras palavras, não é possível escapar da lei moral. Na prática, vivemos como se ela existisse, mesmo que, em teoria, a neguemos. A questão está em saber se nossos padrões e valores são verdadeiros ou não. Não é indiferente escolher uma coisa ou outra, nem todos os projetos de vida ou padrões de conduta têm a mesma qualidade ou levam o ser humano à plenitude. E qual o diapasão para descobrir o que é o certo? Exatamente a lei natural.

3. E o que é essa tal de lei natural?

Uma definição extremamente feliz de lei natural é aquela atribuída a Confúcio, pensador chinês do século VI a.C. Segundo esse sábio, "o que é disposto pelo céu chama-se a natureza essencial. A conformidade à natureza essencial chama-se lei natural. O refinamento da lei natural chama-se cultura". Fica sublinhada a ligação entre a lei natural e a ordem que encontramos em todo cosmos, ordem essa estabelecida pelo céu.

Um pouco posterior a Confúcio, e imerso em um ambiente totalmente diferente, Sófocles nos legará, em *Antígona*, a tragédia sobre quem se levanta contra as leis dos tiranos com base nas leis divinas. A heroína diz ao rei Creonte: "*Não pensei teus decretos fossem tão fortes / A ponto que um mortal pudesse transgredir / As inescritas e indeléveis leis divinas. / Elas não são de hoje, nem de ontem, são eternas.*" (v. 453-56, tradução de Lawrence Flores Pereira).

Ainda na Grécia, Platão e Aristóteles formularão uma rica doutrina a respeito da lei natural. Sustentarão que a lei humana está baseada na natural, e não deve haver oposição entre elas. O estagirita diferenciará o justo *natural*, que é o mesmo em todos os lugares, e o justo positivo, distinto em cada povo ou cidade. O *segundo* servirá como complementação ou determinação do primeiro, e na *polis* bem governada há uma harmonia entre ambos.

Também é Aristóteles que sustentará que devemos agir de acordo com a "reta razão", sendo este um princípio universal, que deve ser assumido como pressuposto (cf. *Ética a Nicômaco*, l. 2, n. 2). A ligação entre lei moral e razão fica caracterizada, e isso trará frutos abundantes no futuro.

O pensamento grego sobre a lei será apropriado pelos romanos, tanto por seus filósofos estóicos quanto por seus juristas. E todos, gregos e romanos, servirão de matéria prima para o desenvolvimento da teoria da lei natural realizado pelos filósofos medievais. A síntese mais famosa foi realizada por São Tomás de Aquino, provavelmente o pensador de maior amplitude em sua época, que, além dos sábios ocidentais, empregou o que lhe forneceram mestres judeus, como Maimônides, e muçulmanos, dentre os quais Averróis e Avicena.

De acordo com o Aquinate, a lei natural é a participação da lei eterna na criatura racional (*ST* 1-2, 91, 2). As normas que governam todo o universo, no âmbito dos planetas, das estrelas e dos seres animados, incidem também nos seres racionais. Estes podem reconhecer tais leis, ao contrário dos inanimados e dos irracionais, e voluntariamente se configurar a elas. Descobrimos a lei eterna em nossas inclinações, sejam corpóreas, sejam espirituais. Na medida em que a compreendemos, em que refletimos sobre o que é melhor para nós, tendo em vista o que somos e para o que tendemos, e agimos em conformidade a isso, então vivemos de acordo com a lei natural.

4. A lei moral e a racionalidade

Portanto, a lei natural não é algo apenas externo a nós. Por meio da nossa razão, nós a descobrimos e somos capazes de formular os seus preceitos. Está inscrita no interior do ser humano, e ele jamais a apaga totalmente. Por mais degradada que esteja uma pessoa, ela sempre terá sua inclinação para o bem preservada, podendo ter ou não uma noção verdadeira do que ele seja ou força para seguir aquilo que se apresenta diante dela como correto.

A constatação de que a lei natural é a participação da lei divina na criatura racional permite entender a afirmação fundamental de que *não agir segundo a razão é incompatível com a natureza divina*, ou seja, com a lei divina e natural. Esta última é alcançada pela razão; pode ser defendida por meio de argumentos discursivos que procuram fundamentos na estrutura íntima das coisas e do ser humano. A ofensa à lei natural traz consigo a marca da irracionalidade, que poderá ser reconhecida ou não por quem a realizou.

Essa concepção difere drasticamente daquela que vê na lei uma mera imposição, o fruto do exercício da autoridade do legislador, sem qualquer respaldo em uma racionalidade anterior. A visão voluntarista da lei, nas suas várias versões, estará constantemente presente na história da humanidade, e o positivismo jurídico de tipo kelseniano é seu rebento recente mais famoso e influente.

No Islã, depois que uma série de estudiosos procuraram harmonizar a lei divina com a racionalidade e a natureza das coisas, terminou por vencer a concepção voluntarista da norma, defendida por

Al-Ghazali. Destarte, a atitude com Deus é a submissão e a obediência, e sua lei deve ser seguida tal como foi ditada ao seu profeta. Não convém, portanto, buscar uma coerência nas normas, apesar de que elas possam tê-la, porque isso pouco importa; ao fiel devoto cabe seguir os ditames de Alá. Seria um desrespeito procurar a racionalidade na lei divina.

Também no judaísmo prevaleceu a noção de que a natureza não importa para a explicação da lei divina, porque nesta é impossível diferenciar o que é fruto da razão daquilo que é vontade pura de Deus. A importância da lei está em extrair do material rebelde da diversidade e da liberdade humanas uma ordem capaz de levar o homem à perfeição (cf. Rémi Brague, *A lei de Deus*, Edições Loyola).

Não deixa de ser curioso que o positivismo e o relativismo legal modernos sejam de algum modo aparentados com a noção de lei do islamismo e do judaísmo, por verem na lei o fruto de uma vontade que não está ligada à racionalidade. A diferença – que não é pequena – está em que essas tradições religiosas aceitavam a vontade de Deus expressa em seus livros sagrados, a qual não poderia ser mudada pelo legislador humano; no positivismo jurídico, por sua vez, não há qualquer trava externa que dificulte a imposição do arbítrio do legislador humano.

Por isso, as culturas islâmica e a judaica, esta última na sua linha ortodoxa, apesar de não aceitarem uma lei natural conforme a razão, podem se estruturar de acordo com o certo e o errado, com uma norma de conduta clara, pela qual se *possa* julgar os atos dos cidadãos, premiá-los ou reprimi-los. Sendo a lei dada por Deus, mesmo que o ser humano não possa compreendê-la com a sua racionalidade, ele a segue por considerá-la boa.

O fato de não se basearem na razão, que seria comum a ambas, e sim apenas na vontade divina, explica porque as duas sociedades acabem sendo tão diversas, bem como a dificuldade de diálogo entre elas. Afinal, a lei mosaica é bastante diferente da lei de Maomé, e não é possível aceitar que as duas sejam igualmente divinas sem cair em contradição, porque uma desautoriza a outra. A entrada em cena da razão poderia ajudar a aparar arestas e propiciar algum entendimento, ao fornecer um terreno comum.

Ao mesmo tempo, ainda que considerem a lei divina como totalmente transcendente e incompreensível para o homem, no dia a dia os muçulmanos e os judeus, assim como qualquer outro povo, viverão guiados pela razão, perguntando-se sobre o que é bom e o que é mau. De alguma forma, seguirão inquirindo pela lei natural, e o que têm por lei divina poderá ou não servir de auxílio nessa busca.

5. As fugas do bem universal e objetivo

Se a lei natural é irrefragável, como é possível que tantos a neguem? Em todas as épocas houve seus detratores, e não são necessariamente pessoas pouco inteligentes ou moralmente deterioradas. O fato de isso acontecer não depõe contra a lei natural, que deveria ser algo tão evidente como a lei da gravidade, visto que ambas decorreriam da lei eterna?

A resposta a isso certamente não é simples. Entretanto, acredito ser possível distinguir duas fontes de dificuldades para reconhecer a lei natural. Uma está no próprio ser humano; a outra, na contingência da realidade.

Sendo a lei natural descoberta pelo trabalho da razão, esta teria de ser perfeita para que não errássemos. Os equívocos das ciências naturais são inúmeros, e chegamos a ficar surpreendidos que em épocas antigas fossem aceitas explicações como a geração espontânea ou que a Terra fosse plana. Onde entra o homem, aparecem suas limitações e falhas. O mesmo se dá com a lei natural, que em determinados aspectos pode ser complexa e exigir um grau de sofisticação e inteligência profundos para poder ser desvelada.

Há aqui outra complicação. Ao contrário da maior parte das descobertas sobre a natureza, aquelas que envolvem a retidão do comportamento humano são comprometedoras. As paixões e o desejo de manter uma situação vantajosa e iníqua podem levar a distorcer os raciocínios e a forçá-los em favor daquilo que queremos. A consciência precisa ser cristalina para funcionar, e facilmente se embaça com intenções pouco retas.

Além da limitação humana para compreender a lei natural, temos o problema de a própria realidade ser freqüentemente duvidosa e obscura. Matar alguém nunca é lícito; mas e se for em legítima defesa? Será também uma espécie de homicídio, ou minha intenção fez com que o objeto moral da ação mude para uma defesa meritória? Em um caso concreto, é melhor dar esmola ou dizer à pessoa que vá procurar um emprego? Até que ponto posso reagir contra alguém que me humilha? Quando será lícito eliminar a vida de um tirano? Às vezes, o que altera completamente a moralidade de uma ação é em aparência um detalhe, como a intenção ou a prudência com que se agiu. Nesse sentido, a natureza humana é mutável, porque lhe pode faltar algo pela sua própria fragilidade.

Ao contrário do que se propuseram os autores racionalistas dos séculos 18 e 19, não é possível estabelecer um conjunto amplo de regras morais que sirvam previamente em todos os lugares e tempos. Os princípios e normas primárias da lei natural são efetivamente imutáveis e universais, porque representam o reconhecimento de valores essenciais para o ser humano e para a sociedade, como a vida, a dignidade humana, o respeito pelo próximo, a veracidade, a justiça e assim por diante. Contudo, sua aplicação no caso concreto nem sempre é simples e retilínea. A riqueza da vida não pode ser prevista de antemão, e tem de levar em conta as pessoas e situações concretas.

6. As diferenças culturais e históricas

Sendo a lei moral relacionada à natureza humana, ela terá de se adaptar quando a própria natureza o tem de fazer. A alimentação nos vários países é diferente, por motivos geográficos, climáticos e culturais. No entanto, a cicuta jamais servirá como base de um cardápio saudável. Dentro da enorme variedade dos alimentos, há uma base comum, ingredientes que servem em culturas distintas, e que podem facilmente ser adaptados a uma que o utiliza pouco. Ao lado disso, existem os elementos que nunca servirão para alimentar o ser humano.

Algo semelhante acontece com os povos e a tão comentada diferença de culturas no campo moral. Por sinal, o verdadeiro motivo de espanto é a similitude das várias culturas, e não a sua diferença, ao menos naquele núcleo central. Certo, há tribos que praticam a antropofagia; contudo, nelas havia os que não aceitavam tal prática – o que está documentado nas narrações do Brasil colonial –, e parece verdadeira a observação de Chesterton, de que tal prática era levada a cabo não por ser considerada boa em si, mas com um sentido religioso e demoníaco. Ademais, os povos que devoravam os outros não aceitavam que membros do seu próprio grupo servissem de repasto.

Às vezes se admite o mal praticado contra inimigos, ou mesmo contra os frágeis, o que se dá mais comumente quando a vida é uma luta contínua e violenta. Mas isso não configura uma outra cultura com valores diferentes; apenas indica que a lei moral se torna menos reconhecível em situações extremas, o que termina por prejudicar aquela sociedade.

O respeito aos pais, a importância da palavra dada, a reprovação da fraude, o caráter sagrado da vida – ao menos de determinados membros da sociedade –, tudo isso é uma constante que chama a atenção. Sobre a universalidade da lei natural, a que chama de *tao*, C. S. Lewis escreveu páginas especialmente agudas em *A abolição do homem*, cuja leitura traz luzes importantes.

7. O que seria da vida sem você...

Uma questão que aflige é se aqueles que negam a lei natural estão dispostos a julgar e se comportar de acordo com essa convicção. O mundo que criariam seria terrível! Voltando à nossa alegoria no começo do texto, eliminariam o sabor moral de toda a vida. Não haveria qualquer sentido nos comportamentos heroicos, pois sua base é essencialmente mutável e frágil. A maldade seria igualmente relativa, por mais que nos chocasse e indignasse. O gosto das ações desapareceria; tudo seria, no fundo, igual.

Além disso, a lei moral garante que nós, humanos, temos uma natureza comum. Essa é a base da nossa solidariedade, da preocupação que temos uns para com os outros. Sei que o nativo australiano, o ianomâmi brasileiro ou o habitante de Genebra têm uma similar dignidade, independente da sua formação cultural ou história. Por isso, os crimes em qualquer um desses lugares e contra qualquer desses indivíduos repugna, porque algo que não depende do tempo e do espaço está sendo ultrajado.

As palavras de Shylock, no *Mercador de Veneza*, são ilustrativas: "*Sou um judeu. Então, um judeu não possui olhos? Um judeu não possui mãos, órgãos, dimensões, sentidos, afeições, paixões? Não é alimentado pelos mesmos alimentos, ferido com as mesmas armas, sujeito às mesmas doenças, curado pelos mesmos meios, aquecido e esfriado pelo mesmo verão e pelo mesmo inverno que um cristão? Se nos picais, não sangramos? Se nos fazei cócegas, não rimos? Se nos envenenais, não morremos? E se vós nos ultrajais, não nos vingamos?*" (trad. de F. Carlos de Almeida Cunha Medeiros e Oscar Mendes). Está certo, Shylock não termina bem na peça, que alguns inclusive consideram antissemita, e o trecho citado continua com a justificação de algo ilícito. Apesar disso, Shakespeare soube mostrar a angústia por um tratamento igualitário e digno, sentida por todos seres humanos, e não apenas por um judeu do início do século XVII em Veneza.

Admitir que não há lei moral é acabar com o que há de melhor na humanidade. É verdade que, em certo sentido, é igualmente eliminar o pior, porque o mal em si desapareceria, sobrando uma pálida afronta contra o consenso da sociedade. No entanto, é uma ilusão, porque continuaremos a admirar certas condutas e abominar outras, de forma constante, como sempre aconteceu na maior parte do mundo. Ao contrário da ficção do desaparecimento do sabor, a consciência moral não sumiria, por mais que se tentasse sufocá-la.

Demonstração disso é a época moderna ter trazido uma série de contribuições no reconhecimento da lei moral. A experiência das guerras mundiais levou à elaboração da *Declaração Universal dos Direitos Humanos* (1948), cuja base é a natureza humana e os valores que a protegem. Além disso, há uma aguda sensibilidade em relação a temas como o racismo, a escravidão, a prática da tortura, a liberdade religiosa, a igualdade entre o homem e a mulher, e daí por diante. É certo que, na prática, continuamos a ter graves violações nesses campos, mas há um reconhecimento quase universal de que devem ser extirpadas.

Portanto, a lei moral não é um conceito de épocas pretéritas, uma espécie de peruca voltairiana ridícula para os dias de hoje. Nem nas épocas antigas a concepção de uma lei natural fundada na reta razão foi totalmente predominante – basta lembrar dos sofistas entre os gregos, ou de Duns Scot e Ockham na escolástica –, nem hoje em dia ela está relegada à poeira do esquecimento, como atestam inúmeros autores que a defendem.

8. A história continua

A lei natural leva a pensar em Deus. Afinal, se existe no universo alguma ordem, alguém a colocou. A quinta via, pela qual São Tomás de Aquino prova a existência de Deus, funda-se exatamente nessa realidade. Cabe aqui perguntar se é preciso admitir a existência da divindade para reconhecer a lei natural.

De acordo com o que falamos, mesmo aqueles que negam a Deus terminam por viver de acordo com padrões de moralidade que, na prática, tenderão a considerar como objetivos e verdadeiros. O motivo disso é que nossa natureza se indigna e se rejubila diante de determinados comportamentos e exemplos, e isso não desaparece. Portanto, os ateus têm direito a expressar suas convicções morais e defendê-las, e podem fazê-lo com notável acerto em uma série de campos. Negar isso seria privá-los de uma potencialidade humana necessária e vital, o que seria injusto.

Ao mesmo tempo, a consistência intelectual leva a que, uma vez admitida a lei moral, chegue-se, de forma mais ou menos tortuosa, ao Legislador e Ordenador supremo. Esse fato me parece ser uma das principais razões porque há tantos que não admitem a existência de normas de conduta objetivas: percebem por trás delas o dedo de uma divindade inteligente, que deu forma e substância ao universo em que vivemos e no qual estamos incluídos. E como aceitar a Deus não é elegante, tampouco se pode supor a realidade de algo que, mais cedo ou mais tarde, levaria a Ele. É mais confortável sustentar que autonomamente criamos as nossas leis e valores, sem precisar prestar contas a nada nem a ninguém.

No entanto, por mais que seja negada, a lei natural continua aí, funcionando inexoravelmente. Pode ser seguida e amada, trazendo ao sujeito racional felicidade e plenitude, ou negada e desprezada, com toda sorte de conseqüências nefastas para o indivíduo e a sociedade.

....

Renato José de Moraes *é advogado, mestre em direito pela* USP *e membro do* IFE.

91 | **GALERIA** *por Eduardo Valente*

92 | SOCIEDADE

QUANDO A POLÍTICA DO ORIENTE MÉDIO INVADE O CAMPUS
por Andrew Roberts

Em maio de 2008, o Sindicato das Universidades e Faculdades da Grã-Bretanha convocou um boicote à academia israelense, boicote este que entrou imediatamente em vigor. Nas palavras de Ron Prosor, então embaixador de Israel no Reino Unido: "Os acadêmicos, supostamente os guardiões do conhecimento, da objetividade e do debate bem informado numa sociedade, deixaram que o seu sindicato se tornasse refém de facções radicais armadas com programas políticos e interesses pessoais". Boicotar os professores e pensadores de um país inteiro unicamente por causa da sua nacionalidade – que no caso de Israel significa, na prática, raça –, enquanto os acadêmicos árabes permanecem intocados, é uma coisa moralmente abominável; o Sindicato das Universidades e Faculdades deveria envergonhar-se de fazer algo tão retrógrado e, *de facto*, fascista.

É precisamente para combater a mentalidade que permite aos acadêmicos dar as costas para os princípios da objetividade e do debate bem informado que José María Aznar, Vaclav Havel, John Bolton, Marcello Pera, Alejandro Toledo e outros – incluindo eu próprio – lançamos, em agosto do ano passado, a *Friends of Israel Iniciative* ("Iniciativa de amigos de Israel"). "Tudo o que queremos é falar de maneira normal e razoável sobre Israel", disse o ex-primeiro-ministro espanhol. "Com certeza, não é pedir muito". Contudo, para algumas pessoas – pessoas cujos únicos argumentos contra o direito de Israel à existência simplesmente não suportam um debate lógico e racional –, isso já é pedir muito.

O principal objetivo da Iniciativa de Amigos de Israel é combater os crescentes esforços para deslegitimar o Estado de Israel e o seu direito de viver em paz dentro de fronteiras seguras e defensáveis. A Iniciativa surge de uma profunda preocupação com a campanha sem precedentes movida contra Israel pelos inimigos do Estado Judeu e apoiada, de maneira perversa, por inúmeras instituições internacionais. É diferente das tentativas anteriores sobretudo por ser conduzida por pessoas que não são judias, animadas pela firme convicção de que Israel é parte integrante do mundo ocidental. De fato, os promotores dessa iniciativa estão convencidos de que Israel tem importância fundamental para o futuro do Ocidente. Embora o processo de paz seja importante, os membros da Iniciativa de Amigos de Israel estão ainda mais preocupados com o massacre promovido pelo islamismo radical e, também, com o espectro de um Irã nuclear, duas ameaças para o mundo inteiro.

Um dos campos de batalha mais importantes para luta pela sobrevivência de Israel, como acabamos de ouvir dos líderes estudantis, são os campi do Ocidente, onde se formam as opiniões das pessoas que amanhã serão líderes de suas nações. Graças ao nobre trabalho feito por tipo de gente como o que mencionava acima, penso que, no momento, a batalha vem sendo perdida. Não tanto por causa da maneira como opiniões flagrantemente contrárias a qualquer noção de tolerância e decência são ventiladas, mas por causa da maneira como são aplaudidas. Ainda que em momento algum questionemos o direito democrático desses radicais a regurgitar suas imundícies e falsidades – pois, ao contrário deles, acreditamos na liberdade de expressão –, questionamos,

> "Há nas uniões estudantis e nos campi uma crescente onda de hostilidade, de demonização e deslegitimação do Estado de Israel. Isso vem fomentando uma atmosfera de intimidação intelectual. A deslegitimação do Estado de Israel vem levando a uma deslegitimação do povo de Israel e, temo, do povo judeu em geral".
> (Ron Prosor)

sim, a decisão de convidá-los para ministrar palestras ao invés desses acadêmicos muçulmanos respeitados e moderados que aceitam o direito de Israel a existir.

Consideremos o seguinte episódio: no meu país, o Reino Unido, a Queen's Mary University recentemente deu lugar a uma palestra de Abu Usamah, homem que expressou opiniões como a de que os homossexuais deveriam ser precipitados de penhascos, de que as mulheres são "deficientes", "incompletas", e que fariam bem em começar a usar o *hijab* (o véu) aos sete anos, porque "aos dez, é nossa obrigação forçá-las a usá-lo, e se não usarem, espancamo-las". Os não-muçulmanos são "mentirosos patológicos" e "judeus e cristãos são inimigos dos muçulmanos".

A também respeitadíssima School of Oriental and African Studies ("Escola para estudos orientais e africanos"), de Londres, possui uma sociedade palestina que faz pouco exibiu um filme com a seguinte fala: "Alá é o maior. Aquele que agradecer Alá será recompensado. O Alá, descarrega o teu poder e a tua força sobre os judeus. Por favor, Alá, mate-os todos... E não deixes nenhum vivo".

A London School of Economics ("Escola de Economia de Londres") foi palco de uma palestra de Abdel Bari Atwan intitulada: "Quanta influência tem o lobby sionista nos Estados Unidos e no Reino Unido?", e a Palestine Solidarity Society ("Sociedade de Solidariedade à Palestina") recentemente recebeu a visita de Ahron Cohen, rabino que, apesar de ter participado da conferência em Negação do Holocausto organizada por Ahmadinejad, não só não nega, a bem da verdade, a existência do Holocausto, mas acusa os judeus de serem co-responsáveis por ele, dizendo: "Não há dúvidas de que houve o Holocausto e as câmaras de gás. Há demasiadas testemunhas disso. Contudo, entendemos que, quando uma pessoa padece, aquele que a fez padecer é obviamente culpado; no entanto, ele nunca terá êxito se a vítima não merece, de uma maneira ou de outra, o sofrimento".

Essas instituições – a Queen's Mary, a SOAS, a LSE e outras – não são como essas faculdades desconhecidas de Internet em que esperamos escutar esse tipo de linguagem ofensiva e delirante; são instituições de ensino antigas, estabelecidas e respeitadas, que simplesmente abdicaram dos seus deveres de garantir que as leis contra discursos que fomentem o ódio não sejam quebradas – e flagrantemente quebradas – nos seus campi.

Quem pode duvidar que tudo isso tenha um efeito direto sobre ao menos alguns estudantes, estudantes que nos últimos anos têm perpetrado ultrajes que resultaram em mortes e mutilações? O ex-presidente da Sociedade Islâmica da University College London, Umar Farouk Abdulmutallab – o famigerado terrorista da cueca – tentou matar todos os passageiros num vôo da Northwest Airlines no Natal de 2009. Omar Khan Sharif, antigo aluno do King's College de Londres, onde participou de encontros de organizações islâmicas extremistas, levou a cabo um ataque suicida num bar em Tel Aviv. Taimur Abdulwahab al-Abdaly, um radical formado na Universidade de Bedfordshire, explodiu-se a si mesmo e os inocentes ao seu redor na Suécia há dois meses. Não surpreende que as mensagens das sociedades islâmicas radicais dessas universidades tenham desencadeado diretamente assassinatos e mutilações: ódio gera ódio.

O que se passa nas universidades, portanto, pode ser, no sentido mais literal possível, uma questão de vida ou morte. E o que está acontecendo nas universidades agora, em todo o Ocidente, é um crescimento crônico das perseguições, da desordem, da histeria, das ameaças físicas e de discursos que incitam o ódio. Como disse Ron Prosor: "Há nas uniões estudantis e nos campi uma crescente onda de hostilidade, de demonização e deslegitimação do Estado de Israel. Isso vem fomentando uma atmosfera de intimidação intelectual. A deslegitimação do Estado de Israel vem levando a uma deslegitimação do povo de Israel e, temo, do povo judeu em geral".

Assim, fora da academia, na Medicina, assistimos a uma campanha de vilipendio ao ex-presidente da Associação Médica Mundial, o Dr. Yoram Blachar. Os sindicatos britânicos regularmente aprovam moções de boicote ao Estado de Israel na economia, na cultura e nos esportes. Em março de 2009, houve mesmo apelos ao boicote do "Dia da Ciência de Israel" no Museu de Ciências de Londres, que pretendia apresentar aos alunos de escola os avanços israelenses na pesquisa sobre o câncer, a energia solar e dessalinização da água. O jornal *The Independent*, em mais uma ação da sua longa campanha de abusos contra Israel, não deixou de apoiar esse boicote com uma matéria na sua primeira página. Se acrescentarmos a isso o *Guardian* com os seus editoriais dedicados a fazer a ideologia etremista parecer uma coisa normal e a legitimar as organizações terroristas, e o Channel 4 com seu convite a Mahmoud Ahmadinajad para pronunciar a mensagem de Natal da emissora, vemos que chegamos a uma situação em que o debate razoável entre pessoas de boa fé está completamente prejudicado, e em que a linha entre o racional e o irracional está tão terrivelmente turva que já perdeu quase todo o sentido.

Já em 2002, o Professor Larry Summers, reitor de Harvard, dizia: "Se antes o anti-semitismo e os pontos de vista profundamente contrários a Israel eram a especialidade de populistas incultos de direita, hoje vemos que esses mesmo pontos de vista encontram um apoio crescente por parte dos intelectuais progressistas. Pessoas sérias e ponderadas vêm defendendo e tomando ações cujos efeitos, quando não as intenções, são anti-semitas". Na década passada, a situação apenas piorou. Recentemente, dois intelectuais israelenses foram expulsos do conselho de uma revista acadêmica, e um aluno israelense de pós-graduação teve o seu projeto de doutorado rejeitado porque servira às Forças Armadas de Israel, país onde, no fim das contas, o serviço militar é obrigatório.

A idéia da Universidade, a grande obra do Cardeal John Henry Newman que define como a república do espírito deveria ser conduzida, louva importância de um alargamento cada vez maior da compreensão, o que promoveria a excelência das pesquisas, o avanço do diálogo entre os estudantes e a liberdade de expressão e investigação[1]. Um século depois, essas ainda são as bases do ideal acadêmico nas sociedades livres. No entanto, encontram-se sob ameaça de morte hoje em dia.

Curiosamente, um lugar onde esses pontos não estão ameaçados é Israel e as áreas ocupadas na Cisjordânia. O Centro Universitário Ariel da Samaria, próximo de Nablus, na Cisjordânia, possui 500 alunos israelenses de origem árabe entre os seus 9 mil alunos da graduação, o que representa 6% do corpo discente total, sendo que a média nacional é 12%. A presença desses alunos numa instituição que simboliza a ocupação israelense e é o maior empregador israelense na Cisjordânia é uma surpresa para muitos estrangeiros. Manar Dewany, um aluno de 20 anos do curso de Matemática e Ciências da Computação, que toma todos os dias o trem partindo da cidade árabe-israelense de Taybeh, diz: "Nunca sequer pensei que esse pudesse ser um motivo para não vir aqui. Não tenho problemas com isso. Por que não vir para cá? O lugar está cheio de árabes. A política não é problema. Sequer é discutida. O estudo é uma coisa e a política, outra. O relacionamento no campus é bom, natural. Todos se dão bem. Eu era o único estudante árabe na minha turma no ano passado, e fui tratado como todo mundo". Há uma enorme ironia no fato de a Cisjordânia ser o único lugar onde a política foi barrada no campus.

É claro que não é apenas nas universidades ocidentais que ocorre o boicote. Os deslegitimadores querem promover um boicote cultural completo. Em junho de 2009, por exemplo, o Festival Internacional de Cinema de Edimburgo negou ao jovem cineasta israelense Tali Shalom Ezer uma ajuda de custo para sua participação no evento no valor de apenas £500. Isso porque o cineasta de esquerda Ken Loach

---

[1] Cf. *Newman e a educação liberal* de Julio Lemos, em *D&C 1* (*N. do E.*).

ameaçou boicotar o festival, e os organizadores simplesmente cederam. Contudo, que direito tem Ken Loach para arvorar-se em juiz, júri e testemunha de Israel?

Em maio de 2009, o Bloomsbury Theatre proibiu uma companhia de dança das Forças Armadas Israelenses de celebrar nas suas dependências o dia da independência de Israel. Em dezembro do mesmo ano, um juiz de Westminster emitiu um mandado de prisão para Tzipi Livni, a líder da oposição, num caso clássico disso que hoje chamamos de *lawfare*, a guerra por meio de leis. No entanto, pergunto aos meus leitores: em que outra parte do Oriente Médio há um líder oficial da oposição? Mais: em que outra parte do Oriente Médio há uma mulher liderando a oposição?

Em novembro passado, o programa *Panorama* da BBC mostrou que no Reino Unido há mais de 40 escolas e clubes para crianças a partir dos seis anos administradas por sauditas. Nesses estabelecimentos, ensinam-se coisas como a maneira adequada de cortar as mãos e os pés de um ladrão, descrita com imagens bastante explícitas num livro didático para alunos de 14 anos. Outro livro usado em classe pede às crianças que listem as qualidades "reprováveis" dos judeus e os comparem a porcos. Outro texto determina que a punição para o sexo entre pessoas de mesmo sexo é a morte, afirmando que as opiniões divergem quanto à maneira como ela deve ser executada: apedrejamento ou precipitação. Um texto para crianças de seis anos perguntava aos alunos o que acontece com as pessoas que morrem sem crer no Islã; a resposta do livro é "fogo do inferno".

No mesmo mês, a prestigiosa escola de administração de empresas da Universidade de Harvard emitiu um comunicado encorajando abertamente os investimentos no Irã, precisamente no mesmo momento em que o Presidente Obama e outros líderes ocidentais tentavam usar sanções para pressionar o governo iraniano acerca da questão nuclear. O e-mail contava com as palavras de um ex-correspondente do *New York Times*, presença freqüente nos programas da BBC, e do presidente de uma empresa que encoraja o investimento no Irã.

A negação do Holocausto é um fenômeno político bastante conhecido entre os islamitas, mas também há outro fenômeno com praticamente o mesmo quinhão de ignorância, má vontade, falta de curiosidade intelectual, caos psicológico e, sobretudo, um gritante desprezo pela verdade: a Negação do Templo. No último número da revista *The American Interest*, o Professor Yitzhak Reiter, membro do Jerusalem Institute for Israel Studies, mostra como "o discurso palestino afirma que o templo judeu nunca existiu em Jerusalém". Ora, damas e cavalheiros, o Muro Ocidental tem mais de trinta metros de altura e quase cinco mil metros de comprimento. Está construído com pedras de duas a oito toneladas. Desde o século 4 d.C., os judeus fazem peregrinações para rezar ali. Os árabes o chamam de al-Buraq, porque foi nessa muralha que Maomé pôs os arreios em seu cavalo alado milagroso, Buraq.

A Autoridade Palestina queixou-se recentemente aos organizadores chineses da Shanghai Expo acerca das mostras israelenses sobre a história de Jerusalém. A

UNESCO cedeu às exigências de árabes e palestinos para reconhecer o Túmulo dos Patriarcas em Hebron e o Túmulo de Raquel como sítios "palestinos". No site da Autoridade Palestina, há um artigo negando qualquer ligação histórica entre os judeus e o Muro Ocidental do Segundo Templo. Em 2.000, em Camp David, Yasser Arafat afirmou que "o Templo nunca existiu em Jerusalém, mas em Nablus". Dois anos depois, diria que o Templo era no Iêmen; e outro negociador palestino viria a dizer, também em Camp David: "O Templo de Jerusalém é uma invenção dos judeus". Pois bem, quer o leitor acredite, como eu, em blocos de pedra empilhados até a altura de trinta metros, ou acredite, como outros, em cavalos voadores, o Muro Ocidental representa um fenômeno bem difícil de ser negado. Ainda assim, em face dele e dos registros históricos, alguns islamitas acreditam que o Muro é uma invenção judia, ou fingem acreditar nisso, por motivos políticos, o que é igualmente ruim.

Como mostra o Dr. Reiter, que também leciona no Ashkelon Academic College e na Universidade Hebraica de Jerusalém: "Isso contradiz não apenas os estudos consagrados no Ocidente e outras partes, mas a opinião tradicional entre estudiosos e líderes religiosos muçulmanos até meados do século XX". Em 1929, para citar um de muitos exemplos similares, o Conselho Supremo Muçulmano da Palestina publicou um guia para al-Haram al-Sharif onde se podia ler: "Não se pode disputar a sua identificação com o lugar do Templo de Salomão. De acordo com a opinião universal, é também o lugar onde Davi construiu um altar para o Senhor e ofereceu holocaustos e sacrifícios pacíficos (2 *Samuel* 24, 25)". Embora alguns acadêmicos e políticos palestinos tenham admitido privadamente a Reiter que a negação do Templo por Arafat fora um erro, nenhum líder da Autoridade Palestina chegou a desdizer Arafat em público. Não é necessário dizer que os judeus não negam a santidade da mesquita de al-Aqsa ou a relação do Islã com a Cidade Antiga. Como historiador, sinto-me ultrajado por esse mau uso deslavado da história para fins de propaganda, uma afronta àquilo que todos os historiadores deveriam sempre respeitar e priorizar: os fatos objetivos. Tudo parte do desprezo que o islamismo radical vota à História e à verdade.

É um lugar-comum dizer que Israel está na linha de frente da Guerra ao Terror, e, por tabela, lutando a guerra pelo Ocidente – e, de fato, está. Mas no que toca o boicote acadêmico e a batalha pela Verdade histórica, o país vem fazendo mais que isso. Pois a Humanidade, desde que se ergueu do lodo primitivo, tem uma preciosa vantagem com relação aos animais: a capacidade de transmitir o conhecimento. Ela é capaz de legar aos que vêm depois a mesma sabedoria que herdou. Luta sempre por mais Conhecimento, e assim a desfrutou de uma crescente capacidade intelectual a cada geração que passava.

Com o passar dos séculos, a soma do conhecimento humano cresceu inexoravelmente, formando a base do que conhecemos como Civilização. Em séculos passados, os árabes estiveram na vanguarda desse processo, e poderiam voltar a ela caso reformassem e modernizassem a sua fé a partir de dentro, como fizeram judeus e cristãos. O processo civilizatório teve a ajuda inestimável do conceito aristotélico de *simpósio*: o conhecimento e a compreensão confrontando tudo aquilo que cremos saber, os nossos melhores conceitos. O ideal de universidade do Cardeal Newman baseava-se nisso. A vocação das universidades era ser um lugar de onde a Humanidade avançasse por meio do discurso aberto rumo a um genuíno esclarecimento do pensamento por meio do debate e da troca de idéias expressas livremente. É este o cerne do nosso conceito de Civilização, e qualquer coisa que tente opor-se a um ideal tão nobre e vivificante alinha-se necessariamente às forças da Ignorância e da Intolerância.

Tais forças essencialmente totalitárias, que odeiam o progresso intelectual e a evolução do pensamento, possuem uma linhagem histórica sinistra, iniciada praticamente desde que existe o desejo do homem pelo Conhecimento e pela Verdade quantificável. Eram evidentes quando do incêndio da grande biblioteca de Alexandria, nas câmaras de tortura da assim chamada Santa Inquisição, e no tempo da perseguição a Galileu. Aqui neste continente, em Salem, homens e mulheres inocentes foram queimados por bruxaria. "É sentimentalismo vão", escreveu John Stuart Mill em *Sobre a liberdade*, "crer que a verdade, simplesmente enquanto tal, tenha qualquer poder inerente, negado ao erro, de prevalecer ao calabouço e à estaca". As forças da intolerância foram uma presença notável quando a flor de uma grande civilização européia – com o seu vasto acúmulo de conhecimento e sabedoria, talento e promessas futuras – foi enviada às câmaras de gás da Shoah.

Hoje, vemos precisamente essas mesmas forças da Ignorância e da Intolerância levantarem-se uma vez mais nessa campanha de boicote a acadêmicos, escritores e pensadores exclusivamente por causa da sua nacionalidade, o que no contexto de Israel quer dizer, na prática, da sua raça. A recusa do debate, a crença de que o conhecimento pode estar corrompido por causa da sua origem, o desejo de silenciar, o impulso de acabar com a discussão e o debate francos: tudo isso são sintomas de um instinto humano com milênios de existência. Falo do instinto que insinua que se você silenciar o discurso daqueles que odeia, você será mais forte e eles mais fracos.

Israel, portanto, não deveria ver-se a si mesmo simplesmente na linha de frente da Guerra ao Terror, embora seja óbvio que esteja nela, pois, além disso, nesta luta contra o boicote acadêmico e o direito à liberdade de expressão nas universidades, Israel e os seus apoiadores – tanto judeus como gentios –, estão na vanguarda de algo ainda mais importante. Porque hoje estamos de fato na vanguarda de uma guerra de séculos pela Verdade contra a Falsidade, pelo Conhecimento contra a Ignorância e, em última análise, pela Civilização contra a Barbárie.

....

Andrew Roberts *é historiador e jornalista. Escreve regularmente para o* Daily Mail, *o* Daily Telegraph *e o* Sunday Times. *Editou e publicou diversos livros, entre os quais* A History of the English Speaking Peoples since 1900 *(2006),* The Storm of War: a New History of the Second World War *(2009) e* Masters and Commanders: How Four Titans Won in the West (1941-1945).

CESARE BATTISTI - MEMÓRIAS DE UM HOMEM CONDENADO
por Anthony Daniels

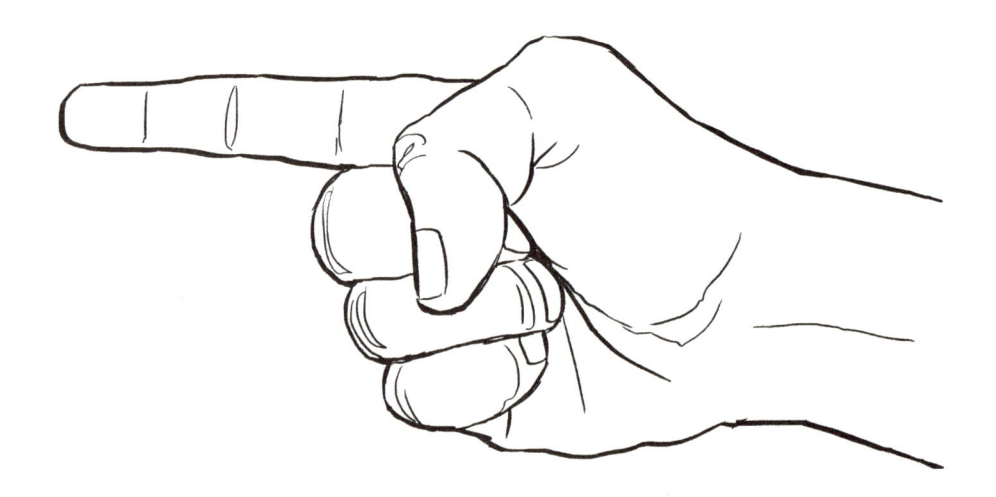

Quando o presidente Lula, num dos seus últimos atos oficiais, se negou a extraditar Cesare Battisti para a Itália, estava fazendo política simbólica. Não podemos criticá-lo por isso: política e simbolismo são inseparáveis. Nunca chegará o dia que o poeta da Primeira Guerra, Wilfred Owen, tanto almejava ver: o dia em que os homens deixarão de lutar por bandeiras.

A questão mais importante quando falamos de política simbólica é, na verdade, esta: "O que se quer simbolizar?" Desprezo ou desdém pela Itália, por exemplo? É bem verdade que o estado atual desse país, do ponto de vista político, não é dos melhores. O homem que o governa, Silvio Berlusconi, é, de acordo com a imprensa progressista britânica, francesa e americana, o líder italiano mais profundamente odiado e abjeto desde Mussolini. Essa opinião, contudo, ignora os milhões de italianos que não apenas votaram nele, mas que votaram nele mais de uma vez. E é quase certo que muitos o farão novamente se tiveram a chance.

Os seus motivos, todavia, estão longe de serem meritórios. O *condottiere* não é popular entre muitas pessoas apesar do seu comportamento infame, mas justamente por causa dele. É para milhões de pessoas um símbolo do homem genuinamente livre, do homem que elas gostariam de ser. Autoridade maior e zombador de toda autoridade, Berlusconi possui os meios para realizar cada um dos seus caprichos ou fantasias libertinos e proteger-se das conseqüências normais de fazê-lo. A sua vasta fortuna protege-o mesmo da devastação causada pelos anos: ele pode pagar milhões de implantes capilares.

Uma das suas liberdades mais invejáveis é a de não precisar ser politicamente correto. Quando a antiga cidade de Aquila foi destruída por um terremoto, Berlusconi disse aos sobreviventes para encararem a sua condição de moradores de rua involuntários como uma temporada num acampamento: um comentário genuinamente tosco e insensível que milhões experimentaram como um alívio das imposições habituais do politicamente correto, que é a expressão de emoções que não sentimos e de opiniões que não temos. A impunidade que a sua fortuna incomensurável lhe garante fez de Berlusconi, aos olhos de seus apoiadores, o único homem do país que pode falar tudo o que lhe passa pela cabeça, mesmo que ela seja um esgoto.

É improvável, porém, que as incertezas acerca da situação política da Itália ou do seu sistema jurídico dominassem o pensamento do presidente Lula quando da sua decisão por negar a extradição. A Itália, no final das contas, é maior que Berlusconi. E, apesar das suas múltiplas carências políticas, permanece uma democracia liberal, onde as pessoas não temem batidas à sua porta durante a madrugada nem serem presas arbitrariamente. O mais provável é que Lula desejasse não constranger alguns dos seus colegas políticos e a sua sucessora na presidência, cujas atitudes com relação à violência política no passado foram, no mínimo, equívocas.

O sentimentalismo associado à violência política da esquerda é, evidentemente, uma enfermidade ocidental, cuja manifestação mais óbvia é o culto a Ernesto Guevara, tomado com demasiada leviandade como símbolo da aspiração da juventude à liberdade, ainda que o mais superficial contato com sua vida e seus escritos prove em definitivo que ele era uma versão latino-americana *manqué* e arrogante de Kim Il Sung. A única liberdade pessoal que ele valorizou em toda a sua vida foi a sua própria.

Foi esse sentimentalismo intrinsecamente desonesto que protegeu Battisti por tantos anos na França. Apenas o sentimentalismo poderia tornar Battisti digno de simpatia, embora não se possa duvidar de que é uma figura bem fora do comum. Nasceu em 1954 e tornou-se (por escolha, não necessidade) um criminoso. Foi preso pela primeira vez aos 17 anos por furto; aos 20, foi preso mais uma vez por assalto à mão armada. No cárcere, converteu-se ao marxismo revolucionário, o Islã da época, sob a influência de um preso oriundo de uma família abastada chamado Arrigo Cavallina. Ao sair da prisão, Battisti juntou-se à célula de Cavallina, chamada *Proletari Armati per il Comunismo* (PAC), cujos membros eram estimados na casa dos sessenta. Battisti, assim, passou sem solavancos do banditismo ao terrorismo.

Quando da sua prisão em 1979, Battisti foi acusado de haver feito parte de um grupo terrorista, acusação que nunca negou e pela qual recebeu uma sentença de doze anos, boa parte dos quais nunca cumpriu. Mais tarde, foi acusado de dois assassinatos e de cumplicidade em outros dois, o que nega, embora não exista dúvida de que os crimes foram cometidos pelo PAC.

Mesmo aqueles que crêem na inocência de Battisti não chegam a afirmar que ele deixou o PAC por causa desses assassinatos, conhecidos na organização como "julgamentos do povo". De fato, Battisti não nega ter praticado violência política, uma vez que afirma tê-la abandonado após a morte de Aldo Moro. Durante o seu julgamento por pertencer a um grupo terrorista, Battisti ameaçou o juiz com as palavras: "Chegaremos a você também". São pura e simplesmente as palavras de um gângster que encontrou um verniz político para as suas tendências criminosas.

Em 1981, o PAC conseguiu tirar Battisti da prisão. Ele então fugiu para a França, onde ficou pouco tempo, e depois foi para o México, onde se imiscuiu em círculos culturais radicais. Deu então mostras de talentos não criminosos como, por exemplo, ao fundar uma revista literária que existe até hoje. Em 1990, voltou à França acreditando que os tempos favoreciam o seu retorno. François Mitterrand era o presidente, e Mitterrand também tinha a sua necessidade de jogar com a política simbólica e parecer benévolo aos refugiados italianos de extrema esquerda.

Mitterrand era um homem de ambição, malícia e inescrupulosidade infinitas. Sempre dizia que preferiria ter sido escritor a político e, como era de fato muito culto, é bem provável que isso fosse verdade; mas logo cedo deve ter notado que os seus talentos apontavam para outra direção: para a intriga, a dissimulação e as artes obscuras da ascensão política.

Iniciara sua carreira, antes da guerra, na extrema direita; tornou-se um membro estimado da administração de Vichy, colaboradora das forças de ocupação nazistas, e passou para a Resistência a tempo de não arruinar a sua reputação de uma vez por todas. Quase sempre membro do governo durante o pós-guerra, foi sob seus auspícios enquanto ministro que as torturas mais implacáveis foram levadas a cabo durante a guerra da independência da Argélia. Mitterrand manteve relações com René Bousquet, provavelmente o francês com a maior responsabilidade na deportação e conseqüente morte de mais de 70.000 judeus da França, até o momento em que, em 1986, tal amizade começou a se mostrar inconveniente para a sua carreira política.

É uma façanha extraordinária que tal homem tenha conseguido reinventar-se e apresentar-se como o líder da esquerda francesa. Assim como nos perguntamos como os alemães não riram de Hitler, Himmler e Goebbels quando esses estranhos homenzinhos exaltaram o super-homem nórdico como o tipo humano mais perfeito, tentamos imaginar como os franceses não riram de Mitterrand quando ele se apresentou como um homem de princípios íntegros. Seja como for, ele estava sempre à cata de um símbolo para demonstrar suas simpatias esquerdistas para o seu eleitorado (a sua primeira tentativa de economia política de esquerda há muito fora abandonada, pois logo se viu que era um desastre); conceder asilo político a esquerdistas italianos fugitivos era uma maneira barata e indolor de fazê-lo. Mitterrand precisava de Battisti tanto quanto Battisti precisava de Mitterrand.

Como quase tudo associado a Mitterrand, no entanto, as suas boas vindas foram extremamente equívocas, deixando margem a manobras. Ele anunciou a sua famosa "doutrina" em 1985. Num discurso para o 65º congresso da Liga Francesa de Direitos Humanos, disse que os quase cem terroristas italianos refugiados na França, caso estivessem inseridos pacificamente na sociedade francesa e não fossem culpados de crimes de sangue, não estariam sujeitos a extradições para a Itália. Mas, como ele provavelmente sabia, tal declaração não tinha nem poderia ter força de lei nem vincular os tribunais franceses de modo algum.

Ao chegar à França pela segunda vez, aparentemente crendo que a doutrina de Mitterrand o protegeria, Battisti fez algo que lhe angariou a simpatia da classe *bien-pensant* parisiense: fez-se escritor. Escreveu suspenses políticos que tiveram um sucesso considerável, especialmente na França, e que manifestavam um talento literário inesperado. Num país que reverencia a cultura talvez mais do que qualquer outro, esse talento basta para criar uma predisposição favorável para com aquele que o possui. Perdoam-se aos artistas uma multidão de pecados que seriam insuportáveis num açougueiro (digamos) ou num padeiro.

Os seus livros, no entanto, com certeza não davam qualquer indício de arrependimento, ou sequer de uma reflexão profunda acerca do movimento guerrilheiro durante os "anos de chumbo" italianos. Nos seus livros, o Estado é podre, as autoridades são corruptas, as pessoas comuns são oprimidas; praticamente nada mudou desde Mussolini. Os guerrilheiros, portanto, são nobres lutadores da liberdade e justiça, mesmo que os livros deixem involuntariamente claro que são movidos mais pelo ressentimento e pelo ódio pessoal do que por qualquer visão do futuro. A principal reprovação aos guerrilheiros é que, apesar de estarem imbuídos de uma teoria da história supostamente infalível, foram derrotados. Seu exílio é digno de pena; é o exílio dos idealistas permanentemente alijados de seus sonhos e forçados a viver às margens de uma sociedade estranha.

O primeiro dos livros de Battisti, *Les habits d'ombre*, pode surpreender os leitores por parecer uma forma esquisita de o autor proclamar a sua inocência perante o mundo. Battisti sempre sustentou que nunca cometera os dois assassinatos pelos quais foi julgado *in absentia* nem fora cúmplice dos outros dois pelos quais foi sentenciado à prisão perpétua; mas em *Les habits d'ombre*, o protagonista, Claudio Raponi, tem uma trajetória muito semelhante à do próprio Battisti. Membro de um violento grupo esquerdista, foge para a França e logo em seguida para o México, de onde volta anos mais tarde para a França. Nesse país, assassina um agente carcerário. Um dos assassinatos pelo qual Battisti foi acusado é o de um agente carcerário.

Ora, é evidentemente um erro elementar confundir um personagem de romance com o autor do romance, mesmo quando o texto seja bastante auto-biográfico. Mas Battisti não era um romancista comum numa situação comum. Bem se poderia pensar que ele talvez devesse haver escolhido o seu tema com mais cuidado e tato, evitando, por exemplo, que o assassinato de um agente carcerário fosse um episódio do livro. De fato, Battisti estava confessando o crime e negando-o ao mesmo tempo, talvez para provocar ou ridicularizar esse estado burguês em cuja proteção ele se apoiava.

A descrição do assassinato do agente carcerário no seu livro sugere-nos algo da mentalidade de Battisti. O agente é morto a sangue frio, sem receber mais consideração – talvez receba menos, na verdade – que uma barata que se esmaga contra o chão da cozinha. O protagonista, com quem o autor claramente simpatiza e espera que os seus leitores também o façam, não sofre qualquer efeito psicológico por causa do assassinato cometido e continua a sua vida como se tivesse acabado de postar uma carta no correio em vez de ter matado um homem. O autor parece esperar que também o leitor deixe o incidente para trás.

A suposta justificativa para essa total indiferença é que o agente carcerário merecia a morte porque ele próprio havia matado um prisioneiro que tentava escapar da prisão, mesmo depois de haver aceitado um suborno para facilitar-lhe a fuga. Logo, não se deviam desperdiçar sentimentos com o sujeito; nesse caso, o assassinato é justiça. (Os amigos *bien-pensants* de Battisti na França esquecem que ele é, portanto, um ardente defensor da pena de morte, desde que ele decida quem deve ser executado). Claudio Raponi continua a crer, depois de ter assassinado o agente carcerário – que por acaso era um imigrante pobre originário das Antilhas francesas –, que é ele próprio uma vítima de injustiça, já que é forçado a levar uma vida precária de clandestinidade, alvo de constantes suspeitas da polícia. Ao que parece, ninguém, e Battisti com certeza não é exceção, é tão desprovido de compaixão que não sinta pena de si mesmo.

Mas à adesão de Battisti à *lex talionis* subjaz uma psicopatia. Para ele, parece ser inconcebível que o seu protagonista possa surgir aos olhos do leitor como um personagem profundamente antipático; ou que, dadas as circunstâncias em que Battisti estava, a escolha do enredo possa ser considerada de mau gosto.

Por outro lado, Battisti tinha uma noção instintiva de que a classe intelectual francesa o acudiria em sua defesa quando o governo italiano solicitou a extradição. A primeira solicitação foi rejeitada, mas apenas por causa de uma tecnicidade jurídica, não porque a assim chamada doutrina Mitterrand tivesse alguma força legal que a impedisse. Em 2002, parecia provável que os tribunais franceses, apesar do movimento em favor de Battisti, ordenariam a sua extradição; logo, ele fugiu para o Brasil.

A força da opinião contra a extradição provinha de duas fontes principais. A primeira era uma sensação de solidariedade sindical: Battisti era então membro dos *literati*, afiliação que tradicionalmente se considera capaz de conferir às pessoas uma extra-territorialidade quanto ao reino mundano das obrigações legais. Fosse ele sapateiro ou vendedor de vinhos, seria muito improvável que tivesse uma defesa tão veemente. A segunda fonte é o fato de que a esquerda francesa (bem como a direita francesa e, na verdade, direita e a esquerda de muitas democracias liberais) estava frustrada pela aparente impossibilidade de mudar a sua sociedade e, portanto, limitada à adesão apaixonada por causas simbólicas. Os esquerdistas precisavam de um novo caso Dreyfus: e Battisti era um Dreyfus menos a inocência.

Qualquer argumento servia naquelas circunstâncias. Se Mitterrand falara de trezentos italianos envolvidos no terrorismo durante os "anos de chumbo", Valerio Evangelisti, o escritor italiano de ficção científica bastante popular na França, escreveu em 2000 na sua introdução à nova edição de *Dernières cartouches*, de Battisti, que "milhares, quiçá dezenas de milhares de jovens italianos decidiram pegar em armas contra um sistema que julgavam intolerável".

Qual a explicação para tamanha diferença entre as duas estimativas para o número de terroristas ativos? Com certeza não será nenhuma informação trazida à tona entre 1985 e 2000. A razão da diferença entre as estimativas é o fato de elas terem sido feitas em circunstâncias diferentes por motivos diferentes.

Quando Mitterrand falou, a violência ainda estava fresca na memória coletiva em ambos os lados dos Alpes. Assim, para justificar o asilo aos extremistas italianos, Mitterrand teve de garantir ao público francês que eles não eram muitos, de maneira que não representariam uma ameaça ao estado e à sociedade da França. Em 2000, contudo, a violência já passara havia muito, tão esquecida como uma crise de sarampo na infância; para defender Battisti, era útil mostrar que ele, longe de ser um entre poucos, era um entre milhares. Assim, sua culpa, se é que existia, era atenuada: milhares de jovens italianos não poderiam estar errados acerca do estado intolerável da sua sociedade (coisa que, claro, ignora convenientemente a popularidade dos camisas-negras, que em seu tempo podiam facilmente arrolar milhares e mais milhares de jovens italianos), e, logo, acerca da permissibilidade moral do emprego da violência para mudá-la. Ao juntar-se aos terroristas, Battisti apenas tomava parte no *Zeitgeist*; ser um entre milhares supõe uma responsabilidade pessoal por suas ações menor que a de uma pessoa entre um punhado de gente. Essa manobra fez de Battisti um simples bode expiatório, não mais um verdadeiro criminoso; noutras palavras, fez dele uma vítima.

Os seus defensores – como Fred Vargas, a mais popular autora francesa de romances policiais, em seu livro *La vérité sur Cesare Battisti*, mas também Bernard-Henri Lévy – valem-se dos mais variados argumentos. O primeiro é o fato de Battisti ter sido julgado *in absentia*, procedimento intrinsecamente injusto. Mas só o é quando o réu desconhece a data e o local do julgamento e é privado de um representante legal adequado. A prática não é injusta quando o réu deixa de comparecer, deliberadamente e repetidas vezes, ao tribunal; Battisti não apenas conhecia a data e o local do julgamento, como designou um advogado, famoso por defender terroristas, para representá-lo.

Em segundo lugar, alegou-se que algumas das provas mais contundentes contra Battisti, aquelas fornecidas pelo líder do PAC, Pietro Mutti, estariam maculadas porque Mutti testemunhava com vistas a uma redução de pena pelos crimes cometidos por ele próprio.

É verdade que há algo de sórdido no uso de provas de tal natureza e que elas não deveriam ser as únicas provas a serem usadas para a condenação de um homem. No entanto, a maior parte das jurisdições, inclusive a francesa, permite o uso dessa técnica, *faute de mieux*. Talvez o caso mais famoso de uso desse recurso no Reino Unido tenha sido o de Burke e Hare, dois homens que, como ganha-pão, assassinaram algumas pessoas entre 1827 e 28 para vender os cadáveres a um anatomista de Edimburgo (naquela época, apenas corpos de criminosos executados podiam ser legalmente dissecados). Hare valeu-se da delação premiada e foi liberado; seu comparsa, Burke, foi condenado e enforcado. Apesar da maneira pouco satisfatória em que o testemunho de Hare fora obtido, ninguém nunca sequer supôs que Burke era inocente e que sua condenação fora injusta. E, ao contrario do que algumas vezes dizem, há bastantes provas circunstanciais contra Battisti que confirmam o depoimento de Mutti.

Em terceiro lugar, alega-se que Battisti foi acusado de cometer crimes que ocorreram simultaneamente e em diferentes lugares, o que é uma impossibilidade física. Essa afirmação está errada; Battisti foi acusado de participar diretamente de dois assassinatos e de planejar outros dois. Não há nada de contraditório nisso.

Em quarto lugar, alega-se que dispensar apenas a Battisti uma punição merecida era injusto, pois outros terroristas, especialmente os neofacistas, que cometeram atrocidades piores (isto é, com mais vítimas) ou nunca foram encontrados ou foram tratados com mais leniência. O argumento é irrelevante caso Battisti seja de fato inocente; já se Battisti for culpado, não se trata de pedir mais leniência para com ele e, sim, mais severidade para com os outros.

Battisti renunciou à violência política, mas uma pessoa não renuncia a algo que nunca praticou. Ele sempre se mostrou bastante esquivo acerca do que realmente fez de violento; também nunca admitiu que a violência do PAC foi mais do que um simples fracasso, uma vez que não desencadeou a revolução, mas sim um erro moral. Battisti admitiu ter sido membro de um grupo muito pequeno que não apenas matava pessoas, mas que deliberadamente as aleijava, por exemplo, atirando em suas pernas; no mínimo, ele sabia das ações do grupo. O PAC também levou a cabo vários assaltos a bancos, usando parte do dinheiro obtido para passar férias na Sardenha. Mesmo admitindo que Battisti fosse um idealista que agia para impor a sua visão de como o mundo deveria ser, em vez de um psicopata com apenas um leve verniz de motivação política, há inúmeras razões e suficientes exemplos históricos para crermos que a sua visão não apenas estava longe de ser admirável como era profundamente odiosa. Portanto, com certeza há casos muito mais dignos de simpatia que o seu.

Pode-se, sem dúvida, argumentar que a violência dos "anos de chumbo" já vai longe no passado, e que não servirá de nada aprisionar Battisti pelo resto da sua vida uma vez que é improvável que ele volte a cometer esse tipo de violência. Penso que há alguma força nesse argumento (apesar de ser difícil saber se Alberto Torregiano concordaria, ele que ficou paraplégico para o resto de sua vida após ter sido atingido na coluna por uma bala disparada durante um tirotcio em que o PAC assassinou o seu pai, Pierluigi Torregiano, diante dos seus olhos). Talvez fossem suficientes um ou dois anos simbólicos na prisão para Battisti.

O que mais me deixa alarmado com relação ao caso de Battisti, no entanto, é o fato de ele revelar, mais uma vez, como um importante e poderoso setor da *intelligentsia* de uma democracia liberal é capaz de oferecer a sua simpatia e o seu apoio à causa de uma pessoa cujos objetivos confessos eram destruir essa própria democracia liberal; e é capaz de fazê-lo valendo-se de argumentos sofisticados. Os membros da *intelligentsia* vêem Battisti como alguém que teve a coragem (que eles não tiveram) de agir segundo os ideais revolucionários de que eles próprios estavam convictos na sua juventude; assim, eles não podem condená-lo com sinceridade sem condenar com sinceridade a sua própria vida passada. Por sua vez, isso implicaria admitir a possibilidade de o seu idealismo da juventude não ter sido bem isso, mas apenas a arrogância e o egoísmo juvenis postos a serviço do mal; a condenação viria inevitavelmente acompanhada de uma reavaliação do próprio caráter e da própria vida. E se há algo de que o homem moderno foge mais que da peste bubônica, é o exame de consciência.

....

Anthony Daniels é escritor e psiquiatra, tendo trabalhado no Zimbábue, Tanzânia, África do Sul, Kiribati antes de retornar à sua Inglaterra para clinicar em Londres e na penitenciária de Birmingham. Escreve regularmente em diversas publicações inglesas e americanas sobre cultura, arte, política, educação e medicina. Já publicou diversas coletâneas de ensaios e relatos de viagens, dentre os quais: Fool or Physician: The Memoirs of a Sceptical Doctor *(1987),* Making Bad Decisions. About the Way we Think of Social Problems *(2006),* In Praise of Prejudice: The Necessity of Preconceived Ideas *(2007),* Not With a Bang But a Whimper: The Politics and Culture of Decline *(2009).*

Tradução de Cristian Clemente

107 GALERIA *por Daniel Faiad Barreto*

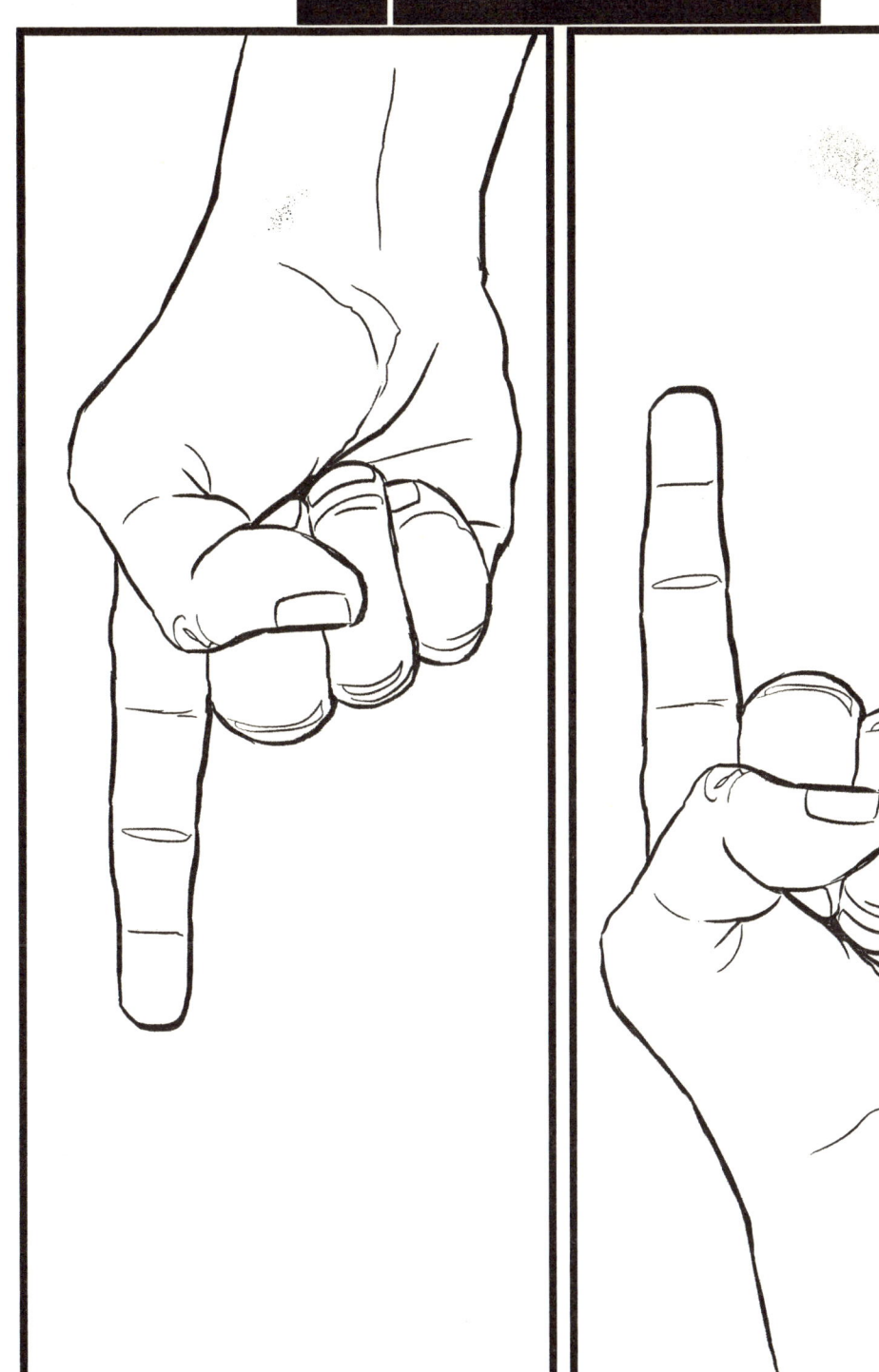

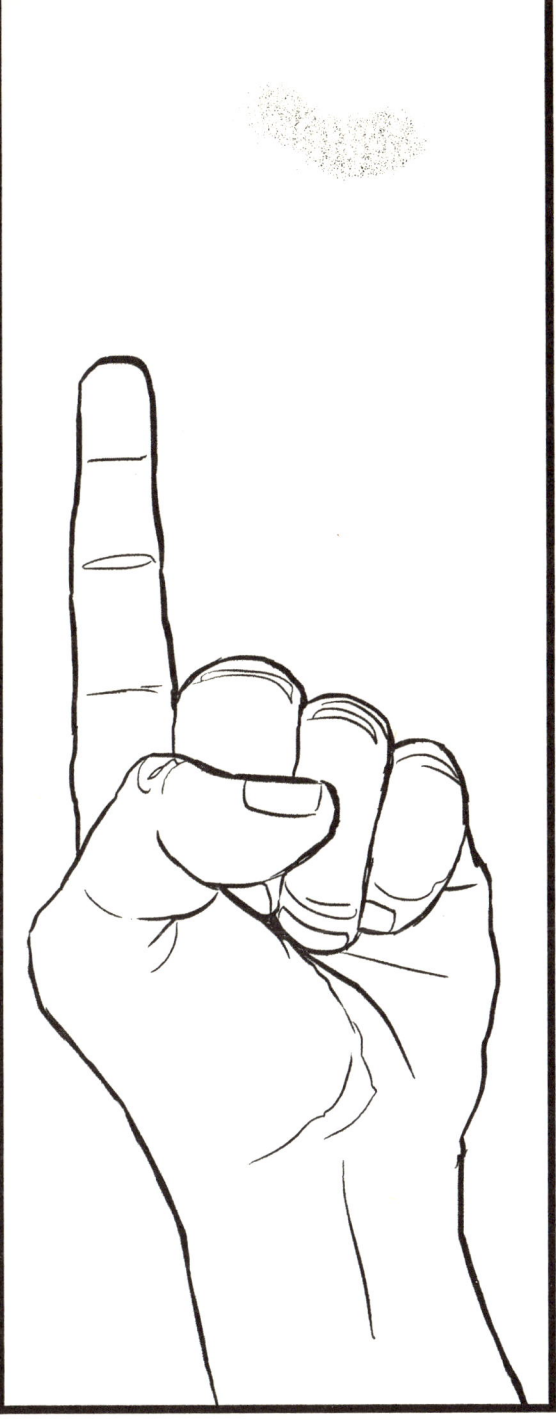

| 108 | LITERATURA |

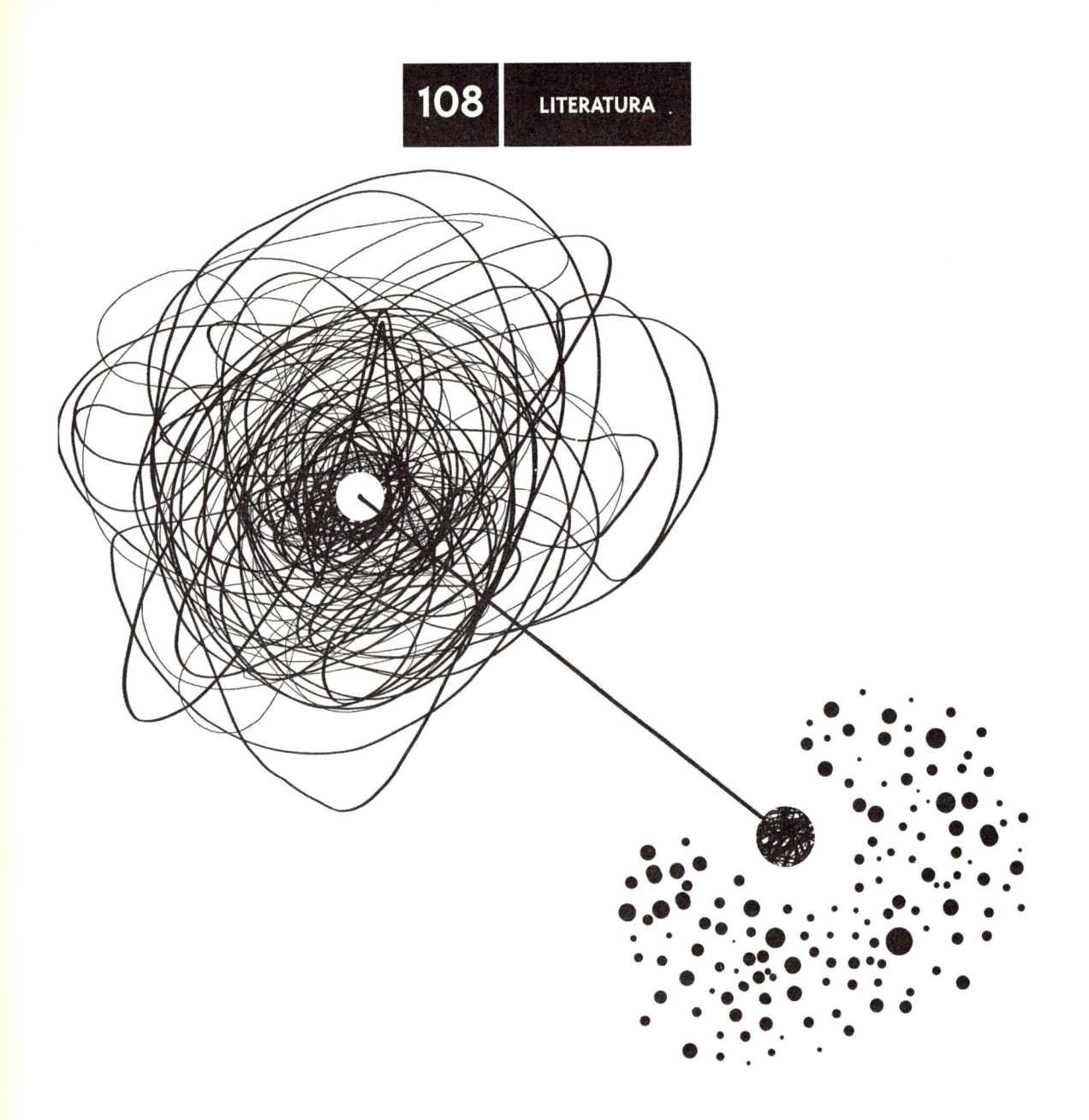

YVES BONNEFOY: PARA COMEÇAR, UM TRÍPTICO
por Chris Miller

Yves Bonnefoy nasceu em 1923, quando Wallace Stevens publicava *Harmonium* para um público reduzido. No mundo francófono, corria o ano anterior ao aparecimento do primeiro manifesto surrealista, e, no anglófono, o ano posterior à publicação de *The Waste Land*, de T. S. Eliot – poema que mais tarde o próprio Bonnefoy viria a descrever como "o verdadeiro mito da cultura moderna". Em 1943, Bonnefoy foi estudar matemática e filosofia, trocando Tours por Paris. Já ouvira o chamado da poesia, embora o seu objetivo declarado fosse um diploma em matemática. A família que deixara em Tours pertencia à baixa classe média; o pai trabalhava numa empresa ferroviária, enquanto a mãe, enfermeira, se tornaria professora primária anos depois. Na Paris da Segunda Guerra, o prestígio do comunismo era elevado; o surrealismo já se voltara para o coletivo, e muitos dos principais surrealistas exerciam papel importante na *résistance*. Bonnefoy fundou sua própria revista surrealista, *La revolution, la nuit*, a qual, a despeito da vida curta, já em 1947, durante a Mostra Internacional do Surrealismo, havia rompido com Breton e em larga medida com o surrealismo *tout court*. (Alguns dos primeiríssimos textos de Bonnefoy foram republicados, em especial certos fragmentos de *Le Coeur-Espace*, de 1945, e de *Le traité du pianist*, de 1946, mas o autor houve por bem não incluí-los na sua obra oficial.) O seu texto mais antigo a integrar os *Poèmes*, de 1978, é *L'Anti-Platon*, que data de 1947, embora haja sido totalmente revisado em 1962.

O primeiro dos seus grandes poemas, *Du mouvement et de l'immobilité de Douve*, apareceu em 1953, o mesmo ano de "Les tombeaux de Ravenne", quiçá o mais célebre dos seus ensaios. Ambos formam o primeiro painel de um tríptico de poesia e ensaio que tanto inauguraria quanto definiria o *status* de Bonnefoy no panorama das letras francesas. No que concerne à poesia, seguir-se-iam *Hier régnant désert* (1958) e *Pierre écrite* (1965). Em 1959, *L'improbable* reuniu alguns ensaios sobre poesia e artes, incluindo "Les tombeaux" e "L'acte et lieu de la poésie"; a terceira peça do tríptico de ensaios seria "La poésie française et le principe d'identité", de 1965. O presente texto é um como *vade mecum* do tríptico de poesia, e também dos ensaios que o acompanham e interpenetram. Esses ensaios exprimem a visão de Bonnefoy sobre a poesia de um modo não menos poético que os seus poemas. Poderíamos resumir-lhe as preocupações valendo-nos de um termo em geral ausente do vocabulário do poeta: epifania – ou 'imortalidade', tal como aparece em "Les tombeaux". Não se trata, porém, de "uma imortalidade do corpo ou da alma que os deuses de antanho ou de ontem garantiam", mas do instante epifânico do canto do pássaro, ouvido à beira do precipício, por entre a cortina de fumo: "Arrebatadas ao tempo, ao espaço, eu guardo a imagem das grandes ervas da encosta que foram, junto comigo, imortais naquele instante". O mais antigo desses ensaios – "Les tombeaux" – inaugura a investida de Bonnefoy contra o conceito, o qual, segundo ele, "procura fundar a verdade sem a morte". A imortalidade do conceito é precisamente a da forma platônica, cuja universalidade obtém-se às expensas do objeto particular em tudo o que concerne à sua presença física.

Ao completar o tríptico, Bonnefoy pôde se ocupar do mais longo, concentrado e intrincado dos seus livros: isto é, *Dans le leurre du seuil*, de 1975 – um livro que muito bem poderíamos considerar como a sua obra prima. Seguir-se-iam *Ce qui fut sans lumière* (1987), *La vie errante* (1993), *Les planches courbes* (2001), *La longue chaîne de l'ancre* (2008) e, por fim, *Raturer outre* (2010). A atividade poética foi acompanhada da de crítico literário, estudioso da arte e tradutor de Yeats, Leopardi e Shakespeare. Haveria muito mais o que dizer sobre tais facetas da sua obra, mas isso ultrapassa o escopo deste texto. Note-se apenas que se lhes acrescentou recentemente a enorme coleção das suas lúcidas entrevistas – o que não é pouco.

  A produção surrealista de Bonnefoy devia um pouco ao comunismo, força política então dominante entre os intelectuais franceses, mas a política acabou por retirar-se da sua poesia posterior. Embora ele confesse jamais ter lido "La jeune parque", é de suspeitar que Valéry também tenha sido uma das suas influências principais, mesmo que num sentido apenas negativo; seu ensaio crítico "Paul Valéry" (1963), por exemplo, tem muito em comum com "La poésie française et le principe d'identité" para que o possamos julgar pelas aparências. Falando, porém, de *As flores do mal*, Bonnefoy declarou tratar-se do livro-mestre da poesia francesa. Ora, ao referir-se à 'verdade de palavra' – um tema recorrente em sua ensaística, e também o título de uma sua coletânea de ensaios – na obra de Baudelaire, Bonnefoy observa que "eu a descreveria como uma sanção; uma voz que não é a própria, e é distante dela, mas que concorda com aquele que fala". De todos os poetas franceses, contudo, Rimbaud, sobre quem escreveu dois livros, é o que lhe cala mais fundo.

  Mas qual era, então, o traço distintivo de *Du mouvement et de l'immobilité de Douve*? Por que essa obra foi tão imediatamente aclamada? Quando mais não seja, porque nela o poeta realiza a façanha de transformar a rudimentar violência e o caráter espetaculoso do surrealismo na estruturada coerência de um longo poema modernista. "Modernismo, filhote do simbolismo" é como que um axioma, especialmente verdadeiro se referido a *The Waste Land*. Em *Douve*, porém, Bonnefoy se vale da extrema seriedade de Baudelaire e de Mallarmé para, a partir de unidades líricas menores – não há colagem modernista nos seus três primeiros livros –, compor um poema mui coerentemente estruturado, o qual, por sua vez, é como que a alegoria da inauguração da voz poética. O vocabulário de *Douve*, assim como o de quase toda a poesia do autor, está reduzido ao essencial, como o de Racine; palavras como *lumière, sable, eau, écume, nuit, voix, feu, pierre, ombre, mort* aparecem e tornam a aparecer em combinações tão recorrentes a ponto de sugerir uma espécie de equivalência. Sem embargo, "Théâtre", a seção de abertura do livro – uma das mais celebradas realizações do poeta – é uma série de poemas cujo imaginário está mais próximo do surrealismo pictórico que do seu equivalente poético na poesia de língua francesa.

  O termo 'Douve' é polissêmico. Significa primordialmente 'fosso' ou 'vau', mas também pode referir-se à aduela com que se faz o barril, às flores lacustres *ranunculus lingua* e *flammula* e, por fim, a um bicho do intestino. Mas a Douve de Bonnefoy é uma musa erótica que abraça exultante o seu próprio dano e destruição. A epígrafe de Hegel, insistindo na necessidade de integrar a morte à vida do espírito, é precisamente a tarefa que Douve executa, de maneira ritual. Ela parece arrebatar-se como o gigante de Dalí na Guerra Civil Espanhola ou como a *Gradiva* de Masson. Ela anda em júbilo debaixo da terra e é atacada pela decomposição e por hordas de insetos, como os jumentos de Dalí em *O cão andaluz*. Quanto mais ela se liberta da própria pele, mais erótica ela se torna. Quando é vista "A cabeça quadriculada e as mãos fendidas", o poeta observa: "Era dia de teus seios/ E reinaste ausente da cabeça minha".

Percebe-se em "Théâtre" um componente modernista, um mito da fertilidade que subjaz, por exemplo, tanto a *The Waste Land* quanto à *Sagração da primavera*, de Stravínski. Mas a mitologia que está em jogo nas demais seções de *Douve* não é unívoca e, o que mais, raramente está explícita. Há imagens de Caronte e do Estige; a Fênix é diretamente invocada; há elementos da lenda do rei Arthur. Eliot no diz: "Esses fragmentos que escorei em minha ruína". Em contraste com isso, chegamos a entender ("Vrai Nom") que a recorrente destruição de Douve deve muito ao trabalho do próprio poeta. Pois, à medida que Douve passa pela morte, ela encontra a voz do poeta – e também a si mesma; na seção "Douve parle", o seu triunfo será "o grito mais alto que já se tentou".

À medida que o poema avança rumo ao clímax, vai absorvendo a mitologia mais íntima de uma obra que o poeta parcialmente destruiu, *L'ordalie* (1949–50). O que sobreviveu à destruição foi republicado em *Récits en rêve*, e lembra uma história de Pierre Jean Jouve. Anne atirou em Jean Basilide, a quem (assim supomos) ela ama; de noite, leva o ferido, de carro, para a Orangerie, e lá se põe a cuidar dele; ele (assim parece) está morrendo; Anne é atraída pelo som de uma porta; ao voltar, ouve um som atrás de si, vira-se, e é baleada na cabeça por Cassandre. O local vai deixar herança dupla. A transparência da Orangerie, só janelas, aparece em "L'acte et le lieu" como o emblema das mortes na poesia trágica de Racine, invisíveis porque sempre fora do palco. A luz inunda a Orangerie durante o dia, mas "a noite, ou a memória da noite, enche-a de um leve gosto de sangue sacrificial, como se um ato profundo ali devesse levar-se a efeito". E Jean, moribundo, conclui, no espírito de Douve, que "nada faz sentido senão na hora da morte". Na seção denominada "L'Orangerie", aparecem em *Douve* – *ipsis litteris* – algumas palavras de *L'ordalie*, e Cassandre é evocada, tanto na condição da infortunada profetisa grega, quanto na da simples protagonista do antigo poema.

Sobretudo, Douve e a salamandra entram numa como relação de identidade: "Salamandra surpresa, tu [i.e. Douve] continuas imóvel". Para ilustrar um pouco mais a inter-relação de poesia e prosa na obra de Bonnefoy, deve-se notar que em "La poésie française" o poeta-ensaísta descreve o encontro com uma lagartixa numa casa em ruínas. A análise conceitual do que vê o levaria cada vez mais longe da própria coisa vista, mas também pode ser que a lagartixa se torne uma porta de acesso à unidade de todas as coisas. No espírito da teologia negativa, Bonnefoy logra decompor a construção espácio-temporal do conceito, voltando ao tempo do mundo como tal, o eterno presente; nessa libertação, diz ele, "eu passei da percepção maldita ao amor". "Vero lugar", a última seção de *Douve*, junta elementos da saga da Arthur e do Santo Graal – como, de resto, seria de esperar, de vez que Graal, aqui, é precisamente a palavra poética – com referências à capela Brancacci (digna de nota, entre outros motivos, por sua representação pictórica da expulsão do Éden). Mas o momento culminante é o da *présence*: a "salamandra surpresa".

E aqui, a partir da convicção de que o próprio sedimento da morte é forçado a falar nas seções anteriores de *Douve*, devo confessar uma certa decepção. Diante da salamandra, o poeta vê-se reduzido a declarar, em primeira pessoa: "Eu amo, eu amo". Esse não é "o grito mais alto que já se tentou", e a crítica de Michael Hamburger, embora muito literal, parece se justificar. A simbologia da passagem é assistida pela designação da lagartixa ali presente, com todas as suas conotações místicas. A verdadeira salamandra é um anfíbio; "terra de lagartixas" parece menos com uma terra prometida do que "terra de salamandras".

Douve, portanto, não é senão um grande sonho de criação de um poema a partir de fragmentos da mitologia tanto pessoal quanto tradicional, e animado pela rudimentar violência do surrealismo. Tal sonho é formulado na voz caracteristicamente lenta de Bonnefoy, cujos ritmos, em geral quase serenos, se alternam e se mesclam com seqüências mais dramaticamente prosaicas, tudo, porém, num vocabulário invariavelmente essencial. Trata-se de uma seqüência hierática que narra a sua própria criação – uma violenta panóplia de rito e de sonho, ao mesmo tempo clássica e contemporânea.

Se Douve tinha qualquer objeção ao poeta que rouba a cena e fala em sua primeira pessoa real, em *Hier régnant desert* ela se vinga. O imaginário de *Douve* continua presente, mas agora há que lidar com a contenção da feérica inspiração da musa. O jardim da Orangerie está selvático e abandonado. O verbo "envelhecer" [*vieillir*] faz sua primeira aparição – e recorrerá regularmente, doravante, geralmente como a primeira palavra de uma estrofe. Inaugurando uma nova linha imagética, um barco não-identificado procura pelo porto, mas as luzes que deveriam guiá-lo mal iluminam a paisagem de areia, água e mágoa. Uma nova poética vem à tona: a "alta decrepitude". Até mesmo a fênix deve aprender a morrer uma morte mais extensiva e duradoura. E nas palavras finais da seqüência – "Pouco a pouco aumentava a costa há muito vista/ E dita com palavras que nós ignorávamos" – ouvimos o sentido da tal decrepitude: "A imperfeição é o auge", título do poema que começa "E era preciso destruir e destruir e destruir". Destruição que é condição do estabelecimento da nova e anteriormente ignota linguagem poética. Entre as imagens subterrâneas desse livro, topamos com Veneranda, uma figura das catacumbas que se torna uma espécie de sibila quando (aparentemente) é possuída por um deus. O *animus* aqui parece dotado de mais peso do que a *anima* predominante em *Douve*. Na seção "Le chant de sauvegarde", ouve-se em muitos poemas uma como segunda voz semelhante à *anagke* de Aristóteles, expediente que Bonnefoy tanto preza em Baudelaire. Isso está presente, por exemplo, no maravilhoso "L'oiseau m'appelé", uma alegoria do calvário da imperfeição a partir do qual a voz que nos cabe pode cantar, e encontra expressão acabada em "À la voix de Kathleen Ferrier", um dos poucos excertos da sua poesia que podem ler-se como um pequeno todo mais ou menos fechado em si mesmo (a obra poética de Bonnefoy não se presta muito a antologias): "Como se além de toda forma pura/ Fremisse um outro canto e o único absoluto" – palavras em que se ouve algo além da mesma voz. De dique em dique, a voz do pássaro sempre leva adiante, mas a transcendência da morte (a destruição de todo discurso anterior) deve ser renovada por cada nova criação. À medida, porém, que o tempo volta a correr, na última seqüência, a ciência de que cada criação é uma nova morte parece conter em si a promessa do futuro poema.

O hiato do périplo chega ao fim, e o grande sonho da impossibilidade da criação é agora o registro e a destilação dessa mesma impossibilidade – assim como *Douve*, poesia que é, era e continua sendo a fundação da própria palavra poética. Para Bonnefoy, *Hier régnant desert* parecia, talvez, excessivamente obscuro, e quando republicou seus dois primeiros volumes na série *Poésie* da Gallimard, alterou-o no sentido em que melhor o compreendia – mas deixou-o mais ou menos inalterado nos *Poèmes*, do Mercure de France. (Observe-se que a edição da Gallimard era prefaciada por *L'Anti-Platon* e "Les Tombeaux", com "L'acte et le lieu" na condição de posfácio.)

Se *Douve* e *Hier régnant desert* pareciam preparar o caminho para uma poesia que não fosse a descrição do seu próprio fazimento, *Pierre écrite* chegaria como o terceiro elemento do tríptico, e o cumprimento das promessas anteriores. Pode-se perceber em *Douve* um misto de crueldade, ansiedade e erotismo no tratamento do corpo feminino que não estão de todo dissociados da *joie ardente* que Bonnefoy encontra em "La charogne" e "Une martyre" de Baudelaire, por exemplo. Por outro lado, as sibilas e as possessões visionárias de *Hier régnant désert* são presenças muito espectrais. *Pierre écrite* marca o advento da consumação carnal do amor físico na poesia de Bonnefoy (consumação, aliás, de que *Dans le leurre du seuil* oferece as descrições mais inteiramente castas), acompanhada, dir-se-ia, de uma felicidade bastante amigável. Trata-se, mais uma vez, de uma simplificação. Eis o que, numa das suas declarações mais memoráveis, o poeta afirma, referindo-se a *L'ordalie*: "A poesia deve buscar o que é simples, sem dúvida, assim como os animais, à noite, buscam a água, mas isso absolutamente não significa que possamos apagar de nós mesmos, como um sonho mau, as milhares de desencarnações que já fomos, mas é necessário transformá-las, pois, em certo sentido, é necessário que elas se mantenham".

Eis por que *Pierre écrite* não é uma simples redescoberta do Éden – embora a seção de abertura do livro, "L'été de nuit", se refira explicitamente a uma tal redescoberta: "Parece-me, esta noite,/ Que entramos no jardim cujo anjo/ Fechou a porta sem qualquer retorno". Comer o fruto da ciência carnal, porém, paradoxalmente anula a expulsão: "E eu te dava o fruto que ilimita a árvore" (lembre-se, a propósito, que o verdadeiro objeto da poesia, diz o poeta em "L'acte et le lieu", não é senão "uma finitude que ilimita"). Mas a amada ou a musa, representante da "nau de verão", está "borrada de vermelho" pela mortalidade ou, na imagética do poema, o advento da aurora. E a palavra poética só pode dizer aquilo que, no tempo em que é dito, não é presente nem *présence*: "E é quase a vigília, e já é lembrança". (Mais uma vez em "L'acte et le lieu" se observa que "Hegel mostrou [...] que a palavra nada pode reter do que é imediato" – eis as origens fenomenológicas comuns, tanto da *présence* de Bonnefoy, quanto da *différance* de Derrida.) Ao dirigir-se às estrelas, o poeta diz "céu estrelado – Acolhe-nos, a nós que gostamos dos frutos caídos" – em que podemos escutar, talvez, o eco do Wallace Stevens de "Sunday Morning": "É imutável a morte até no paraíso/ Fruta madura nunca tomba?". A epígrafe hegeliana de *Douve* pudera ter sido "A morte, a mãe da beleza", de Stevens, cuja palavra de ordem ambos os poetas insistiram bastante em prescrever para ratificar o poema, e isso ao longo de boa parte da respectiva produção.

É como se o poeta solitário de *Hier régnant desert* houvesse encontrado no ato sexual a sua comunhão com a história da raça: os mortos (mais do que a morte em si) são a bem dizer onipresentes em *Pierre écrite*. E a presença evidente dos mortos vai naturalmente de encontro à consciência da exclusividade da própria experiência. São muitas as vozes que falam a partir da morte, e cada uma delas é como "Une pierre", como se as epígrafes da *Antologia Grega* ingressassem no coro do verão. Então os amantes se tornam "Jean et Jeanne" [João e Maria], todo o mundo e ninguém. Mas na seção "Un feu va devant nous" eles chegam à sua terra prometida. Em "Le myrte" (o símbolo de Vênus), o seu êxtase sexual atinge um patamar universal, representado, como amiúde em Tarkóvski, por uma espécie de movimento em espiral gravitacional: "Girava a cama às vezes como um barco livre". Mesmo então, com a chegada do outono, a consciência da visão unitária não consegue se manter para sempre: "O Um se espedaçando contra a perna obscura/ Tu te perdes onde a boca bebeu a amarga morte". No mais das vezes, porém, as suas vidas, assim como as suas palavras, se tornaram simples: "Retomarás o livro na página marcada/ Dirás, Eram as últimas palavras obscuras". O livro conclui com "Une voix" – na verdade não uma, senão duas vozes: responde-se, na primeira pessoa, a um interlocutor, mas essa resposta, por seu turno, exala uma confiança que o resto do livro, quem sabe, não poderia subscrever completamente. A conclusão dá-se mais uma vez em termos bíblicos: "Sim, posso viver aqui. O anjo, que é a terra,/ Vai aparecer e arder em cada arbusto". O último poema, "Art de la poésie", conclui de modo semelhante: "Dissemos ao coração/ Para ser um coração. O demônio em suas veias/ Fugiu aos berros". O poema confere um selo poético ao que Bonnefoy já abordara em sua prosa ensaística: "E eu sou mesmo tentado a chamar de demônio" ("La poésie française"). "A poesia desde há muito tem querido habitar a morada da Idéia [...] mas foi expulsa e fugiu dando berros de dor" ("L'acte et le lieu").

Nesta última sentença, Bonnefoy alude à maravilhosa introdução de Nerval a "Petits châteaux de Bohême": "A musa entrou em meu coração como uma deusa de palavras de ouro; fugiu dali como uma pítia dando berros de dor". Provavelmente o apelo desse texto ao Bonnefoy de 1959 estivesse na consciência de que a sua obra passava pelo processo inverso, e de que a musa que entrara em Douve como uma pítia "aos tambores exultantes dos [seus] gestos" preparava-se agora para as expansões mais solares de *Pierre écrite*. Como os poemas traduzidos nesta edição da *D&C* deixarão bem claro, não há nenhuma evidência de que ela tenha fugido do seu coração.

....

Chris Miller *estudou letras clássicas em Oxford. Tradutor e crítico, foi co-fundador da* Oxford Amnesty Lectures *e editou e introduziu dois de seus volumes,* The Dissident Word *(1996) e* "War on Terror" *(2009). É autor de um livro sobre o pintor Roger Wagner,* Forms of Transcendence *e de ensaios, resenhas e entrevistas sobre fotografia e literatura.*

Tradução de Érico Nogueira.

SOB A FÚRIA DE NETUNO: MACHADO E O MAR
por Rodrigo Duarte Garcia

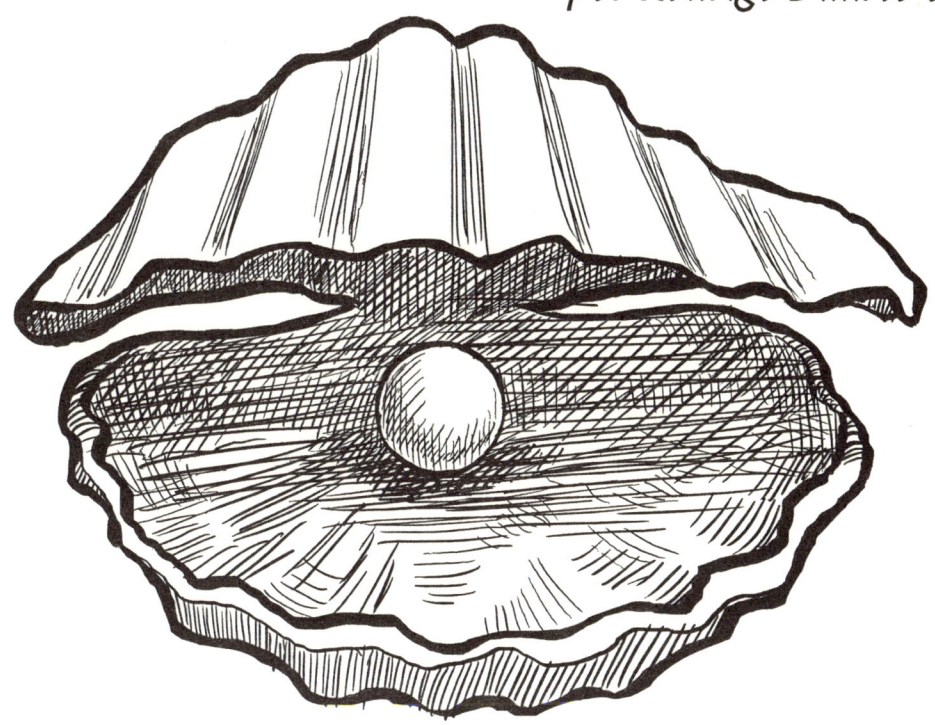

A vista do mar há de ser-lhe penosa, todas as manhãs.
(Machado de Assis, *Dom Casmurro*)

Em sua famosa biografia, Lucia Miguel Pereira conta que Machado de Assis foi um molequinho feio, de camisa de riscado e pés no chão, fascinado com o mar. Passava o dia à beira da água, "espiando, curioso, a gente que se aventurava pela Gamboa e as embarcações que atracavam na praia de São Cristóvão". Se sabia nadar, não há notícias. Provavelmente não, de maneira que devia mesmo ficar ali pela praia dos Lázaros e de São Cristóvão, apenas observando de longe a força das ondas, como qualquer criancinha impressionada pela vastidão sublime do mar, naquela mistura de atração, repulsa e temor que Edmund Burke chamou de *delight*.

Mas Machado de Assis não foi qualquer criancinha. As suas primeiras impressões de menino seriam inevitavelmente o passo inicial para a construção da obra mais extraordinária já escrita por um autor brasileiro. E, naturalmente, também aquelas impressões do mar. Porque, se Machado escolheu o Rio de Janeiro como cenário principal de seus livros, e se o oceano é, de fato, a imagem carioca por excelência (o mar ali amplifica a paisagem, pano de fundo da cidade inteira), seria mesmo natural e inevitável que ele acabasse se utilizando esteticamente de seus atributos. A geografia jamais condiciona um autor, mas tampouco pode ser de todo desprezada. É exatamente o caso da literatura inglesa. Ou seria mera coincidência que entre os britânicos – insulares e cercados de água por natureza – estivessem os autores que melhor retrataram o mar: Defoe, Swift, Coleridge, Stevenson, Conrad (o polonês mais inglês que já houve) e, recentemente, o extraordinário Patrick O'Brian?

Embora naturalmente seja besteira chamar Machado de Assis de "escritor do mar", a verdade é que, ao tratar com recorrência do oceano nos livros que escreveu, ele de alguma forma acabou colocando-se em linha com uma tradição literária gloriosa que remonta a Homero, e que tem na imensidão das águas mais profundas um símbolo universal e poderoso para representar os mistérios da existência humana.

*

É lugar-comum dizer que Machado de Assis foi um escritor muito pouco descritivo. Como a maioria dos lugares-comuns, este aqui também está certo. Num ensaio famoso, Machado chegou inclusive a criticar Eça de Queiroz, com veemência e elegância, pelo excesso de descrições de *O Primo Basílio*.

Mas houve quem tomasse essa simples questão de estilo como ofensa pessoal, na suposição de que ele desprezasse a paisagem brasileira em si. Tentando provar o contrário disso, Magalhães Junior invoca *Quincas Borba*: "Rubião é um contemplativo: contempla o mar, as estrelas, sai de carro pela orla litorânea, Praia Formosa afora, sente-se até atraído pela vegetação que brota do lodo, à beira-mar. As referências à paisagem nos livros de Machado de Assis são breves, fugazes, mas nem por isso deixam de fazer justiça aos ambientes descritos".

De um lado, Magalhães Junior está certo – porque Machado de Assis é como Shakespeare, que consegue dar o tom do ambiente com simples sugestões –, mas, de outro, ele mesmo confessa que as descrições são breves e fugazes. E se é mesmo impossível negar a realidade do próprio texto, é também inevitável – a mim, ao menos – deixar de imaginar como seria o talento assombroso de Machado voltado para descrições detalhadas das chácaras, casas, igrejas, enfim, de cada ambiente e personagem que criou com perfeição. Mas deixemos as heresias de lado e sigamos adiante.

Com muitos ou poucos detalhes, a verdade é que a primeira forma usada por Machado de Assis para representar o mar é justamente a descrição da paisagem em que se desenrola a ação de seus romances e contos: as ondas apenas escutadas das chácaras em Botafogo[1] e da casa em que Vir-

[1] Em *A Mão e a Luva*.

gília e Brás Cubas se encontravam em segredo[2]; a brisa sentida do mar, em *Ressurreição*; e o oceano mirado de longe, na lua-de-mel de Bentinho e Capitu[3], e da casa de Rubião, em *Quincas Borba*: a "enseada, vista pelas janelas, apresentava aquele aspecto sedutor que nenhum carioca pode crer que exista em outra parte do mundo". E voltaria a exaltar a orla da sua cidade no *Memorial de Aires*: "não há baía no mundo que vença a do nosso Rio de Janeiro".

Mas é curioso perceber que, em Machado de Assis, a descrição física do mar quase sempre serve de comparação ao estado de espírito dos seus personagens. Em *Iaiá Garcia*, Jorge vê o mar e a paisagem aumenta-lhe a solidão[4], e a neutralidade da sua alma é também comparada às águas do oceano[5]. Em *Quincas Borba*, Carlos Maria identifica a força do mar com seus sentimentos por Sofia[6]; antes do casamento, Maria Benedita enxerga-se no oceano[7]; e o mesmo recurso é ali usado para retratar o tédio de Sofia: "Quando Sofia acordou, já a chuva caía grossa e contínua, e o céu e o mar era tudo um, tão baixas estavam as nuvens, tão espessa era a cerração. Tédio por dentro e por fora".

Esse recurso de fazer do mar um instrumento para representar a vida interior dos personagens encontra desdobramento no fato de que Machado de Assis também se valia da imagem do oceano em suas *figuras de linguagem*. São recorrentes expressões como: "mar morto", para indicar um lugar calmo[8]; "mar da vida"[9], "mar das recordações"[10]; "mares do amor"[11]; "mar da multidão anônima"[12]; "oceano da razão"[13]; e "mar dos séculos"[14].

Mas, na verdade, essas duas formas – descrição da paisagem e figuras de linguagem – são meramente contingentes quando confrontadas à força *simbólica* que a imagem do mar tem na obra de Machado de Assis. E com uma unidade de sentido avassaladora. Porque, para ele, a vastidão misteriosa das águas profundas está sempre – e rigorosamente – associada à realidade do *mal* e da *morte*. É mesmo impressionante perceber a constância dessa simbologia, e o assombro e a admiração crescem juntos, porque não há "coincidências" na obra de Machado. Se nada parece estar ali por acaso, muito menos estaria a sua representação poderosa e terrível do mar. Permitem-me um parêntese?

---

[2] "(...) o rumor da água, que morria na praia" (*Memórias Póstumas de Brás Cubas*). Todas as transcrições de Machado de Assis usadas neste ensaio foram retiradas da sua *Obra Completa*, Ed. Nova Aguilar, 1992.
[3] "(...) passávamos as noites à nossa janela da Glória, mirando o mar e o céu, a sombra das montanhas e dos navios, ou a gente que passava na praia" (*Dom Casmurro*).
[4] "O espetáculo do mar abateu-o ainda mais: alargava-se-lhe a solidão até o infinito".
[5] Jorge encontrava-se "nesse estado médio, que é a condição vulgar da vida humana. Comparava-se ao mar daquela manhã, nem borrascoso nem quieto, mas levemente empolado e crespo, tão prestes a adormecer de todo, como a crescer e arremessar-se à praia" (*Iaiá Garcia*).
[6] "O mar batia com força, é verdade, mas o meu coração não batia menos rijamente".
[7] "(...) posta à janela, fitando as ondas que se quebravam ao longe e na praia, via-se a si mesma" (*Quincas Borba*).
[8] Por exemplo, nos contos "O Espelho", de *Papéis Avulsos*, e "Papéis Velhos", de *Páginas Recolhidas*.
[9] Nos poemas "Fé" e "Os dous horizontes", de *Crisálidas*; e no conto "Miss Dollar", de *Contos Fluminenses*.
[10] No poema "Os dous horizontes", de *Crisálidas*.
[11] No conto "Luís Soares", de *Contos Fluminenses*.
[12] Em *A Mão e a Luva*.
[13] Em "O Alienista", de *Papéis Avulsos*.
[14] No poema épico "O Almada", de *Poesias Coligidas*.

*

Contam os biógrafos que Joseph Conrad odiava ser chamado de "poeta do mar", apesar de ter feito do oceano o cenário principal da sua obra extraordinária. E odiava a tal ponto que chegou a discutir seriamente com Saint-John Perse a respeito do assunto, recusando com veemência a atribuição que o grande poeta francês lhe emprestava, na melhor das intenções. Com o dedo em riste, ele teria dito a Perse que jamais pretendeu exaltar outra coisa que não o navio, obra do homem *contra* o mar.

Conrad era essencialmente um trágico à moda clássica, de maneira que seria mesmo estranho que admitisse a possibilidade de retratar qualquer visão idílica do oceano. Porque, de fato, desde a Antigüidade – em todas as tradições religiosas e artísticas –, o mar sempre foi algo a ser temido, na vastidão dinâmica que escondia mistérios e monstros submersos (sempre mais terríveis do que os da terra), entre tempestades e ondas enormes que não mostravam o menor sinal de misericórdia ao tragar tudo e todos, sem distinção.

Embora o oceano represente a dinâmica da vida – carregando assim e também a imagem positiva do nascimento, por exemplo –, foi mesmo o símbolo da desordem, do desconhecido e da morte que acabou tradicionalmente por quase sempre prevalecer. Nos mitos celtas, é por mar que se vai ao outro mundo. E também nas escrituras budistas da *Samyutta Nikaya*, "quem atravessou o mar com seus tubarões e seus demônios, suas vagas aterrorizantes tão difíceis de transpor, foi até o fim do mundo e partiu para outro mais além" (4, 157). E, na mitologia escandinava, Rân, mulher de Aegir (o mar), arrasta suas redes pela vasta extensão oceânica, levando às profundezas tudo o que encontra pela frente.

W. H. Auden, autor de um pequeno – mas extraordinário – volume sobre a iconografia romântica do mar[15], dizia que o oceano simboliza justamente aquele estado vago de barbárie e desordem do qual a civilização emergiu e para o qual sempre poderá recair novamente. E nota, com *wit*, que o mar "é um símbolo tão pouco amigável, que a primeira coisa destacada pelo autor do Livro do Apocalipse, em sua visão do novo céu e da nova terra, no fim dos tempos, é o fato de que ali 'não havia mais mar'". Na Bíblia, o oceano é mesmo quase sempre sinal da hostilidade de Deus: Ezequiel profetiza contra Tiro e lhe anuncia a subida dos mares profundos (*Ez* 26:19); e Deus abre as águas para que os hebreus fujam, mas "o mar retornou a sua força ao amanhecer e os egípcios, ao fugirem, foram de encontro a ele, e o Senhor derrubou os egípcios no meio do mar" (*Ex* 14:27). Há, enfim, a idéia de que o oceano deve ser subjugado (*Jr* 31:35).

Especificamente na literatura, Auden demonstra com bastante erudição que, da mesma forma, o mar é classicamente um símbolo do mal: das Odes de Horácio[16] a Dante, que faz comentários depreciativos sobre a viagem de Ulisses; incluindo as sagas anglo-saxônicas e Shakespeare. Para os clássicos, a travessia por mar é mesmo um mal necessário: Jasão parte para capturar o Velo-

---

[15] O *scholarly "The Enchafèd Flood or: The Romantic Iconography of the Sea"*.
[16] "*O navis, referent in mare te novi/ fluctus. O quid ages! Forliter occupa/ portum*" (I.14). Em tradução livre: "Ó navio, novas ondas o estão carregando para o mar. O que está fazendo? Lute para atingir o porto".

cino de Ouro; Ulisses, para voltar a Ítaca. E, embora do Romantismo em diante a coisa mude um pouco de figura, com certa idealização feita nos mitos da viagem e do "abandono da terra natal", o oceano será ainda assim lugar de sofrimentos e provações, como mostram os exemplos de Coleridge, Melville e Poe.

*

Nas primeiras folhas de "Miss Dollar", que abre *Contos Fluminenses*, Mendonça diz a um grupo de amigos que, "se alguma vez encontrasse um par de olhos verdes fugiria deles com terror". Ao ser perguntado da razão disso, não pensa duas vezes: "A cor verde é a cor do mar, respondeu Mendonça; evito as tempestades de um; evitarei as tempestades dos outros". Está ali a lição número um de Machado de Assis: o mar deve ser temido. De modo que é preciso resistir aos seus encantos: "Mas que te não seduza o cântico das águas, / Não procures, Corina, o caminho do mar!"[17]. Também no poema "Uma Ode de Anacreonte", Mirto confessa temer o mar, e Cleon responde-lhe, exatamente, que o seu medo é justo.

E é justo porque, para Machado de Assis, o oceano está sempre associado a tormentas[18]: não há mar sem tempestade[19], as águas salgadas são turbulentas, incertas[20] e pérfidas[21]. O mar é traiçoeiro, atrai e draga para uma vastidão escura, não sendo mesmo por acaso que Machado usou a sua imagem para descrever com perfeição os famosos olhos de Capitu, em *Dom Casmurro*: "Traziam não sei que fluido misterioso e enérgico, uma força que arrastava para dentro, como a vaga que se retira da praia, nos dias de ressaca. (...) a onda que saía delas [as pupilas de Capitu] vinha crescendo, cava e escura, ameaçando envolver-me, puxar-me e tragar-me". A passagem, conhecidíssima, é tremenda. Na obra de Machado, temos mesmo notícia apenas desse "mar torvo, soturno, onde as vozes do infinito se perdiam"[22], e que "se rasga, à maneira de abismo"[23].

Mas há algo de humano na imagem colérica do mar pintada por Machado de Assis, como se nela se incorporasse a própria figura de Netuno (um verdadeiro demônio, segundo Santo Agostinho) e o seu temperamento furioso. Para Machado, o oceano fala[24] nessa "linguagem obscura"[25] e tem uma face[26] terrível. Em *Esaú e Jacó*, o Conselheiro Aires olha o mar crespo, no dia da Proclamação da República, e diz que a "água, enroscando-se em si mesma, dava-lhe uma sensação, mais que de vida, de pessoa também, a que não faltavam nervos nem músculos, nem a voz que bradava as suas cóleras". É a fúria de Netuno, tão viva quanto um quadro tempestuoso de Turner.

"No fundo do oceano, envolto em névoas, / Salpicado de sangue, ergue-se um trono". Os

---

[17] "Versos a Corina", poema de *Crisálidas*.
[18] Por exemplo, no conto "O Relógio de Ouro", de *Histórias da Meia Noite*.
[19] Do poema em francês "Un Vieux Pays", de *Falenas*: "Point de mer sans tempête".
[20] Do poema "As Ventoinhas", de *Crisálidas*.
[21] Novamente, do conto "Miss Dollar", de *Contos Fluminenses*.
[22] *Esaú e Jacó*.
[23] Do poema "Uma criatura", de *Ocidentais*.
[24] Ele menciona *"a voz do mar"* no poema "Aspiração", de *Crisálidas*.
[25] Do conto "Uns Braços", de *Papéis Avulsos*.
[26] A "face do mar" é referida nos poemas "Última Folha", de *Crisálidas*; e "La Marchesa de Miramar", de *Falenas*.

versos menores – e de um leve mau-gosto – do poema "La Marchesa de Miramar" aprofundam essa imagem de Netuno e fazem a ligação para o passo além que Machado deu, na representação do mar como a realidade mais assustadora da condição humana: a morte.

E Machado de Assis o faz de diversas maneiras. Em algumas passagens, o mar é a própria morte. Nas *Memórias póstumas*, por exemplo, Brás Cubas narra do além seus minutos finais, comparando aqueles últimos espasmos às ondas do mar: "A vida estrebuchava-me no peito, com uns ímpetos de vaga marinha". Em *Helena*, o padre Melchior diz que está velho e que os seus "cabelos brancos são já a neve desse mar polar para onde navegamos todos". E, no *Memorial de Aires*, Fidélia sonha que o pai e o sogro – inimigos em vida – lhe aparecem sobre as águas, reconciliados após a morte. Há aqui uma imagem até mais positiva, de aceitação da finitude e da crença numa realidade metafísica para além da vida. E uma realidade em que Machado de Assis muito provavelmente acreditava, que me desculpem os defensores da tese "Machado materialista-durão". Ele escreveria uma carta a Joaquim Nabuco, manifestando com ternura suas saudades de viúvo: "Tudo me lembra a minha meiga Carolina. Como estou à beira do eterno aposento, não gastarei tempo em recordá-la. Irei vê-la, ela me esperará". Mas isso não fazia com que Machado de Assis aliviasse a angústia e o aspecto terrível da morte, em sua identificação com o mar. Mesmo quando chapadas placidamente contra um céu azul de verão, as águas remetem Machado a um cemitério marinho – para lembrar Valéry. Em certa crônica, acaba "traindo-se" ao descrever justamente os "suspiros do mar, *tranqüilo como um sepulcro*". Mesmo tranqüilo, o mar lembra um sepulcro.

E, por isso, cruzar o oceano é sempre, para ele, um desafio direto à morte, na imprudência de quem assume o alto risco de naufragar e ser engolido pela imensidão das águas de alto-mar. Em *Ressurreição*, Félix pergunta se Lívia sabe "o que é naufragar em mar alto e solitário, e perder tudo, até a vida?" E nos versos desajeitados de "La Marchesa de Miramar", Machado chega a sugerir que encontrar a morte no meio do oceano – a imagem mais temível por ele imaginada – seria ainda melhor do que o sofrimento daqueles amantes: "Ah! quão melhor te fora / No meio dessas águas / Que a régia nau cortava, conduzindo / Os destinos de um rei, achar a morte".

Não é por acaso que, nas *Memórias póstumas*, durante a travessia de Brás Cubas a Lisboa, o evento mais significativo seja a morte da mulher do capitão do navio, a bordo. Machado narra a passagem com uma melancolia comovente: "(...) Vamos, continuou, entreguemo-lo à cova que nunca mais se abre. Efetivamente, poucas horas depois, era o cadáver lançado ao mar, com as cerimônias do costume. A tristeza murchara todos os rostos; o do viúvo trazia a expressão de um cabeço rijamente lascado pelo rio. Grande silêncio. A vaga abriu o ventre, acolheu o despojo, fechou-se, – uma leve ruga – e a galera foi andando. Eu deixei-me estar alguns minutos, à popa, com os olhos naquele ponto incerto do mar em que ficava um de nós..."

São palavras exatas e imagens perfeitas, que revelam grandeza metafísica a cada linha: a ruga quase imperceptível que o corpo faz na imensidão das águas, a nossa dimensão mínima perante o universo, a beleza de um ritual improvisado, o silêncio diante da morte. Há, ali, esse "mar de miséria e luto, que tem fome, / E novas praias busca e novas praias come"[27].

É o mesmo mar que engole Escobar, em *Dom Casmurro*. Se já é arriscado confiar na travessia por barco[28], tentar desafiá-lo a nado é sinal, não de coragem, mas de *húbris*, a arrogância desmedida e imprudente de quem se acha capaz de domar o imponderável: "Tenho entrado com mares maiores, muito maiores. Você não imagina o que é um bom mar em hora bravia. É preciso nadar bem, como eu, e ter estes pulmões, disse ele batendo no peito, e este braços; apalpa", diz Escobar, inebriado por seu próprio descomedimento. Machado de Assis cria aqui, com genialidade, um mito prometeico que imporá o castigo da morte trágica de Escobar, tragado pelas águas. A síntese mais óbvia e brilhante para o raciocínio de Machado é feita pelo escravo que vem correndo contar a morte a Bentinho: "sinhô nadando, sinhô morrendo". Causa e conseqüência.

Enfim, não é também por coincidência que Machado de Assis faz com que seus personagens atentem contra a própria vida – apenas imaginando, tentando ou conseguindo – com um mergulho nas águas profundas do mar. Quando embarca para Lisboa, sofrendo sua primeira desilusão amorosa, a única idéia fixa de Brás Cubas "era dar um mergulho no oceano, repetindo o nome de Marcela". E é no mar que Estevão pensa em se jogar, desiludido por Guiomar, no final de *A Mão e a Luva*. Assim também Norberto, pelo amor da baronesa, no conto "Eterno!"; Heitor, no poema "Pálida Elvira"; e o personagem de "Um Capitão de Voluntários": "A idéia de morrer entrou a passar-me pela cabeça; e, por uma simetria romântica, pensei em meter-me na barca de Niterói, que primeiro acolheu os nossos amores, e, no meio da baía, atirar-me ao mar".

Como diz Machado, o suicídio no oceano é mesmo uma idéia romântica. Em português bem claro: uma tremenda estupidez idealizada e enfeitada. Vêm a calhar os versos de Vinícius de Moraes, sobre a morte de Hart Crane – que se jogou de um navio no meio do Golfo do México: "Quando mergulhaste na água / Não sentiste como é fria / Como é fria assim na noite / Como é fria, como é fria? / E ao teu medo que por certo / Te acordou da nostalgia / (Essa incrível nostalgia / Dos que vivem no deserto...) / Que te disse a Poesia?"

....

[27] Do poema "A Derradeira Injúria", em *Poesias Coligidas*.
[28] "*Súbito, nas ondas / Bate os pés, espumante e desabrido, / O corcel da tormenta; o horror da morte / Enfia o rosto aos nautas... Quem por ele, / Um momento hesitou quando na frágil / Tábua confiou a púnica esperança / Da existência? Mistério obscuro é esse / Que o mar não revelou*" ("A Gonçalves Dias", *Americanas*).

*

Ao colocarmos lado a lado os muitos exemplos aqui transcritos, parece não haver dúvidas de que Machado de Assis efetivamente quis, de caso pensadíssimo, ligar-se àquela tradição literária que fez do oceano um personagem de misérias e de luto. A "mortalha do mar", como a chamou Melville. Seria infantil supor que Machado ignorasse, ao menos indiretamente, a bagagem simbólica – religiosa, mitológica e artística – que sempre envolveu a imagem do mar. Ele conhecia os clássicos a fundo, a Bíblia de trás para frente, e meditava profundamente cada passagem que escrevia. Não há sobras, acasos e coincidências em seus livros. De modo que a identificação do oceano com o mal, por ele perpetuada, obedece a um *logos* profundo enraizado na natureza humana, reproduzido ao longo de séculos de experiência estética e espiritual. E o fato é que Machado de Assis soube incorporar a tradição dessa simbologia terrível, renovando-a e impulsionando-a à frente, de um modo particular e verdadeiramente extraordinário.

Alguns podem pensar que a predominância dessa via negativa em relação ao mar é mais um sinal do famigerado pessimismo de Machado. Até podem, mas seria besteira. Em primeiro lugar, o mar sempre foi associado à desordem e ao mal, por pessimistas, otimistas, realistas, gregos e troianos. Em segundo, tratar da morte, por si, não deve jamais ser encarado como sinal de pessimismo. Se a finitude é um dos aspectos metafísicos mais impressionantes da vida, é natural que seja a matéria-prima de qualquer autor, e tratá-la uma vocação e até mesmo um dever. "Nunca pude ou nunca quis cantar senão a finitude", dizia o poeta Bruno Tolentino.

E a verdade é que o suposto pessimismo de Machado de Assis, na verdade, não passa do produto de uma certa inquietação metafísica, desse sentimento trágico de

> **Ter medo da morte pode ser uma coisa boa. Do Mar, também. E Machado de Assis parece nutrir uma simpatia toda especial por esse temor reverencial.**

quem se angustia por não encontrar a resposta definitiva para os mistérios da existência, como bem o definia Gustavo Corção. E, por isso, o seu cinismo é o realismo de quem sabe que o homem não é mesmo lá grande coisa: tal como os personagens de Machado, somos orgulhosos, egoístas, vaidosos, glutões e luxuriosos. Mas também capazes de atos bons, honestos e generosos. E Machado de Assis espelha isso. Ou nos esquecemos de D. Fernanda, em *Quincas Borba*, ajudando incondicionalmente Rubião na triste loucura do fim de seus dias?

É possível aqui fazer um paralelo de Machado com Evelyn Waugh, que usava da mesma mordacidade e ironia para retratar o ser humano no que tem de pior: suas pequenas avarezas, mesquinharias e falsidades. Mas aqui e ali – com a economia lúcida e prudente de quem não se engana sobre portas estreitas –, pingava a beleza sublime de personagens cuja característica principal não encontra nome melhor do que *santidade*.

E se a vida talvez seja assim mesmo – com muitas bestas e poucos santos –, a tendência é que cada vez mais se entenda que Machado de Assis era mesmo um belíssimo pessimista. Porque a ordem do dia é o relativismo moral. E o conceito de responsabilidade pessoal foi completamente diluído. "Culpa" virou palavrão, a não ser para os atos hediondos de jogar papel no chão e fumar um cigarro. De maneira que o homem – essa alma pura por natureza – não seria jamais aquele horror desenhado por Machado de Assis.

E, em certa medida, a sua imagem terrível do mar espelha essa mesma realidade humana, mas em um nível hierárquico superior. Metafísico, talvez. Porque há o tratamento horizontal com o próximo e o vertical com o Mar. No dia da Proclamação da República, em *Esaú e Jacó*, o Conselheiro Aires sai ao passeio público, olha as águas bravas e fala das ondas: "Gostava delas assim; achava-lhes uma espécie de alma forte, que as movia para meter medo à terra". Meter medo à terra é uma coisa boa. Ter medo da morte pode ser uma coisa boa. Do Mar, também. E Machado de Assis parece nutrir uma simpatia toda especial por esse temor reverencial.

Mas se é necessário temer as águas, são elas também aquele "mar polar para onde caminhamos todos"[29]. Terrivelmente inescapável. E por isso há de saber-se aceitá-los: aceitar as águas, aceitar o mar. "Late-se como se morre, tudo é ofício de cães", diz Machado de Assis no *Memorial de Aires*. Mas alguns ofícios são mais graves e têm conseqüências maiores. Na vida, Machado aceitou o mar da morte com estoicismo pagão, lúcido, recusando o conforto de um sacerdote e da extrema-unção que lhe ofereciam. Talvez cresse ainda que o Cruzeiro está assaz longe para se importar com as nossas misérias. Mas a sua obra fica e ficará no tempo, firme contra as borrascas daquele alto-mar que, mais dia menos dia, a nós todos engolirá: "Como rochedo em meio do oceano / Vês baquear os séculos"[30].

Rodrigo Duarte Garcia é articulista da Dicta&Contradicta *e trabalha como advogado em São Paulo.*

---

[29] *Helena.*
[30] Do poema "La Marchesa de Miramar", em *Falenas*

J.D. SALINGER: SETE REGRAS SIMPLES PARA DESAPARECER
por Martim Vasques da Cunha

The interests of a writer and the interests of his readers are never the same and if, on occasion, they happen to coincide, this is a lucky accident.
(W.H.Auden)[1]

---

[1] Os interesses de um escritor e os interesses de seus leitores jamais são os mesmos, e se, vez por outra, coincidem, é por um acidente fortuito.

Agora que o homem está morto, podemos falar sobre ele e sua obra. Alguns dias após o falecimento de Jerome David Salinger, o famoso autor de *O Apanhador no Campo de Centeio* (1951), *Nove Histórias* (1953), *Franny & Zooey* (1961), *Carpinteiros, levantem bem alto a cumeeira, Seymour: uma introdução* (ambos de 1963) e *Hapworth, 16, 1924* (1965), apareceram fotos suas no *site* da revista *The New Yorker*. Como se sabe, a publicação foi a responsável pelo seu lançamento no mundo das letras; ali, Salinger era mais do que Salinger: era um nome que ultrapassava as eras, o responsável por renovar o conto norte-americano, o único que poderia ficar lado a lado com Fitzgerald e Hemingway.

As fotos foram tiradas no final da década de 60, possuíam aquela cor esmaecida pelo tempo e apresentavam um homem que andava calmamente pelas ruas empurrando seu carrinho de bebê, como um pai de classe-média que tivesse apenas uma única preocupação: cuidar dos filhos. A responsável por aquelas imagens era ninguém menos do que Lílian Ross, a autora da coluna *The talk of the town*, hoje próxima dos noventa anos e que foi uma das amigas pessoais de Salinger. Divulgava as fotos só agora, talvez para respeitar o desejo de anonimato de seu colega; talvez para que pudesse ser finalmente visto como um homem comum, e não como o "louco-eremita-paranóico" que o julgavam, enquanto escrevia – ou deixava de escrever – o *corpus* de histórias mais perfeito que a literatura norte-americana já produziu.

É claro que Salinger tinha concorrentes à altura na época em que se viu o auge de sua escrita: Faulkner, Flannery O'Connor, J.F. Powers, Thomas Pynchon, William Gaddis. Mas reparem num detalhe: se você for um fã do criador de Holden Caulfield, vá à sua biblioteca, veja na estante os livros de Salinger e compare-os aos de outros autores. São quatro livros publicados, de duzentas páginas cada, e um conto que seu autor jamais se dignou de reeditar e que deixou vir a público somente uma vez, e em uma revista considerada "elitista". Quem poderia imaginar que esses quatro livrinhos criariam tamanho rebuliço na literatura de um país? O que eles têm? Qual é o seu segredo, se há algum?

Junto com as fotos de Lilian Ross para a *New Yorker*, começaram também a surgir outros relatos: um deles foi o do "quase editor" de *Hapworth 16, 1924*, que recebera do nada um telefonema informando-o que J.D. Salinger gostava do trabalho da sua editora independente fundada havia alguns anos. Marcaram um encontro e o rapaz foi à cidade de Nova York; lá, encontrou o velho escritor, ao lado de turistas que iam à Biblioteca Nacional e de crianças que brincavam no parque, sentado no banco de uma lanchonete. Conversaram por duas horas e acertaram alguns detalhes para a confecção do livro. Por motivos que não nos dizem respeito, a publicação nunca saiu. Mas o importante aqui é o fato de que Salinger podia estar ao seu lado, se você quisesse encontrá-lo. Todos queriam uma foto sua, uma declaração qualquer, e ele estava *ali*. Há uma liberdade peculiar nessa atitude. É como se um artista quisesse mostrar ao seu público que o que é sério não é sua pessoa, mas sim sua obra. E só através dela é que se poderá compreender definitivamente como podemos desaparecer neste mundo sem abandoná-lo e sem, sobretudo, esquecer da existência.

Regra Nº 1: Nunca confie num policial vestido com uma capa de chuva.

Se há um segredo e um começo, ambos mostraram-se inicialmente ao mundo em 1951, com a publicação do pequeno romance *O apanhador no campo de Centeio*, também conhecido por seu título original, muito mais poético e enigmático: *The Catcher in the Rye*. Antes disso, Salinger já era um talento descoberto pelas rodas nova-iorquinas. Tinha alguns contos publicados pela *New Yorker*, fazia questão de cercar-se de uma aura misteriosa – contribuía para isso o fato de ter namorado Oona O'Neill, filha do famoso dramaturgo Eugene O'Neill, antes dela o ter abandonado para ficar com ninguém menos do que Charlie Chaplin – e alguns afirmavam que era o legítimo sucessor de Hemingway e Fitzgerald. Ele não se fazia de rogado: confirmava todos esses boatos e parecia ter uma auto-confiança de que seus patrícios hebreus não hesitariam de chamar de *chutzpah*.

Ora, se há algo que Holden Caulfield, o personagem mais famoso da galeria salingeriana, tem em excesso é justamente *chutzpah*. Sim, ele é insolente, impertinente, arrogante – tudo isso está nas primeiras linhas do romance, em que Salinger resolve simplesmente acabar com a influência de Charles Dickens no gênero em que trabalhará: o romance de formação. Reparem no fôlego da seguinte sentença: *If you really want to hear about it, the first thing you'll probably want to know is where I was born, and what my lousy childhood was like, and how my parents were occupied and all before they had me, and all that David Copperfield kind of crap, but I don't feel like going to it, if you want to know the truth*. Hoje, palavras como *crap* ou *phony* não impressionam mais, é claro, e sequer provocam o *frisson* que o romance causou na década de 50. Mas o *chutzpah* está ali, no estilo serpenteante, cheio de tensões entre o coloquial e o formal, e qualquer um que se depare com essa abertura fica com os cabelos em pé, em um impacto que talvez só tenha paralelos em outro livro, lançado nove anos antes, e que também preza pela concisão e pela clareza: *O estrangeiro* (1942), de Albert Camus. A referência não é aleatória; o livro de Camus e o de Salinger têm algo em comum, e não se trata da simples coincidência de que seus personagens principais são dois desajustados. Ambos vão além, captam algo que a superfície da época tentava e não conseguia, e que só dois artistas de primeira categoria poderiam fazer.

Este "algo" – e, vejam bem, é aqui que começa a ser revelado o segredo de Salinger, talvez o segredo mais bem guardado da história da literatura moderna – é que ambos os livros desvelam a impossibilidade de se construir uma *unidade do ser* no mundo do século XX. Obviamente, a descoberta deste paralelo não é minha – creditem isso a René Girard, o velho e bom monomaníaco do desejo mimético que tem olhos mais afiados para essa situação do que qualquer crítico literário que se preze. Mas isso não significa que estamos impedidos de fazer os nossos próprios vôos. Mersault e Holden Caulfield são diferentes em um único aspecto: o primeiro é um assassino confesso e o segundo é somente um jovem *muito* perturbado, alto demais para a sua idade, com uma precoce mancha branca nos cabelos, e, como se não bastasse a insolência, a sua inteligência o leva a uma inquietação que pode lhe custar o futuro. De resto, ambos têm a mesma atitude perante o mundo: a indiferença levada ao limite, o ódio pela banalização de si mesmo em uma sociedade *phony* e, mais do que tudo, a luta desesperada para preservar um pouco da individualidade[2].

Pode-se dizer que isto estava no *zeitgeist* americano ou europeu, rondando todos como um animal prestes a abater alguém de surpresa. Mas o segredo de Salinger foi dar a forma definitiva para tal atitude – e, o melhor, sem escancarar isso ao leitor, apenas apontando o dedo e sem tocar diretamente a ferida. Ele faz o contrário: mostra aos poucos a *psique* perturbada de Holden e, quando menos se espera, o romance que, no início, aparentava estar ao lado dos adolescentes desajustados (como pensa o vulgo e como *quer* pensar o leitor que leu Salinger pelos olhos de uma mídia abduzida pela mediocridade), revela-se como o seu maior crítico e também como o seu mais carinhoso alerta. Assim, Holden Caufield atravessa uma conversão ao real que, para citarmos novamente René Girard, vai da *mentira romântica* e chega à *verdade romanesca*. Os dois termos estão inter-relacionados: o primeiro é o fato de que o protagonista está imerso em uma relação triangular, sempre desejando o que um modelo que admira também deseja, chegando a ponto de acreditar que é um *indivíduo original* justamente por desconhecer que está nesta relação (claramente, o que acontece é o contrário); o segundo termo é o ponto final do processo de conversão ao real que o mesmo protagonista sofre, por inúmeras razões (Girard cita, entre outras, a morte de um ente querido, a desilusão amorosa ou a conversão religiosa), e descobre que *nunca* foi um *indivíduo original*, que age sob a imitação dos outros e, por isso mesmo, recupera a verdadeira individualidade, alcançando a *unidade do ser* que os outros o impedem de conquistar.

Holden tem a intuição desta unidade no momento em que, quase no final do romance, deixa quebrar o disco de vinil que iria dar à sua irmã Phoebe. Logo em seguida, conta a ela a parábola sobre o apanhador no campo de centeio, que salvaria as crianças que são jogadas no abismo ao lado. Enquanto narra, identifica-se com o próprio apanhador, mas isso ocorre por poucos momentos. É uma legítima epifania, no sentido estritamente joyceano do termo, e por isso mesmo dura o necessário para que tanto o personagem (que também é o narrador) e o leitor tenham a mesma descoberta. O encanto duradouro de *O apanhador* não está no fato de que os desajustados da sociedade o adoram; está no fato de que leitor e personagem fazem a mesma jornada, identificam-se, passam pela *mentira romântica*, atingem a *verdade romanesca* e, de brinde, vêem um vislumbre do que podem ser para os seus próprios futuros. Holden pode resmungar o tempo todo que não se pode confiar num policial vestido com uma capa de chuva, mas algum dia terá de confiar em alguém – e o leitor pensa o mesmo enquanto lê a história.

Contudo, epifanias, sejam joyceanas ou não, não duram para sempre – e Salinger tinha uma dolorosa percepção disso. É aqui que *O apanhador* se mostra como um livro mais complexo, cheio de nuances – e igual processo acontece no restante da curta obra salingeriana. O dilema da *unidade do ser* que percebemos em Holden é resolvido precariamente, mas um outro permanece, muito mais profundo, e isto será acentuado, por exemplo, no futuro drama da família Glass: o problema da *comunicação subs-*

---

[2] Estes mesmos temas continuam na literatura norte-americana atual. Vejam, por exemplo, *Indignação*, de Philip Roth, um romance que, aliás, guarda várias semelhanças com *O apanhador*.

tancial. Em um mundo dominado por parâmetros democráticos – lembrem-se de que Salinger surge em 1951, uma época em que a democracia americana era a prova maior do único sistema político que funcionava no Ocidente – a tensão entre as pessoas aumenta de forma considerável. Elas podem ter um rádio, um telefone, uma TV, mas simplesmente não conseguem mais conversar como seres humanos. Há sempre algum interesse, alguma agenda oculta, algum miasma de niilismo em cada palavra que alguém pronuncia para outra pessoa. A igualdade entre os seres humanos não se dá com a garantia de direitos comuns e sim com a possibilidade de que cada um possa praticar o mal contra seu semelhante. A conseqüência concreta é que o preço do progresso é a morte do espírito.

A *comunicação substancial* só pode acontecer quando as pessoas envolvidas estão dispostas a se abrir para algo *além* delas e *maior* do que todas. Em um mundo democrático, esta comunicação será sufocada por outras duas: a *pragmática*, que quer apenas comunicar o que seria importante no dia-a-dia, sem se importar com outras interpretações (ou então as manipulando ao seu bel prazer), e a *intoxicante*, que deseja impregnar o seu alvo – no caso, o cidadão que vive em uma democracia ocidental – de *divertissements*, de diversões que entorpecem a consciência e o fazem perder, sem qualquer esforço, a *unidade do ser*.

Nesta situação, só a literatura pode recuperar o que está prestes a ser perdido. Mas, no caso de J.D. Salinger, isso não bastava. Ele precisou de algo mais, de algo que o fazia se movimentar em uma estratégia inusitada, não só para o leitor, mas também para si mesmo. E isto é algo que só o silêncio pôde lhe dar.

Regra Nº 2: Cuidado com o entusiasmo e o amor. Ambos são temporários e tendem a desaparecer.

Este escriba que vos fala aposta que a tal estratégia citada acima não foi descoberta de uma vez e nem por acaso. Neste caso, os dados biográficos são claros: Salinger ficou muito assustado com o sucesso proporcionado por *O apanhador no campo de centeio*. E ele fez o que qualquer pessoa sã faria: sumir por algum tempo. O que ninguém sabia é que faria isso pelo resto de sua vida. Contudo, aqui vai uma pergunta: será que ele sumiu realmente? E o que significa sumir, nos nossos tempos?

Significa que se trata de um insulto para nossas sensibilidades democráticas. Afinal, quem tem o direito de sumir quando é o dever do artista mostrar-se aberto aos seus leitores? Felizmente, Salinger não pensava assim – e resolveu mostrar o que pensava sobre isto através de seu personagem mais enigmático e, para muitos, mais perturbador: Seymour Glass. Ele surge pela primeira vez no conto *Um dia perfeito para os peixes-banana*, que abre *Nove Histórias*, um volume magnífico de pequenas pérolas que colocaria Jerome David lado a lado de mestres da narrativa curta como Henry James e John Cheever (talvez o único contemporâneo capaz de alcançá-lo em qualidade e intensidade). O estilo no qual o conto é construído – cheio de diálogos de segundas intenções, de situações oblíquas, que nunca se explicam, até que se resolvem em um final inesperado – é de uma displicência enganosa; nunca sabemos o que Seymour realmente pensa (exceto quando conversa com a pequena Sybil, uma conversa que o faz cair literalmente na perdição) e, quando pensamos ter um vislumbre disso, enganamo-nos profundamente. É como se Salinger antecipasse a teoria de Ricardo Piglia sobre as duas histórias que coexistem em um conto perfeito (ou melhor: talvez tenha sido Piglia quem imitou Salinger descaradamente e sem aviso): a mensagem cifrada está lá, para os poucos que a percebem, para os poucos que podem notar, por trás das falas de Sybil, da insolência de Holden Caulfield e do disco quebrado de Phoebe: a inocência chegou ao seu fim definitivo.

Porque é isso o que faz Seymour Glass cometer seu ato derradeiro: ele sabe que o mundo esmagou qualquer possibilidade de se ter uma mínima *unidade do ser*. Afinal, apesar de seu nome – *see more glass*, como diz a pequena Sybil (por sua vez outro nome que carrega todo um antigo simbolismo) – a sua visão aguda lhe permite ver somente as sombras da existência. Como um Eclesiastes pós-moderno, carregado de *spleen*, Seymour tem muita sabedoria, muito desgosto, e, quanto mais conhecimento, mais sofrimento; toma cuidado com coisas passageiras como o entusiasmo e o amor, mas é palpável que, alguma vez na vida, sentiu tudo isso e sofre uma terrível nostalgia por não poder recuperar tais emoções. Este é também o tema secreto que penetra nos contos restantes de *Nove Histórias*: cada personagem perdeu algo ou alguém, sente a sua ausência, busca repeti-la a qualquer custo e, não conseguindo, termina em uma das inúmeras variações do desespero humano. Para Salinger, não há mais *ser*, não há mais a abertura da alma individual para uma *comunicação substancial*; todos estão intoxicados por algo que não sabem reconhecer, por algo que os devora por dentro. Bem-vindos ao mundo tenebroso da terra devastada, é o que parece nos dizer. Aqui, os homens que conseguem *ver* alguma coisa estão fadados a morrer, não importa como; eles não se adéquam ao mundo e, por isso, devem ser eliminados. Quem quer ir contra essa corrente, sabe que não há escapatória.

Regra Nº 3: Se alguém lhe perguntar se você se importa com os problemas do mundo, olhe bem para a pessoa que fez esta pergunta e ela jamais fará isso novamente.

Esta atitude que Kierkegaard não hesitaria chamar de "o pecado mortal" encontra sua solução em *Franny & Zooey*, o livro sublime que ninguém sabe se é um pequeno romance ou se são duas novelas ligadas por um fio tênue de sentido. Em *Nove Histórias*, todas as conversas entre os personagens terminam em danação para cada um deles; em *Franny & Zooey* é justamente uma longa conversa que será a salvação da irmã caçula de Seymour Glass, a Franny do título. Mas Salinger não mostra todas as cartas do jogo: como um bom estrategista ele quer que você pense que o mundo continua o mesmo inferno de seu livro anterior. A abertura da primeira parte, *Franny*, é o exemplo consumado de que estamos lidando com um mestre da técnica de narrar uma história; a única coisa a se fazer é nos render aos seus encantos. Um trem chega em uma estação e um rapaz espera por uma moça. A partir daí, o rapaz – um janota metido a intelectual chamado Lane – e Franny vão mostrar a quem quiser perceber quais são as fraturas minúsculas que destroem um relacionamento, independentemente da idade ou da época. Lane não para de falar sobre coisas que não interessam mais a Franny – enquanto ela está obcecada por uma única oração que encontrara em um livro que antes estava em posse de seu irmão suicida, Seymour. Não se trata de um livro qualquer, mas sim dos *Relatos de um peregrino russo*, verdadeiro monumento da ortodoxia eslava, e a prece é nada mais nada menos do que a do *bom pecador*, que repete *ad infinitum* "*Jesus Cristo tende piedade de mim, pois sou um pecador*" até que se atinja um estado que muitos classificariam como místico. Eis aqui uma das amostras da ironia de Salinger: este estado é alcançado no ambiente de um minúsculo banheiro em uma lanchonete na Nova Inglaterra. Franny está agachada no chão do banheiro, suas mãos suam, e não sabemos a razão do fato de sair às pressas da mesa com Lane. Estaria ela grávida? Estaria enlouquecendo? A única coisa que sabe fazer é manter o livro do falecido irmão em mãos e recitar entre lábios a oração do bom pecador. Desmaiar em plena lanchonete e deixar Lane envergonhado é a conseqüência natural desses fatos.

Na segunda parte do livro, *Zooey*, encontramos Franny em repouso na casa da família Glass. Sua mãe, Bessie, não sabe o que fazer com a filha; afinal, depois de ter vivido o suicídio de Seymour e a morte de Walt na Segunda Guerra, ela está apavorada com o que pode acontecer; o pai, Les, ninguém jamais sabe onde está; Zooey prepara-se para uma carreira de ator e sabe que a crise existencial da irmã se deve ao fato de não ter superado o suicídio de Seymour; Waker tornou-se um monge cartuxo e mal sabe o que acontece com sua família; Boo-Boo é uma garota de quatorze anos que desconhece o que se passa ao seu redor; e Buddy é o humilde narrador desta história toda, o único que tenta encontrar um sentido no meio de uma família tão disfuncional e que é facilmente identificado como alter-ego de J.D. Salinger.

Tal palco de neuroses é a amostra do que acontece com qualquer um que se sinta afetado pelo suicídio de alguém querido. Seymour é um fantasma que assombra a vida de sua irmã Franny – e será justamente a missão de Zooey libertá-la desta influência. Aqui, o problema da *comunicação substancial* será levado às últimas conseqüências; o que se discute não são mais coisas triviais – como Lane fazia com Franny no início do livro –, mas sim *a única coisa importante*, como diria uma das passagens do Evangelho. De certa forma, a conversa entre Franny e Zooey, que ocorre em um final de tarde melancólico nesse apartamento excêntrico próximo ao Central Park, é uma discussão sobre as corrupções pelas quais passou o cristianismo. Franny tem a visão de um Cristo encharcado na *mentira romântica*; Zooey tenta convencê-la do contrário, de que o cristianismo não veio para lamentar os mortos, mas justamente livrá-los dos tormentos da vida e da própria morte – e é engraçadíssimo ouvir as palavras sarcásticas de Zooey contra São Francisco de Assis e suas variações escatológicas, a amostra de uma religião que se preocupa apenas com os pobres de dinheiro quando deveria se preocupar também com os pobres de espírito. Afinal, se sua irmã quer resolver os problemas do mundo, que antes de tudo olhe para dentro de si mesma. A experiência mística que Franny vivenciou pode ser classificada como um sintoma de neurose psíquica, porque ela não está interessada na vida do espírito *per se*; e, por isso, como um Sócrates da Quinta Avenida, Zooey a faz ver que o espírito vive nas situações simples do dia-a-dia, como, por exemplo, no homem que cai na rua e logo depois se levanta e, em uma das passagens mais memoráveis, afirma que tudo o que fazemos neste planeta é para e pela Senhora Gorda.

O símbolo da Senhora Gorda – um recurso que Zooey é obrigado a emprestar do falecido Seymour – é o artifício que revela como a *comunicação substancial* se estabelece na alma de uma pessoa. E ela só pode acontecer quando *a única coisa importante* não pode ser mais citada com todas as letras; porque *quem* a Senhora Gorda representa foi banalizado pela destruição da *unidade do ser* neste mundo de prazeres democráticos, e *ele* deve ser renomeado para recuperar sua verdadeira expressão; e quando isto ocorre, deve-se reconhecer que, mesmo ganhando um novo nome, *ele* continuará a ouvir em silêncio as perguntas de Pilatos sobre as acusações que lhe fizeram, uma vez que todos parecem atacá-lo sem razão.

Franny compreende o que o irmão quis fazer ao falar da Senhora Gorda e, talvez pela primeira vez após a morte de Seymour, sente aglutinar os pedaços que estavam dispersos dentro dela, fazendo assim surgir uma amostra do que pode ser a sua *unidade do ser*, se persistir na jornada com a revelação que lhe foi dada. Os últimos momentos de *Franny & Zooey* mostram Franny deitada, em paz, e a luz do sol da tarde caindo sobre sua face adormecida, provavelmente um sinal de que o próprio Salinger teria encontrado algum sossego. Mas, como veremos, isso não passava de um engano.

Regra Nº 4: Nunca diga o seu verdadeiro nome.

O engano é que Salinger só conseguiu alguma paz quando parou definitivamente de dar ouvidos para tudo aquilo de que o acusavam. E aqui começa a lenda e os fatos nos abandonam para sempre. Ele para de dar entrevistas, de tirar fotos, de fazer aparições públicas. Muda-se para uma casa enorme em Cornish, New Hampshire, bloqueada por um muro com arame farpado. A população da pequena cidade o protege como uma preciosidade. Ninguém sabe com quem vive, se com a mulher ou com os filhos. Afirmam que é divorciado; depois afirmam que gosta de menininhas, no melhor estilo Humbert Humbert. Uma delas, querendo ser escritora, lança as memórias do seu período com o misterioso escritor e diz aos quatro cantos do mundo que ele gosta de beber a própria urina e que escreve compulsivamente, guardando os manuscritos em um cofre para serem lançados após a sua morte. Como se não bastasse, uma de suas filhas publica outro depoimento, afirmando que o pai realmente não bate muito bem da cabeça; além dos *drinks* de urina, havia reuniões com jovens tão estranhos quanto Holden Caulfield; havia a cinefilia; havia a paranóica luta por sua privacidade, em que chegou a agredir um fotógrafo em um supermercado e a processar um jornalista britânico que queria escrever a sua biografia definitiva. E, claro, havia os escritos. Saberíamos mais sobre Seymour Glass e sua família? Voltaríamos a ver Holden?.

Não, nada disso foi explicado enquanto Jerome David estava vivo. Uma das lendas mais engraçadas é a de que ele teria voltado ao mundo literário, desta vez com outro nome, um tal de Thomas Pynchon que escrevia romances gigantescos como *V.* (1963) e *O Arco-Íris da Gravidade* (1974), justamente para compensar as minimalistas peças de ourivesaria que lhe deram fama e tormento. Depois, o próprio Pynchon provou ser uma pessoa real, sobre quem inventaram milhares de lendas: disseram que seu nome era na verdade Wanda

Tinasky, e dez anos depois, houve a suspeita de que seria ninguém menos do que o Unabomber[3]. Em outras palavras: se você for um *verdadeiro* artista, nunca diga o seu *verdadeiro* nome.

Ou talvez você nem precise fazer isso. Basta desaparecer. E como fazer isto? Por acaso Salinger desapareceu em Cornish? As fotos de Lilian Ross mostram o contrário. Provam que o homem podia ser visto no parque ao lado, dirigindo um carrinho de bebê. De modo que ele talvez não tenha desaparecido de forma alguma. Talvez tenha encontrado outra forma de liberdade através de uma estratégia inusitada: o silêncio.

Regra Nº 5: Se alguém lhe pedir para olhar dentro de si, não o faça.

Contudo, este mesmo silêncio pode surgir em uma avalanche de palavras aparentemente sem nexo. Os teóricos literários deram um nome para a técnica de enganar o leitor: *digressão*. O primeiro a usar o artifício de forma sistemática – o escriba que vos fala sabe que há um paradoxo embutido nesta afirmação, mas promete que logo tudo fará sentido – foi Laurence Sterne, com o seu *Life and Opinions of Tristram Shandy, Gentleman* (1759-1767). Mas, na literatura americana do século XX, quem fez a mesma coisa e levou-a aos píncaros estratosféricos da alucinação foi Salinger, com duas pequenas historietas sobre a família Glass: *Carpinteiros, levantem bem alto a cumeeira* e *Seymour: uma introdução*.

Esta família é mais do que um grupo de personagens queridos; é uma obsessão, a prova de que Salinger quer mostrar algo que o leitor ainda não percebeu. O uso da digressão nestas duas histórias é mais do que uma técnica: é a forma encontrada por seu criador para transmitir uma mensagem que, de outra maneira, não conseguiria ser transmitida e compreendida. Qual é a mensagem? Eis a piada: ninguém sabe, justamente porque está enterrada em uma montanha de palavras. Em *Carpinteiros*, temos Buddy Glass finalmente contando ao leitor o que aconteceu no dia do casamento entre Seymour e Muriel, quando o primeiro resolveu sumir sem aviso e deixou a família da noiva desesperada.

O importante aqui são as anedotas, os detalhes, os toques satíricos de como Salinger descreve os futuros sogros de Seymour; eles são pessoas que querem a sociedade ao seu dispor, como se todas as outras pessoas estivessem sob seu domínio. Será que Seymour já percebia o que o futuro lhe reservava? Buddy não responde em afirmativo, mas não hesita em deixar a pista para o leitor. Será este estilo oblíquo e dissimulado do irmão mais velho que tomará a forma (ou, no caso, a *não-forma*) na história *Seymour: uma introdução*, em que o mesmo Buddy tenta escrever o prefácio de um livro de poemas que o irmão deixou para publicação póstuma. Quem era Seymour? Nem Buddy sabia isso – e é provável que Salinger também não soubesse.

A técnica da digressão é uma maneira de impedir que o personagem fique transparente para o escritor. Afinal, quando sabemos quem é exatamente a criação que temos em mãos, ela deixa de ter o seu prazer, perde o seu sentido de mistério. É provável que Salinger tenha usado a digressão para que ele mesmo não tivesse muita certeza sobre quem era Seymour para si mesmo. Afinal, quando olhamos

---

[3] Sobre Pynchon cf.: *Thomas Pynchon: a paranóia e o Underground*, de Luiz Felipe Amaral, em *D&C* 4 (www.dicta.com.br – N. do E.).

para nós mesmos, tudo para de ter significado. Os enigmas da existência serão resolvidos em um sistema auto-suficiente no qual sempre teremos a chave. Mas o artista não quer isso, não é esta a sua intenção; ele precisa viver no reino do enigma, como um monarca do exílio, abraçando o caos desde que o caos também o aceite. A digressão é mais do que um artifício literário; é uma forma de sobrevivência neste mundo sem misericórdia.

Regra N° 6: Nunca faça nada que a pessoa ao seu lado não possa entender.

Muitas vezes, este mesmo mundo pode parecer um acampamento de verão para crianças de oito anos. E quando, entre essas crianças, existe uma chamada Seymour Glass e que resolve se corresponder com seus pais através de cartas longas e aparentemente sem sentido, talvez tudo fique mais nebuloso. Em *Hapworth 16, 1921*, o último escrito publicado de Salinger – e jamais visto no formato livro –, temos um vislumbre do que seria a vida interior do pequeno gênio da família Glass: a falência da linguagem reproduzida em um refinamento paradoxal (afinal, como uma criança de oito anos pode escrever tão bem assim?), as digressões que disfarçam um tormento existencial que ainda não encontrou maneira de se expressar (e, como sabemos, jamais encontrará) e a arrogância juvenil que, na verdade, protege a destruição da *unidade do ser* que já borbulhava na infância.

É esta destruição que Salinger insinua nos dois trechos em que não sabemos se os críticos repararam ou não. Talvez ali esteja a chave da encruzilhada. O primeiro trecho é uma frase que Seymour comenta sobre um poema que tentou escrever no acampamento; ele não o mostrará a ninguém porque "este será o melhor poema que jamais escreverá". Ninguém saberá como será a obra porque o simples fato de que ele não quer escrevê-la o transformará no próprio poema. Um artista não precisa mostrar o que fez; a sua vida interior é tão rica, a *unidade do ser* é tão evidente para quem quiser ver, que se a pessoa ao seu lado não entender o que isso significa, a conseqüência prática é não fazer absolutamente nada.

O segundo trecho é um longo parágrafo em que Seymour praticamente grita com todas as letras que atingiu a percepção de que Deus ultrapassa quaisquer categorias históricas e humanas. Uma revelação e tanto para quem tem apenas oito anos, sem dúvida. Contudo, Salinger não hesita em tirar sarro desta "revelação", ao citar logo em seguida os livros que Seymour quer que seus pais tragam ao acampamento enquanto se recupera de uma perna quebrada. Saber que Deus está além de qualquer definição implica uma paródia da educação clássica que mistura Tolstoi, livros de História, de medicina, Lao Tse, Hinduísmo – enfim, essa multiplicidade em que é nítida a ausência de uma *unidade*, de um *ser* que amarre essas contradições e permita ao pequeno gênio viver em um mundo que não lhe pareça uma ameaça constante.

Mas será que Salinger estava realmente contando uma piada ou expressava uma angústia íntima disfarçada de *understatement*? Depois de seu sumiço, é provável que seja a última opção. Dizem que, nos anos seguintes, ele continuou a escrever apenas para si mesmo e guardou os manuscritos em um cofre fechado a sete chaves. Como tudo na vida e na obra de Jerome David, temos de colocar esta afirmação no benefício da dúvida. Temos de também supor que tudo o que ele queria dizer já estava dito – e que o que temos publicado em quatro livrinhos de menos de duzentas páginas cada, mais um pequeno conto escrito como se fosse uma carta, é tudo aquilo que sua ascese interior conseguiu exprimir e ceder para este animal ingrato, o leitor.

Regra Nº 7: Nunca crie nada: você será mal-interpretado, e isto o acorrentará e o perseguirá pelo resto da sua vida.

Afinal de contas, o que se pode fazer com este animal em um mundo em que a simples comunicação não pode mais acontecer, pela simples razão de que não há mais uma base comum de compreensão da existência?[4] E o que significa viver em busca de uma *unidade do ser*? Antes tínhamos a filosofia grega, o Velho Testamento, o Novo Testamento, os escritos orientais, uma montanha de dados e meditações que permitiam um apoio para todos nós, uma forma de nos comunicarmos sem destrinchar o que realmente significa cada palavra. Agora, temos apenas a incerteza, a indecisão, a escuridão que acompanha a todos nós como um cão fiel. Mas não seria a escuridão o material no qual o artista trabalha para continuar a sua caminhada? Eis a loucura da arte que tanto fascinava alguém como Henry James: o escritor faz o que pode, não o que deve, e, quando uma coisa se confunde com a outra, ou temos monumentos à insanidade ou as revelações de um *uno* que só a paciência e o silêncio do ourives podem criar.

J.D. Salinger escolheu a liberdade do silêncio não para construir o seu mito – que, como sabemos, nunca foi real porque você poderia encontrá-lo no parque ao lado, caminhando com um carrinho de bebê –, mas preservar um pouco da inocência que deveria existir entre o artista e o seu público. Ele se pergunta na epígrafe de *Carpinteiros, levantem alto a cumeeira* se ainda existiria alguém que somente lê uma história e depois a deixa para trás, talvez para viver a sua própria vida. Uma questão da qual todos já sabem a resposta: é claro que não. Há um abismo de incompreensão entre o artista e o público, e a única razão pela qual o primeiro continua o seu trabalho é que ele não escreve para o tempo presente e sim para as gerações futuras. Só assim ninguém o poderá interpretar de forma equivocada, o acorrentará e o perseguirá pelo resto de seus dias. Contudo, ao mesmo tempo, como o artista vive na sua própria época, no seu próprio presente, uma atitude como esta nos permite fazer outra pergunta: Quando a *unidade do ser* será recuperada se este impasse continuar? A resposta, sem dúvida, existe, mas ela está envolta no silêncio que nós não queremos escutar.

Martim Vasques da Cunha *é jornalista, escritor, doutorando em Filosofia Política pela USP, editor da* Dicta&Contradicta *e, em qualquer dia, pretende sumir definitivamente e sem deixar aviso para saber apenas qual é o som do aplauso de uma mão só.*

---

[4] Ou como diria Elias Canetti: "Compreendi que pessoas falam umas com as outras, mas não se entendem; que suas palavras são golpes que ricocheteiam nas palavras dos outros; que não há nenhuma ilusão maior do que achar que a linguagem seja um meio de comunicação entre as pessoas. Falamos com o outro, mas de forma a que ele não nos entenda. Continuamos falando, e ele entende menos ainda. Berramos, ele berra de volta; a ejaculação, que na gramática tem uma existência pequena, se apodera da língua. Tal qual bolas, as exclamações vão e voltam, se chocam e caem por terra. Raramente alguma delas penetra no interlocutor, e quando isso acontece, é de forma um tanto equivocada".

135 | **GALERIA** *por Daniel Faiad Barreto*

LITERATURA

EM BUSCA DA CATARSE PERDIDA
por Pedro Sette-Câmara

Este artigo nasceu no dia em que fui ver uma montagem de *Senhorita Júlia*, de August Strindberg, no teatro do Planetário, no Rio de Janeiro. A montagem tinha tudo de melhor que o pouco dinheiro pode comprar: um cenário funcional, ótimos atores, e uma pequena adaptação que ajudaria a ambientar a ação no Rio de Janeiro contemporâneo.

Mas alguma coisa não funcionava, e eu queria saber o quê e por quê.

É fácil ver que *Senhorita Júlia* é uma tentativa de Strindberg de aplicar uma interpretação francesa classicista da *Poética* de Aristóteles a uma situação que lhe era contemporânea. A trama se passa em um único cenário, durante um intervalo menor do que um dia (o tempo de uma noite), tem uma morte que acontece fora do palco, e tem um protagonista transgressor que é "grande" ou nobre, caracterizando o famoso "imitativo elevado". Traduzindo isso no enredo da peça, a filha de um conde dá muita conversa para os criados, seduzindo e sendo seduzida pelo mordomo de seu pai durante a noite do solstício de verão, consumando rapidamente a relação. Ela, sabendo que a transgressão de dormir com a criadagem seria a ruína da família, decide suicidar-se após escutar os passos do pai que chega – ou ao menos é isso que o texto da peça sugere, já que, também seguindo a tradição trágica, não há mortes no palco.

Enunciando o enredo da peça, fica clara a razão de ela não funcionar como funcionava na época de Strindberg: nós, a platéia, mudamos de lado. Simplesmente não conseguimos acreditar que uma menina que fizesse sexo com o mordomo precisaria se matar para evitar a ruína da família, porque essa ruína não aconteceria. No máximo, o mordomo seria demitido, e os amigos dos pais concordariam que a moça é mesmo incontrolável. Confesso que prefiro viver numa sociedade assim, mais tolerante, mas de início fico com a impressão de que isso parece diminuir a possibilidade de catarse especificamente trágica no teatro. Ou talvez a catarse trágica tenha apenas se deslocado, e as tragédias de outrora não tenham mais o mesmo efeito, mas novas tragédias podem ter. Vejamos.

Aristóteles esperava que a tragédia proporcionasse a catarse do terror e da piedade, ou que o terror e a piedade proporcionassem a catarse de alguma coisa – o sentido do trecho da *Poética* em que ele diz isso, o 1.459b, é provavelmente o mais debatido do livro. Mas ninguém debate que esses três elementos estão presentes: *terror*, *piedade* e *catarse*.

O terror vem daquilo que sucede ao protagonista: a morte ou o banimento. A piedade deriva de nossa identificação com esse protagonista. Digo "deriva" porque já tínhamos nos identificado com ele por ele estar acima de nós, sendo "grande", um rei, um nobre, alguém que tem muito a perder, o que se relaciona diretamente com nosso senso de que nossa própria identidade é algo muito precioso. A piedade que sentimos do protagonista é a piedade que gostaríamos que os outros sentissem de nós caso sofrêssemos o que ele sofre. A catarse vem de um constrangimento social: temos de acreditar que aquele desenlace é inevitável. Lembremos que "catarse" é um termo médico que significa purgação, expulsão, e os movimentos efetivamente catárticos do corpo *são* inevitáveis, ou pelo menos involuntários, como o riso, o choro, o vômito, o espirro. Se as situações trágicas não parecessem inevitáveis, elas não inspirariam terror, mas revolta.

Aí é que está a virada que acaba associando a capacidade trágica de *Senhorita Júlia* à sua época. Hoje entendemos que a situação da peça deveria ser evitável, e ficamos revoltados com a sociedade que cria aquela situação. A peça não é mais entendida como tragédia, mas como denúncia social. Como não conseguimos acreditar no dilema da peça, na situação insolúvel, o suicídio de Júlia nos parece um assassinato indiretamente praticado pela famosa sociedade conservadora que não quer que as mulheres vivam livremente a sua sexualidade. Seria muito difícil dar uma aula numa escola ou numa universidade sem que essa conclusão surgisse naturalmente. Contudo, a peça pretende ser uma tragédia, e a tragédia fala de dilemas *insolúveis* (ou solúveis apenas por meio do sacrifício da própria identidade), não de simples histórias de perseguição. Ou fala?

Em *A violência e o sagrado*, René Girard propôs uma interpretação radical de *Édipo rei*, a tragédia que, segundo Aristóteles, era o modelo de todas as tragédias. Na peça, como é sabido, a peste assola Tebas; Édipo, seu rei, promete acabar com a peste e recebe do oráculo de Apolo a notícia de que a peste existe porque o assassino do antigo rei Laio está entre os tebanos; Édipo promete encontrá-lo e matá-lo ou bani-lo, e acabaria descobrindo que ele mesmo é o assassino. Girard, porém, disse que, numa interpretação possível e desejada por Sófocles, Édipo era inocente e foi convencido de sua culpa pela sociedade tebana, a fim de aliviar a crise (a peste) por que ela passava; Sófocles teria permitido essa dupla interpretação ao insistir em diversos momentos nos *assassinos* de Laio, no plural, e por mostrar acusações feitas em situações de rivalidade e de provável constrangimento, com subalternos sendo questionados pela realeza. Assim, Édipo até poderia ter matado alguém; mas ele teria matado em legítima defesa, enquanto seu pai Laio teria sido vítima de uma turba assassina.

A dramaturgia trágica grega teria seguido um percurso de revelação desse mecanismo de perseguição. A trilogia *Orestéia* de Ésquilo termina mostrando que, na nova ordem social (com os deuses gregos mais conhecidos), você pode matar sua própria mãe se o deus Apolo tiver permitido; em *Édipo em Colono*, escrita por Sófocles no fim de sua vida, Édipo, cego e prestes a morrer, observa que, apesar de tudo que lhe aconteceu, é preciso honrar os deuses devidamente (versos 277-278), enfatizando que não há escapatória. Já nós não conseguiríamos aceitar uma senhorita Júlia que, em vez de se suicidar, tivesse fugido, amadurecido, e viesse dar conselhos de prudência, alertando para a necessidade de ter juízo ou de suportar as consequências dos próprios atos, mesmo que elas nos parecessem injustas.

Senhorita Júlia foi escrita nove anos após outra peça célebre, que também causou choque e sensação, exatamente por desnudar o mecanismo trágico: *Casa de boneca*, de Ibsen. (Aliás, a tragédia é ironizada diretamente pela fala de um dos personagens na cena final). A história do drama é a seguinte: Nora Helmer contraiu um empréstimo com um agiota, com o qual financiou a viagem a um clima mais ameno que salvou a vida de seu marido Torvald, hoje funcionário em ascensão num banco – o mesmo banco em que trabalha o agiota. Quando Torvald ameaça demitir o agiota, este ameaça Nora de contar tudo. O agiota acaba enviando duas cartas à casa de Nora e Torvald. A primeira é lida por Torvald, que julga agora estar nas mãos de um malfeitor chantagista; nesse momento, ele diz a Nora que quer manter as aparências, mas que não confia mais nela para criar os filhos. Na segunda carta, lida logo depois, o agiota diz que se arrependeu, que não vai contar nada para ninguém, e envia o contrato da dívida – prova que Torvald destrói imediatamente, logo dizendo a Nora que "está salvo" e que as coisas podem voltar ao normal. Nora então lhe diz que esperava "um prodígio", que Torvald mandasse o agiota pastar e publicar tudo, e que Torvald não é o homem que ela esperava que ele fosse. Nora decide abandonar a casa por não amar mais Torvald e por julgá-lo um estranho.

É praticamente impensável para nós não

ficar ao lado de Nora. Se a peça causou choque e sensação, é porque os pressupostos da platéia eram bem distintos: em algum nível, era preciso acreditar que não só perder uma vida burguesa era péssimo, como ter contraído um empréstimo junto a um agiota era muito mais do que fazer uma besteira. No texto da peça, Torvald diz que é um crime; mas, como em qualquer época há crimes que não trazem sanções morais análogas (como, hoje em dia, o uso de drogas), creio que o peso disso está mais ligado a ser um crime financeiro praticado pela esposa de um funcionário do setor financeiro. Nora é uma das grandes personagens irônicas do teatro: recusa a inevitabilidade da situação, e faz questão de reformulá-la em seus próprios termos.

Nós, o público atual, já nos identificamos tanto com essa postura de Nora Helmer que temos dificuldades em isolá-la como apenas "uma postura". Um excelente exemplo disso está na peça *O homem que não vendeu sua alma* (*A Man for All Seasons*), de Robert Bolt, que dramatiza a famosa recusa de Thomas More em aprovar o divórcio do rei Henrique VIII e seu casamento com Ana Bolena. Na cena em que More explica ao amigo Norfolk por que não vai seguir todo o resto da nobreza e a igreja local, a ênfase é colocada não numa verdade inescapável, mas na individualidade do protagonista, que, como Nora Helmer, quer seu direito de formular a questão em seus próprios termos. More diz: "Não cederei porque eu sou contra – eu – não meu orgulho, não minha bílis, nem qualquer um de meus apetites, mas eu – eu!" O Thomas More da peça até declara sofrer moralmente, mas, altivo, demonstra aceitar que este mundo é apenas este mundo, e, na cena final, diz ter certeza de que irá para o céu, porque Deus não recusaria alguém que se aproxima com tanta felicidade. Discussões teológicas à parte, a peça claramente mostra ao público uma sociedade perversa que condena um inocente para que o público condene essa sociedade. Se Nora Helmer sugeria que o problema era da sociedade, o Thomas More de Robert Bolt já não deixa a menor dúvida.

Do ponto de vista girardiano, faz absoluto sentido que essa explicitação aconteça numa peça de tema cristão. René Girard afirma em diversos de seus livros que a Paixão de Cristo é uma ironia em relação aos mitos, que, segundo ele, são narrativas que encobrem violências. Ao usar os mitos gregos, os tragediógrafos da Antiguidade Clássica já começavam a levantar essa tampa. Ésquilo já mostrava que os "deuses" mandam matar mesmo, que por baixo da ordem da cidade está o sangue da vítima. Sófocles sugeria que Édipo não seria culpado e que foi transformado em bode expiatório. A Paixão de Cristo escancara isso: se a Clitemnestra morta por Orestes era apenas um elo numa cadeia de vinganças, o Cristo dos Evangelhos é totalmente inocente, morrendo apenas para a preservação de uma ordem podre. Mas a Paixão não é lida por nós como uma tragédia. Não achamos que a ordem romana tenha valor comparável à mensagem de Cristo, não a ponto de acharmos legítimo sofrer por sua destruição. Ou melhor: não a ponto de acharmos legítimo enunciar isso, porque na prática estamos absolutamente ligados ao mundo. Aqui é que retornamos à possibilidade de tragédias "datadas": não vamos dizer que valorizamos "o mundo", mas valorizamos nossa vida burguesa, nosso bom nome entre os nobres etc. No dilema

Cristo contra o mundo, ficamos com Cristo; no dilema independência da mulher autoconsciente contra vida burguesa, o público do século XIX tinha dúvidas suficientes a ponto de fazer com que *Casa de boneca* fosse considerada chocante.

Para retomar e reformular, a tragédia em sentido clássico *depende* da identificação simultânea com o protagonista e com a ordem que o condena. Só pode haver catarse – lágrimas – se o público desejar aquilo que o protagonista possui por julgar que é essa coisa que dá ao personagem seu ser: o reino de Tebas, o reino do lar burguês. Mas o público também tem de acreditar na ordem que proíbe aquilo que o protagonista possui. Essa posse, portanto, acaba sendo uma transgressão, acaba sendo aquilo que todos desejam de modo talvez não tão secreto, mas que todos sabem ser proibido. Proibido não por uma arbitrariedade mesquinha, mas proibido por uma função profilática. Posso desejar a mulher do próximo, e o próximo pode desejar quebrar a minha cara, e podemos terminar os dois mutilados ou mortos. A designação de papéis e de regras claras é que sustenta a paz. Não custa lembrar o sapientíssimo ditado inglês que diz que *good fences make good neighbours*, "boas cercas, bons vizinhos", com o detalhe de que também se traduz *neighbour* como "próximo" – o melhor exemplo é a frase "amai ao próximo", *love thy neighbour*.

A tragédia precisa portanto tocar num desejo paradoxal, que é o de simultaneamente transgredir e de conservar. O público grego deseja ser capaz de afastar a peste, de ser rei, mas também quer que os assassinatos sejam punidos.

O público parisiense que viu pela primeira vez *Casa de boneca* e *Senhorita Júlia* desejava ver um esforço ser recompensado por seus fins e não por seus meios, e também ver a liberdade sexual não ser punida, ao mesmo tempo em que não deixava de fazer cara feia para esforços escusos e para a liberdade sexual (com ou sem aspas; não é a questão moral que está sendo discutida). Quando os outros descobrem que no centro mesmo da conservação do sistema está a transgressão, temos a catarse trágica.

Aqui voltamos àquele nível girardiano de leitura, em que o protagonista da tragédia passa a ser visto como bode expiatório, porque a ordem que o condena não é mais considerada legítima. Se creio que o importante é a esposa salvar a vida do marido por qualquer meio, ou que a libido não deve conhecer barreiras de classe, é impossível que eu experimente a catarse trágica em *Casa de boneca* ou em *Senhorita Júlia*. Deixarei o teatro não aliviado dos meus desejos transgressores, ou do terror e da piedade inspirados pelo destino, mas indignado com aqueles que vejo como agressores, e ainda mais convencido de que não há nada de errado com meus desejos: os outros é que criam problemas.

Por isso é que a identificação com as vítimas tem por sua vez um outro efeito. Como ficamos indignados com o que nos parece uma violência indevida, surge o desejo de vingança, isso é, de que os agressores sejam punidos, porque sempre acreditamos que a violência que *eles* praticam é indevida, enquanto que a violência que *nós* praticamos é um ato de legítima defesa a uma agressão prévia. O público que assiste a *O homem que não vendeu sua alma* sabe muito bem quem pode ser "legitimamente" agredido. A mensagem cristã da inocência da vítima é usada como justificativa para a prática de uma nova violência. É por isso que hoje vemos a violência ser legitimada pelo discurso da defesa ou da autodefesa das vítimas. Se antes se falava em justiça, grandeza da nação, ideais cavalheirescos, civilização etc., hoje se fala em defender os oprimidos, simplesmente.

Em nenhuma dessas peças se toca em outra parte da mensagem cristã, aquela que fala em "oferecer a outra face". Se os personagens Júlia, Nora ou Thomas More oferecessem a outra face, nós os consideraríamos indignos e não nos identificaríamos com eles. É o orgulho da nossa individualidade que nos liga aos protagonistas. Isso faz com que tenhamos piedade deles. Mas, no caso desses exemplos, não queremos mais sentir terror: queremos a altivez de quem se sabe ou se julga certo; aliás, a própria altivez do filho de Deus. Por causa dessa altivez pretendida, não aceitamos enxergar o aspecto inevitável da situação. Recusamo-nos a formulá-la como dilema. Aí é que se perde a possibilidade da catarse trágica.

Ao longo do texto, porém, como enunciei as condições para a catarse, podemos usá-las para tentar recuperá-la nesse novo contexto, cristão, de ironia em relação à situação trágica, pós-Ibsen, pós-Strindberg. Seria absolutamente fundamental levar em conta o orgulho da própria individualidade, porque esse é o elemento que terá de ser sacrificado. Ele produzirá o elo entre personagens e platéia. Se já consideramos que a morte física deve ser desprezada em nome da completa altivez, aquilo que se deve correr o risco de perder tem de ser mais valorizado do que a vida física, e isso, no subsolo dostoievskiano em que vivemos, provavelmente estará ligado à própria afirmação de autonomia. O personagem orgulha-se de sua individualidade, mas para obter aquilo que mais deseja terá paradoxalmente de fazer algo que pareça um abandono dessa autonomia, uma submissão a outro. A possibilidade de reformular a situação como se essa submissão fosse na verdade a mais plena autonomia tem de ser afastada. O dilema tem de ser apresentado nos termos de perder a vida para ganhá-la ou ganhar a vida para perdê-la, mas não num contexto em que fique claro que a escolha é entre a vida física e a vida espiritual, o Reino dos Céus e o baixo mundo, porque assim a escolha é fácil demais. Não: a escolha tem de ser entre a identidade e outra coisa que sirva de fundamento da própria identidade e que seja algo querido do público, indubitavelmente valorizado. Esse fundamento da própria identidade pode ser, por exemplo, e para permanecer na circularidade obsessiva deste texto e da própria violência, algo que finalmente possibilitaria o rompimento dessa mesma circularidade: a abdicação do (suposto) direito à violência adquirido pelo papel de vítima. Talvez, num certo sentido, oferecer a outra face.

Durante décadas ouvimos dizer que os vilões só mudavam de nome, mas que a estrutura das narrativas eram as mesmas. Esses vilões também são claramente bodes expiatórios, pessoas a quem transferimos a culpa de nossos problemas. O cinema americano cansou de mostrar que um mundo lindo e perfeito era ameaçado por comunistas maldosos, por terroristas, por extraterrestres sanguessugas etc, como se o mal estivesse todo só de um lado. Podemos condenar esse simplismo, mas pensamos assim, achamos que a sociedade que condena Nora Helmer e Júlia e Thomas More é que é podre. Se a sociedade fosse formada por esses personagens, não seria podre.

Hoje achamos que esses personagens teriam o direito de voltar para vingar-se e recuperar aquilo que deveria ser seu. Nora Helmer e Júlia fundaram grupos feministas, Thomas More (que na vida real não foi nada tolerante com protestantes) virou militante da liberdade de expressão, ou é assim que nós os compreendemos. Podemos bater indefinidamente em todos os supostos representantes da sociedade podre, porque foram eles que oprimiram primeiro aqueles heróis com quem nos identificamos.

A catarse viria do passo seguinte, que seria perdoar os imperdoáveis. Naturalmente, eles teriam de demonstrar arrependimento. Essa possibilidade, aliás, foi explorada por William Shakespeare em *Conto do inverno* (*A Winter's Tale*), que é bela demais para que eu a conte e estrague o final para quem não conhece. Hoje em dia estamos absolutamente dispostos a considerar que certos crimes não têm perdão e devem ser recordados para sempre; que aqueles que os praticaram merecem ostentar a letra escarlate que fará deles, na melhor das hipóteses, membros de segunda classe da sociedade. E agora, que o leitor prepare o estômago, porque vou dar exemplos de imperdoáveis: nazistas e pedófilos.

A questão é tão espinhosa que eu mesmo temo ser mal interpretado, como se estivesse propondo, o que não estou absolutamente, a abolição das penas judiciais para esses imperdoáveis, ou a descriminalização de certas condutas. O que estou propondo é uma especulação dramatúrgica. Se víssemos uma narrativa convincente e envolvente na qual uma vítima perdoasse o agressor que lhe tirou algo efetivamente precioso, e que a vítima sente alívio por perdoar (por causa da *catarse*, do desejo de vingança, por ter *purgado* esse desejo), e que o agressor, após uma longa penitência, chega a experimentar um pouco daquilo que todos declaram, mas poucos praticam, que é o Bem ser maior do que Mal, a caridade ser mais forte do que tudo (igualmente *purgando* a sua culpa, o que não significa que ele foi eximido da responsabilidade por seus atos, porque isso é impossível), então nós, o público, poderíamos experimentar uma catarse, uma catarse trágica devidamente reapropriada por um contexto de perdão judaico-cristão.

Se você crê que esses imperdoáveis são imperdoáveis até no teatro, que eles só podem ser vistos como o Mal, que não são gente, se você se sente escandalizado e revoltado, ainda que um pouco confuso, talvez esteja sentindo algo análogo ao que sentiram as platéias que viram *Casa de Boneca* e *Senhorita Júlia* pela primeira vez. Você quer o seu direito de agredir ou de pelo menos repelir os imperdoáveis, mas também quer levar a sua vida sem que um ressentimento (mesmo um ressentimento justo!) corroa sua alma. Esse é seu desejo paradoxal. Esse é um dos desejos paradoxais que fundamentam a sociedade e as identidades modernas. Você sente piedade da vítima, com quem se identifica, e terror diante da possibilidade de abrir mão do papel de vítima da história, porque essa é sua identidade. Você afirma estar do lado do Bem, mas nega o Bem aos agressores. Se a catarse trágica clássica foi perdida, o perdão é a chave da catarse moderna, porque o perdão é o tabu em que ninguém toca. O perdão que custa, que é duro e árduo. O perdão para os imperdoáveis.

Pedro Sette-Câmara *é tradutor e dramaturgo.*

143 | **GALERIA** *por Daniel Faiad Barreto*

ALGUMA POESIA
por Cláudio Neves

Notas para o Livro das Constatações

*

Num tempo a um só tempo inamovível
e futuro, num nicho de penumbra
(embora, nua, uma mulher sem rosto,
onipresente, me toldasse qualquer fuga),

sob um céu sem música, inconstelável
de pássaros, um cão latiu, em sua
antiga, inútil, vigilante fúria,
contra um ladrão, um outro cão, um morto.

Num tempo a um só tempo remorso e consolo,
tudo se esvaziou do que não fosse corpo,
do que não fosse efêmero, do que não fosse

um céu parado, interditado ao sonho,
uma mulher à espera, uma idéia sem fundo,
um cão latindo indiferente ao mundo.

*

No fundo de um espelho alucinado,
uma mulher desnuda acaricia
o pulso, os pés... de vez em quando fita
em torno algum perigo imediato.

Nem bem é sala a sala em que se guarda,
e nem bem noite as sombras, seu abraço.
De vez em quando, como se escutasse um passo,
se agita, se arrepia, volta a cara.

No fundo de um espelho (que se sabe
apenas superfície, luz, mais nada),
essa mulher sem peso e sem passado

(como se quadro e não espelho o que habitasse)
me chama: aqui restemos de mãos dadas
à espera de o mundo ser criado.

*

Mera e moral cigarra de uma tarde,
de um verão que ouço ainda e me deserda
como a um filho, por causa da nora
louca e loquaz, e talvez infiel.

Som inespacial, por isso obsidente,
indecifrável contraponto ou sobra
de um céu profundo, de uma trepadeira
gretando um muro para sempre ela.

Cigarra fútil, lembrança acessória
se comparada aos mortos que a ouviram
ou se metáfora do pensamento.

Mera e moral aquela tarde e tudo nela,
como eu agora e eu de quando eu era
tão imortal quanto a lembrança dela.

Entreato

... é que amiúde um objeto me constrange
com sua mera e casual presença,
sem que me doa, fira ou que me lembre,
sem que mais seja que ser ele mesmo.

E o vigio em alheado assombro
daquele tudo que nele universo,
ambos fincados no mesmo mistério
de sermos seixos nesse leito espaço-tempo.

Uma falsa maçã sobre uma mesa,
um espelho e a sala em seu fundo ou pele,
um cão, um morto, uma cadeira velha...

E às vezes penso se essas horas sem essência,
que nada valem, nada são, nada libertam,
me salvam do naufrágio da existência.

Um conto, o morto, seu quarto

O morto ficou no quarto depois que levaram
seu peso sem sapatos.
O morto ficou no quarto depois de há muito
os caramujos brincarem
em seus cabelos; depois de seu ventre inchado.

O morto ficou no quarto. Não o esqueceram –
não deram pelo fato
de que os mortos ficam depois que lhes levam
o peso e o tato
para junto dos seus (também sem peso) antepassados.

De início girou pelo quarto, inútil, incontável,
tropeçou na mobília
por não saber-se, embora vestido, volátil.
Tentou abrir o armário,
e esmurrou-lhe a porta, por mais que a esmurrasse, intacta.

Com mãos de brisa, tirou o pó da cama onde agonizara,
e de cinza as passou
na penteadeira, no fio de uma página, no alto espaldar
de uma cadeira
que desde sempre tivera, e em que, quando vivo, pouco se sentara.

(Dirão: vá bem que o morto fique em seu quarto mesmo depois
de o morto levado,
vá que também se entenda por jaguar, pêndulo, leopardo, e vá
de cá pra lá, porém
não que perca a razão a ponto de não saber-se fátuo.)

Dizem: depois se acostumou a um canto, àquela cadeira
exata, ferida
do primeiro sol da manhã, do primeiro azul do ocaso.
Dizem: redescobriu sua face
(que o espelho, como de se esperar, recusava) num porta-retrato.

Dizem: passou-se um tempo inúmero e todavia compacto,
como o que a aurora
demora para mudar em violeta o que azulou a madrugada, ou em rosa
o que, violetado,
desperta, como um gato de louça na estante, atrás de um cacto.

E esse dizerem era, claro, palavra mais que fato:
o morto mesmo
cochilava na cadeira (ninguém diz se sonhava),
nutria o justo
susto de que, aberta a porta, alguém o visse, despertasse.

*

(Perdera – onde a perdera? – a idéia de que, fluido, atravessasse,
caso quisesse,
qualquer parede, por mais sólida, distância por mais inexata, ou a razão
com que se costurava
à cadeira como um gato – não um de louça, claro).

Foi quando, morta a mãe, o irmão quis desfazer-se da casa.
O primeiro futuro
morador entrou (não se sabe o que viu, se viu), saiu, não disse nada.
O segundo derrapou
nas palavras: a mulher tinha arrepios, ninguém duvidasse.

Outro trouxe o cachorro, e dizem "os cães...", mas aquele não viu nada.
Veio a menina,
rodou frente ao espelho; olhou, fixa, a cadeira, mas esqueceu o que viu,
se viu – porque rodava.
E dizem: passou-se outro tempo, eterno, que tampouco passava.

Resolveu demoli-la o que, afinal, comprou a casa.
O morto sentiu
a primeira marretada, o caibro e as telhas como unha ou fio de barba arrancados, sentiu-se como
se já quase nada, como as nuvens que acima dele já via passar.

A ilusão, porém, foi-lhe uma brisa: achar-se também cumprido,
mortal, desmontável.
Deu-se conta, afinal, de que ali restaria depois da casa, ou iria, com a
cadeira a que cosido,
acabar num quintal, numa oficina, na casa de um dos operários.

Foi então: cruzou o que restou do chão do quarto, a porta
que já não havia,
e uma idéia sem sapatos, como a brisa da manhã que respirava,
veio e passou:
sabia o caminho, tinha razão, tempo, talvez desiderato,

porém pouco valia visitar-se.

Cláudio Neves *nasceu no Rio de Janeiro em 1968, mas vive em Fortaleza, onde é professor de português, há mais de duas décadas. Publicou* De sombras e vilas (2008) *e* Os acasos persistentes (2009), *ambos pela editora 7 Letras. Tem por sair* Isto a que falta um nome, *pela É Realizações.*

POEMAS INÉDITOS DE YVES BONNEFOY

Tradução de Mario Laranjeira

L'enfant du second jour

Le dieu qui errait là, au premier matin,
Qu'aurait-il espéré de la parole ?
Il ne fit rien que rassembler des pierres,
Ce sont ces tas qu'on voit, à des carrefours.

Mais vint un second jour. Et parut cet enfant
Qui ramasse, hésitant, une brindille
Pour l'offrir, infinie en sa main tendue,
À d'autres qui, surpris dans leur jeu, se taisent.

Ils le regardent qui avance, ils se détournent,
Le ciel à grand fracas traverse les arbres,
Son feu s'abat, où j'entendais ces rires.

Au soir du second jour le monde cesse,
Ce qui aurait pu être ne sera pas,
Toute la nuit il pleut jusqu'au fond de l'herbe.

A criança do segundo dia

O deus ali errante na manhã primeira,
Que teria esperado da palavra?
Ele nada mais fez que juntar pedras,
São montes que se vêem nas esquinas.

Veio o segundo dia. E a criança surgiu
Que, hesitante, recolhe um ramozinho
Pra oferecê-lo, infinito, com mão tendida,
A outros que, no jogo, surpresos se calam.

Olham-no avançar, eles voltam-lhe as costas,
O céu estrepitoso atravessa o arvoredo,
Seu fogo abate-se, onde eu ouvia risos.

Ao final do outro dia o mundo cessa,
O que ser poderia não será,
A noite toda chove até o fundo da relva.

La révolution la nuit

« Père, ne vois-tu pas que je brûle ? » Mais lui,
Non, il laisse les portes battre, le feu prend
De couloir en couloir dans son destin,
Il n'y a plus de portes, rien que des flammes.

Et c'est vrai : à quoi bon tant désirer
Mais sans pouvoir ? Avoir voulu parler
Mais sans phrases pour dire ? Avoir regret
Mais seul, et sans qu'un autre ait pu comprendre ?

L'oubli a recouvert le peu qu'il fut,
Il me parut qu'il disait non à l'espérance,
Ne voulant que le feu pour le bois mort.

Nous allions par des rues, parfois, le soir.
Rouge en était le bout sur l'avenue,
Mais nous ne savions rien, nous ne parlions pas.

A revolução à noite

"Pai, não vês tu que ardo?" Porém ele,
Não, deixa as portas bater, o fogo pega
De um corredor a outro em seu destino,
Já portas não há mais, nada, só chamas.

E é verdade: pra que desejar tanto
Mas sem poder? Ter querido falar
Mas sem frase a dizer? Ter nostalgia
Mas só, e sem alguém pra compreender?

O olvido recobriu o pouco que ele foi,
Pareceu dizer não à esperança que eu tinha,
Querendo apenas fogo para o lenho morto.

Íamos pelas ruas, às vezes, à tarde,
Vermelha estava a ponta, na avenida,
Mas de nada sabíamos, nós não falávamos.

Branches basses

I

Instant qui veut durer mais sans savoir
Tirer éternité des branches basses
Qui protègent la table où clairs et ombres
Jouent, sur ma page blanche de ce matin.

Autour de ces deux arbres d'abord l'herbe,
Puis la maison, puis le temps, puis le demain
Pour ouvrir à l'oubli, qui déjà dissipe
Ces fruits d'hier tombés près de la table.

Là-bas est loin. Toutefois, c'est surtout
Ici et maintenant qui sont inaccessibles,
Plus simples est de rentrer dans l'avenir

Avec, pour tout à l'heure, quelque peu
De ce fruit mûr, par la grâce duquel
Du bleu se prend au vert dans la nuit de l'herbe.

Galhos baixos

I

Instante a querer durar mas sem saber
Eternidade tirar dos galhos baixos
Que protegem a mesa onde claros e sombras
Brincam, na minha branca página desta manhã.

Em torno a essas duas árvores a relva primeiro,
Depois a casa, o tempo, e amanhã depois,
Para abrir ao olvido, que dissipa já
Esse frutos caídos ontem junto à mesa.

Lá está longe. Entanto, é sobretudo
Aqui e agora que são inacessíveis,
Mais simples é entrar pelo futuro

Com, para dentro em breve, algum bocado
Desse fruto maduro, por sua graça
Azul se liga ao verde na noite da relva.

Eau et pain

Ce peu de toile, et déchiré ? Le ciel
Sur une lande où errent des bergers
Avec rien, à la nuit, que leurs appels
Pour troubler de leurs bêtes le grand rêve.

Et je pressens que le peintre a voulu
Que l'ange qui répare l'injustice
Cherche des yeux, même dans un tableau,
Agar, et cet enfant qui fuit avec elle.

Et les voici, et l'ange est auprès d'eux,
Mais c'est ici que l'image s'efface.
L'invisible reprend à la couleur

Le pain miraculeux, le broc d'eau fraîche.
Ne reste, sur l'enfant, qu'une lueur
Qui fait rêver qu'en lui le jour se lève.

Água e pão

Esse pouco de tela, e rota? O céu
Numa landa onde pastores erram
Com nada, à noite, apenas os apelos
Pra dos bichos romper o grande sonho.

E pressinto que o pintor desejou
Que o anjo que repara a injustiça
Busque co'os olhos, mesmo sendo um quadro,
Agar, com o seu filho, a fugir juntos.

E ei-los aqui, e o anjo junto deles,
Mas é aqui que esse anjo se apaga.
O invisível recupera à cor

O pão divino, o jarro de água fresca.
Só resta, na criança a tênue luz
Que faz sonhar que nela surge o dia.

Soient Amour et Psyché

I

Ces mains qui se prenaient à elle, dans la nuit,
Elle les ressentait sans nombre, ne cherchait
À leur donner figure. Il lui fallait
Ne pas savoir, désirant ne pas être.

Âme et corps, pour nouer vos doigts, unir vos lèvres,
Faut-il vraiment l'approbation des yeux ?
Peinent nos yeux, qu'oblige le langage
À déjouer sans répit trop de leurres !

Psyché avait aimé que ne pas voir,
Ce soit comme le feu quand il enveloppe
L'arbre d'ici des autres mondes de la foudre.

Éros, lui, désirait garder tout ce visage
Entre ses mains, il ne l'abandonnait
Qu'à grand regret aux caprices du jour.

Sejam Amor e Psiquê

I

Aquelas mãos que a ela, à noite, se rendiam,
Sem número as sentia, não procurava
Emprestar-lhes um rosto. Era preciso
Nada saber, desejando não ser.

Alma e corpo, pra os dedos juntar, lábios unir,
Será mister de fato a aprovação dos olhos?
Penam os nossos olhos, a que a língua obriga
A desfazer sem trégua embustes mil!

Psiquê havia amado que não ver,
Fosse assim como o fogo quando envolve
A árvore daqui o raio de outros mundos.

Eros, sim, desejava guardar esse rosto
Entre as suas mãos, e não o abandonava
Senão a muito custo aos caprichos do dia.

II

Et tout le jour Psyché est-elle aveugle, non,
Elle a tiré sur soi le drap de la lumière.
C'est l'été, tout est immobile sous le ciel,
Même le fleuve en son lit en désordre.

Elle, va, dans son corps, et seule. Mais voici
Qu'un étranger réclame, dans son sang,
C'est comme si l'esprit se désirait autre
Que soi, un embryon dans le sein de la mort.

Heureux le monde où déborde la nuit
Dans le jour, et ruisselle sous la lumière.
Avancer dans cette eau, jusqu'aux genoux,

C'est se tourner vers un autre soleil,
Et le fond de la mer est rouge, puis on nage
Et tout se perd de ce qu'on a été.

II

E todo o dia Psiquê é cega, não,
Sobre si ela puxou a coberta da luz.
É verão, tudo imóvel sob o céu,
Mesmo o rio em seu leito de desordem.

Ela vai em seu corpo, e a sós. Mas eis
Que um estranho reclama, no seu sangue,
É como se o espírito outro se quisera,
Não a si, um embrião, mas no seio da morte.

Feliz o mundo onde transborda a noite
No dia, e vai jorrando sob a luz.
Nessa água avançar, até os joelhos,

É se voltar para um sol diferente,
Do mar o fundo é rubro, então se nada
E tudo perde-se do que se foi.

III

Et Psyché s'engourdit, le soir venant, elle aime
Que batte dans son corps le cœur d'un autre,
Elle veut n'être plus que cette chambre sombre
Des enfants de la nuit, sommeil et mort.

C'est comme quand on touche à un miroir
Et que des doigts y viennent vers les nôtres,
Psyché croit qu'une main y prend la sienne
Pour la guider vers plus que ce qui est.

Vers plus ? Ce sont des marches qui descendent,
Et les corps se fatigue, les mains se crispent
Sur une lourde lampe, les genoux plient.

Psyché, pourquoi veux-tu, de ton épaule nue,
Pousser la porte où gît ton avenir ?
Tu entres, tu entends ces souffles paisibles.

III

E embota-se Psiquê, caindo a noite, ela ama
Que bata no seu corpo o coração de outro,
Ela quer não mais ser senão o quarto escuro
Desses filhos da noite, sono e morte.

É assim como tocar-se num espelho
E os dedos vêm ali pra junto aos nossos,
Psiquê crê que mão pega na sua
Para guiá-la além do que existe.

Para além? São degraus vão descendo,
E o corpo se fatiga, as mãos se crispam
Em lâmpada pesada, dobram joelhos.

Psiquê, queres por quê, com tua espádua nua,
Forçar a porta onde o porvir teu jaz?
Tu entras, ali ouves hálitos tranqüilos.

IV

Et a-t-elle allumé, à mains tremblantes,
Cette petite flamme ? Plus vite qu'elle
S'est jeté dans l'image, cette paix,
Quelque chose de noir, avec un cri.

Amour dort-il, non, ses yeux sont ouverts,
Mais ce ne sont que des orbites vides,
Deux trous, avec du sang. Est-il aveugle ?
Pire, ses yeux ont été arrachés.

Grand mouvement de ce grand corps qu'éveillent
Quelques gouttes de l'huile, qui le brûlent.
Tu erreras, dans les ronces du monde.

Il se redresse, il parle, que dit-il ?
Il attire la dévêtue contre son cœur,
Il écoute ses grands sanglots que rien n'apaise.

IV

Acaso ela acendeu, com mãos trementes,
Essa pequena chama? Mais depressa
Que ela lançou-se na imagem, tal paz,
Alguma coisa negra, com um grito.

Acaso dorme Amor, não tem olhos abertos,
No entanto são apenas órbitas vazias.
Dois buracos, com sangue. Ele está cego?
Pior, pois ele teve os olhos arrancados.

Grande agitar-se em corpanzil que acordam
Algumas gotas de óleo a queimá-lo.
Tu errarás pelas urzes do mundo.

Ele se ergue, fala, o que é que diz?
Puxa a despida junto ao coração,
Ouve-lhe os grandes ais que nada acalma.

Poemas extraídos de Raturer outre, *Éditions Galilée, 2010.*

....

Mario Laranjeira *é doutor pelo Departamento de Letras Modernas da USP onde também lecionou (além de outras universidades no Brasil e no exterior) de 1959 até sua aposentadoria em 2003. Tem mais de quarenta publicações entre livros originais, traduções e artigos em revistas de lingüística e literatura. Foi congratulado pelo governo da França com as* Palmes Académiques *(1970),* Chevalier de l'Ordre des Arts et Lettres *(1978) e* Officier des Palmes Académiques *(1997), além do Prêmio Jabuti, da Câmara Brasileira do Livro, pela publicação de* Poetas de França Hoje – 1945-1995 *(1996), e do Prêmio Paulo Rónai, da Fundação Biblioteca Nacional, pela tradução dos* Pensamentos de Pascal *(2001). Foi responsável pela tradução e a apresentação da* Obra Poética *de Yves Bonnefoy (FAPESP-Iluminuras, 1998).*

CONTO

A ARANHA
por Pedro Gonzaga

1

O professor fechou os olhos, a cabeça pendeu para um dos lados, o corpo deslizou na cadeira até encontrar a parede. Despertou num sobressalto, surpreendido talvez pela aspereza do reboco contra a face onde esperava encontrar um travesseiro de penas, cortesia do maravilhoso mundo dos borrachos. Muitos de nós também puxávamos um cochilo. Apenas algumas garotas, antecipando a paciência infinita que revelariam na maternidade, permaneciam acordadas. O que nos salvava eram as fichas para a mesa de sinuca. Para mim, impossibilitado de beber por causa dos anabolizantes, os dois períodos de Redação Publicitária se arrastavam ao infinito.

Antes os livros me ajudavam. Ingênuo, eu acreditava na alta cultura européia e no poder transformador da literatura. Os ferros tinham sido minha libertação. Se tivesse nascido em uma família tranchã do século XIX, na Inglaterra ou na Alemanha, estudado em colégios com providenciais banhos frios às cinco da manhã, talvez pudesse chegar a uma síntese mais adequada do problema, a um elaborado e arrasador tratado filosófico. Infelizmente não sou sábio nem escrevo livros que são dinamite. Abandonada a perspectiva de ser escritor depois de meia dúzia de contos sensaborões (a quem sempre é dado o poder de transcender as experiências banais), vitimado pela sobriedade compulsória (já mencionada), restavam-me frágeis opções. Era desconfiado demais para conseguir dormir em público, de modo que me restava repassar os exercícios do treino da manhã, planejar a rotina vindoura, sem deixar de contrair – sentindo o prazer que advém da dor – os músculos dos braços e do peito, as panturrilhas à beira da cãibra depois da pesada série de elevações.

Para minha surpresa o professor lograra se pôr de pé e se empenhava agora em escrever alguma coisa no quadro. Sua mão não parava de tremer. Com freqüência o víamos enchendo a cara no boteco na rua de trás da faculdade. Bebia cachaça, quando não vodcas batizadas com nomes de mulheres russas e álcool etílico. Dava para ver de longe a sujeira de suas roupas. O tremor foi se intensificando até que o giz terminou por lhe escapar dos dedos e se rompeu ao tocar o piso. Fez menção de juntar os destroços, mas logo desistiu, desabando novamente sobre a cadeira. Creio ter visto em seu rosto a sombra de um sorriso, mas em pouco tempo nos olhava com olhos vermelhos e vagos. Tentava nos dizer o que era um slogan, mas as frases pareciam desabar de sua boca, desmontando-se, tilintando como os cubos de gelo no copo imaginário que devia cintilar em sua cabeça. Cheguei a pensar, algumas vezes, em escrever um conto sobre ele. Por sorte, a vontade passava com uma velocidade luminosa: um fracassado não move 170kg no supino.

2

Em boa hora o Cirilo veio me libertar. Entrou na sala com a cara no chão.

O Adriano está só no capote, ele disse, murmurando, ao sentar do meu lado. Tu não vai durar nem cinco minutos.

Se ele fizer a chamada, já sabe, responde com uma voz diferente, aquele esquema, e me levantei, saindo o mais rápido que pude.

Adriano já me esperava junto à mesa. Passava o dia inteiro ali. A um ano de ser jubilado, tal ameaça não surtia qualquer efeito sobre sua disposição de subir para as aulas. Nas cadeiras em que tínhamos sido colegas, nunca o vira responder à chamada, nem sequer pedir para que alguém assinasse em seu lugar. Estava sempre no diretório acadêmico, na sinuca, na cerveja, no cigarro. Alguém devia sustentá-lo, mas nenhum de nós jamais descobriu a identidade da importante figura do mecenato local.

As bolas vermelhas já estavam posicionadas. Adiantei-me em direção às caçapas, procurando as azuis. Tentava ganhar o máximo de tempo. Em outras cadeiras dava para assinar a presença e desaparecer; o bêbado, no entanto, tinha o hábito de fazer uma segunda chamada antes de encerrar a aula, quiçá por velho hábito, encrencas com a diretoria, por estar então um pouco mais sóbrio.

Acelera aí, grandão, que hoje é dia de capote, ele disse, acendendo um cigarro.

Fui atrás de um taco que não estivesse completamente torto. Há anos nos prometíamos organizar uma rifa para comprar uma mesa nova, bolas numeradas, tacos com contrapeso. Bem, a sociologia pode lhes explicar, damas e cavalheiros, a dificuldade da mobilização humana, da organização das massas e outras conversas que mantêm as Ciências Sociais em polvorosa.

Adriano abriu a mesa com uma tacada direta, deslocando a minha primeira bola lateral da direita e protegendo a sua. Deu uma tragada no cigarro e o colocou sobre a aba de plástico da caçapa mais próxima. Soltou os cabelos negros e compridos e voltou a recompor o rabo de cavalo.

Minha tacada foi de uma covardia vergonhosa, mas atacá-lo seria burrice. Apenas rolei a bola que tinha sido aberta até encostar numa das suas. Adriano deixou transparecer seu desagrado. Era preciso agüentar muita coisa para ficar na mesa, pensei, desde os calouros que achavam bonito bater forte e fazer barulho até os veteranos manhosos, que se moviam com propositada lerdeza para aproveitar ao máximo a ficha da vez.

3

Dez minutos depois eu estava de volta à sala de aula. Pelo visto, a luta inglória do professor para escrever alguma coisa no quadro continuava. Voltei ao meu lugar, corri os olhos em busca de alguma colega que me servisse de alimento à fantasia. Procurei em vão uma roupa insinuante, uma barra de sutiã, o Senhor esteja comigo, uma calcinha exposta. Nada. No meio do verdor da lousa, erguia-se, trêmula, a frase: *Briefing é um resumo das necessidades do cliente.* Uma informação capital. Um pouco abaixo, em letras ainda mais irregulares: *Bom briefing = bom anúncio.* Uma hora de aula e isso era tudo.

Inclinei a cabeça para trás. Fiquei olhando para o teto. Foi quando avistei, um pouco acima da minha cabeça, sombra na parede, uma aranha negra e gorda. Não era muito grande, mas dava para ver o brilho de seus pelos sob a luz fosforescente. Avançava sem pressa, segundo aquela estranha maneira que as aranhas têm de mover as patas, como se não fossem estas as responsáveis por seu deslocamento. Julguei enxergar quatro pares de olhos sem pálpebras cravados em mim, pequenas bolhas vermelhas de sangue, mas era possível que isso não passasse da lembrança de uma ilustração do livro de biologia que usávamos no primeiro ano do colégio. De todo modo, o bicho tinha olhos, isso era certo, e haveria de ter também um sistema nervoso para processar as informações que esses olhos captavam, e isso me pareceu tenebroso. Os olhos vermelhos que eu via – ou imaginava ver – eram os olhos vermelhos do professor.

4

Quando entrei no diretório, Adriano despachava um pobre maconheiro. Havia dois na fila antes de mim, mas tinha resolvido dar o fora da aula de qualquer maneira, sem esperar pela chamada final. Eu já tinha tido o bastante daquilo. Decidi não assistir mais àquela cadeira, não enquanto a pobre aranha bêbada estivesse no comando. Pode ser difícil de acreditar, mas apesar dos meus 50cm de circunferência de braço, sou um cara sensível.

Procurei um lugar no sofá e me acomodei, fechando os olhos, ouvindo os sons das tacadas. Sentia nos dedos da mão direita a espuma enegrecida e fedorenta que brotava do forro rasgado na guarda. Era nojento, mas estranhamente reconfortante. Uma cerveja gelada e a vida voltaria a fazer algum sentido. O problema é que amanhã teria que tomar uma dose de Deca e outra de Durateston. Não se podia ter tudo com um fígado só.

Acorda aí, grandão, ele disse.

Abri os olhos e tentei esboçar um sorriso.

Tu sabe que eu não durmo em público, Adriano.

Ele foi até o som, um velho 3 em 1, totalmente descascado e trocou o lado do cassete.

Próximo, gritou.

Era sempre a mesma fita do Creedence. Vez ou outra, ele acompanhava os solos de guitarra no taco de sinuca.

Seu próximo adversário era um cara do quinto semestre, metido a escritor e músico, que chegou a me esgrimir um de seus contos, cheio de &s no lugar dos Es, negritos e outras trampolinagens de formatação. Parece que ganhou o primeiro prêmio num concurso nacional com esse texto, cujo conteúdo não era mais que uma comparação esdrúxula entre relacionamentos humanos e agências de publicidade. A imbecilidade sempre teve um apelo irresistível. Por sorte, havia justiça poética aqui nesta sala, e Adriano não levou mais de sete minutos para lhe dar o boa-noite.

Pedi ao escritor que fosse chamar o Cirilo, a ficha era dele. Depois de um tempo, o sujeito retornou, dizendo que Cirilo ia ficar para a chamada. Quis puxar uma conversa sobre seu novo livro que ia sair por uma editora de São Paulo, uma história com vários narradores e eu lhe disse para calar a boca. Ficou um pouco constrangido, mas se retirou em silêncio. Ah, se todos os debates literários pudessem ser assim.

Te arma, disse Adriano, vou ali no bar pegar um ceva antes que a tia feche.

Ergui-me devagar, recolhi as bolas azuis das caçapas. A essa altura era provável que jogássemos a última partida da noite. O porteiro era nosso camarada e segurava a onda por um copo de cerveja e um cigarro, mas nunca além das dez e quinze.

Faça as honras, disse Adriano, voltando com a bebida, estendendo a mão em direção à mesa.

Resolvi abrir com uma tacada forte, o que qualquer conhecedor do esporte sabe que raramente dá certo. Não há modo mais garantido de expor sua bola à perdição, pois as outras estão todas coladas às bordas. Sem falar que muitas vezes, seguindo um destino grego, a própria bola de abertura acaba se deixando encaçapar por uma má colisão. Mas enfim, queria soltar o braço. Acertei em cheio uma das vermelhas laterais de Adriano, que não ficou apenas vulnerável, como também descolou uma das que estavam no fundo. Ele coçou a barba e ergueu as sobrancelhas em sinal de aprovação. Vasculhou os bolsos em busca de um cigarro, que depois levou à boca, sem acendê-lo.

Finalmente alguma diversão, balbuciou.

Viu-se obrigado a optar por uma tacada defensiva, que não deu muito certo. Segui no ataque, implacável, sentindo-me como o velho Mike Tyson, uma máquina de nocautear no primeiro assalto. Eu sabia que ao longo do tempo não teria chance alguma.

No lance seguinte, encaçapei a primeira vermelha.

Negociamos algumas tacadas, as bolas foram se abrindo. Tentando me defender, meio às cegas, acabei por faturar mais uma das dele. Era meu recorde pessoal. Às vezes, todos merecemos um pouquinho de sorte.

A partida seguiu sem grandes acontecimentos por mais quatro rodadas. Até que consegui encurralar uma bola do Adriano junto à caçapa direita do fundo. Dando-a como perdida (e confesso não ter entendido sua estratégia então), resolveu atacar uma das minhas na outra extremidade da mesa, o que fez com eficiência, usando o caimento. Sua ameaça só teria sentido se eu não conseguisse converter minha jogada, perdendo assim o direito à tacada extra. Mas isso não ia acontecer. O lance era fácil, muito fácil, um movimento curto e eu teria três bolas de vantagem. Bastava cruzar o taco pelas costas, na altura da lombar, e aplicar uma tacada inversa, coisa que qualquer amador aprende na primeira ou segunda partida. Quando fui cruzar o taco, contudo, revelou-se algo que eu não previra: nos últimos meses meus músculos dorsais haviam crescido tanto que eu já não conseguia ter a elasticidade necessária para a manobra. Lembrei das sessões de alongamento que eu sempre pulava. Olhei ao redor da sala em busca de um extensor que eu sabia de antemão não haver por ali.

Que passa, grandão?

Adriano já não continha os risos. O desgraçado tinha previsto que eu não conseguiria fazer a jogada. Forcei o máximo que pude, mas a angulação do taco jamais se aproximaria da necessária. Comecei a suar. Pensei na vitória, tão próxima, isso relaxe esses trapézios, seu veado, os ombros, vamos, bailarino, lembre da vez em que o médico enfiou uma vareta do tamanho de uma antena de carro por sua uretra, o corpo é mais flexível do que parece, tinha dito o cretino. Maldição. O outro ria tanto que chegou a deixar o cigarro cair da boca. Não desista, seu verme, vamos. Ganhei alguns centímetros, mas minhas costas começaram a doer tanto que tive medo de uma contratura.

Sem o extensor seria impossível.

Cancelei o contorcionismo.

Naquele momento, o pessoal começou a sair das aulas, povoando o saguão em frente ao diretório. Adriano deu um gole na sua cerveja. Sequei o suor da testa na manga do moletom. A maior parte dos estudantes logo iria embora. Se fosse na quinta-feira, alguns ainda combinariam uma esticada, mas terça era fatal, não pegava bem em casa escancarar que esse negócio de faculdade não passava de vagabundagem subsidiada pelo governo.

Eu pensava em como realizar a jogada defensiva quando Juliana surgiu na porta. Era a nova pegadinha do Adriano, do segundo semestre, uma morena de pernas fortes, sempre comprimidas em calças de brim dois números menores do que seria o razoável. Gostava de usar botas de cano longo. Investia pesado na cerveja e na maconha e era fã dos Mutantes. Depois de beijar Adriano na boca e me cumprimentar com um beijo de corpo colado, puxou do bolso da calça uma fita cassete branca. Foi até o som e liquidou com o Creedence. Em instantes, começamos a ouvir um som de guitarra, depois o baixo e a bateria crua e o sotaque paulista da Rita Lee. Juliana acompanhava tudo de costas para nós, depois de frente, com um jogo nos quadris que se irradiava por braços e pernas. Como coadjuvantes, Adriano e eu ficamos ali plantados, ela a atriz que entra em cena com a linha capaz de mudar para sempre o destino de todos. Talvez pelo ridículo de estarmos ele e eu com os tacos nas mãos, talvez para nos mostrar sua interplanetária saúde, ela começou a gargalhar e dizer, vocês dois aí, e continuava gargalhando, fazendo a sala toda vibrar. Ao olhar para mesa, nosso jogo não me pareceu mais do que um passatempo de menininhos do pré-primário.

Continuamos outra hora, meu velho, disse Adriano, largando o taco, te dou duas de vantagem.

Acenei com a cabeça.

Não fica triste, P. G.. Vamos fazer o seguinte: te dou uma dança para compensar, disse Juliana.

Tocava *Desculpe, baby*, e ela se aproximou de mim. Eu não era bom nisso, mas seu corpo era quente e suficientemente hábil por nós dois. Adriano juntou o cigarro do chão e o acendeu, aumentou o volume do som e foi apagar uma das luzes, depois se deitou no sofá. Juliana e eu ficamos dançando na penumbra, devagar, a cabeça dela apoiada em meu ombro. Fechei os olhos, desci minhas mãos por suas costas, senti o cheiro dos seus cabelos e deixei que ela me conduzisse – Leonard Cohen na cabeça – até o fim da canção.

5

Saí da faculdade, não sem antes responder ao aceno malicioso do porteiro. Pelo resto da garrafa de cerveja, ele ia deixar que Adriano e Juliana tivessem dez minutos a sós lá no diretório.

Se precisar do esquema, estamos aí, ele disse, às minhas costas.

Acenei-lhe mais uma vez, avancei pelo calçamento irregular que corria pela frente do prédio. Meu carro estava estacionado na rua de trás, quase em frente ao boteco freqüentado pelos vagabundos da vizinhança e, evidentemente, por nosso professor de Redação Publicitária.

Enquanto retirava a corrente e o cadeado do volante, comecei a ouvir gritos: dois ou três caras cercavam um pobre diabo. De súbito, um deles disparou um golpe pesado, de mão aberta, em seu ouvido, derrubando-o do banco. Ao cair no chão, os outros começaram a chutá-lo. Era o professor. Estava tão bêbado que nem fez menção de se defender. Ninguém ali parecia se importar com seu destino. Só em mim alguma coisa se conturbava. Peguei a chave de roda no porta-malas do carro e entrei no boteco. Por um instante todos pararam. Senti meus dedos penetrarem no aço em minha mão. Pesquisas dizem que o uso excessivo de hormônios pode desencadear surtos de violência. Um dos três homens veio em minha direção, empunhando uma faca. Tentou me golpear na altura da barriga, mas meu braço era mais comprido que o dele e o acertei com um golpe na altura do ouvido. O sujeito desabou de imediato. Os outros dois ficaram me olhando, sem reação. Da minha direita veio o som de um de garrafa estilhaçada. Um baixinho (um quarto tipo que eu não tinha avistado), saltou rápido e eu mal tive tempo de me proteger. O golpe abriu um talho no moletom e no meu antebraço, do cotovelo ao pulso. Senti uma queimação, que me subia até o pescoço. Tentou um novo golpe na altura do meu rosto, mas consegui me esquivar. Aproveitei que todos – inclusive ele – reparavam na quantidade de sangue que escorria da ferida aberta e desferi um novo golpe com a chave, que acertou o baixinho em cheio na parte superior da cabeça. O sujeito caiu desacordado, debatendo um pouco as pernas. Preparei-me para o pior, alguém haveria de puxar uma arma. Os outros, contudo, foram se afastando, sem demonstrar muita emoção. A diversão havia acabado. O dono do boteco me fez um sinal com a cabeça, apontando para o professor. Enfiei a chave de roda no cinto e recolhi o desgraçado do chão, alçando-o por debaixo dos ombros, até que pudesse ficar de pé. Fui recuando em direção à porta. Sentia o sangue escorrer por meus dedos, o punho do blusão estava completamente empapado.

6

O professor morava num prédio quase de esquina, numa rua paralela à Azenha, ao lado de uma quitanda degradada. Conseguira lhe arrancar essas informações a muito custo. Meu braço ardia e latejava, tinha dificuldade em abrir a mão. Precisava ir para o hospital o quanto antes. Saí do carro e arranquei o professor do banco traseiro.

Próximo à entrada do edifício, o bêbado se desvencilhou de mim e começou a bater numa das janelas do térreo. Pouco depois, ouvi uns barulhos na porta da frente. Um sujeito atarracado e de bigode espiou por entre uma fresta e disse:

Sou Geraldo, o zelador. Vem, o apartamento dele fica no terceiro andar.

Não havia elevador. Tentei imaginar como o tampinha conseguia executar essa função sozinho. As luzes do corredor eram baças, conferindo um ar insalubre às paredes. Havia também um cheiro de gordura velha, de tapetes úmidos, de fossa entupida. Passei a respirar pela boca, mas o gosto que eu sentia era quase tão nefando quanto o fedor.

Finalmente chegamos à porta, o zelador sacou a chave sobressalente e a abriu. Acendeu o comutador.

A gente usa ela bastante, tentou um gracejo.

O lugar parecia um depósito abandonado: caixas e mais caixas de papelão empilhadas, livros desconjuntados, garrafas vazias de cachaça, vodca e uísque. O bêbado balbuciou alguma coisa, mas não demos bola. Seguimos em direção ao corredor, queríamos nos livrar o quanto antes daquilo.

Deixa que eu levo o professor para o quarto. Nem passa nós três aqui, disse o zelador.

Fiquei na sala, um pouco tonto, suando frio, vagando entre os entulhos. Uma das lâmpadas do spot do teto estava queimada. Foi quando percebi que as paredes estavam cobertas por molduras dos mais variados tamanhos e formas. Ao tentar me aproximar de uma delas, para ler o que estava ali enquadrado, tropecei numa caixa que estava no caminho. O conteúdo se espalhou pelo chão: dezenas de medalhas e placas de homenagem, totalmente cobertas pela ferrugem. Dei mais dois passos, apertei os olhos, mas ainda não conseguia ler o que estava escrito. Somente a um palmo de distância, percebi a grossa camada de pó que cobria o vidro. Passei os dedos sobre a superfície:

Arthur Nogueira – Redator do Ano – 1979

Havia um pequeno texto abaixo das garrafais, secundado por duas assinaturas floreadas. Na moldura ao lado, debaixo da camada de sujeira, um texto em francês dava conta de uma láurea internacional. Do fundo do apartamento veio um protesto surdo que logo se extinguiu. Pouco depois, o zelador retornava à sala.

Ele sempre me manda tomar naquele lugar, ele disse.

Caminhei em direção à porta aberta.

O mais engraçado, continuou, é que ele sempre fala isso. Vai tomar no cu, Geraldo.

Sentia minha cabeça rodar.

Podia xingar minha mãe, mandar eu me foder, mas ele sempre diz a mesma coisa. Vai tomar no cu, Geraldo. Não é engraçado?

Apressei os passos, sentido os degraus fugirem sob meus pés. Eu precisava chegar ao meu carro. Eu ia desmaiar.

Amanhã mesmo, se o senhor voltar com ele, vai ver. É só botar ele na cama e te garanto, vai me mandar tomar no cu.

Puxei a chave, mas não conseguia acertar o buraco da fechadura na maçaneta.

Não é engraçado? Geraldo, vai tomar no...

Pedro Gonzaga *é autor de dois livros de contos,* Cidade Fechada *(Editora Leitura XXI) e* Dois andares: acima! *(Editora Novo Século). Tradutor com mais de trinta títulos vertidos para o português, atualmente é doutorando em Literatura pela UFRGS.*

CONTO TRADUZIDO — 165

A VIAGEM
por Washington Irving

    Washington Irving (1783-1859) é comumente reconhecido pela fortuna crítica norte-americana como o pioneiro das letras nos Estados Unidos, "o primeiro a ganhar para o nosso país um nome e uma posição de honra na História das Letras", declarou seu amigo Longfellow, exprimindo uma gratidão que seria corroborada por Hawthorne, Melville e Edgar Allan Poe entre tantos outros jovens americanos que encorajou a se dedicarem à literatura. Primeiro best-selling author a viver de sua própria pena, teria ainda um importante papel na profissionalização do ofício, advogando assiduamente por uma legislação de proteção aos direitos autorais. Além de ensaios literários, históricos e de diversas biografias, entre as quais as de George Washington, Maomé e Cristovão Colombo (à qual curiosamente foi responsável por popularizar o mito de que os europeus tinham a Terra por plana), Irving é mais conhecido por seus contos, que lhe renderiam a admiração de autores como Walter Scott, Byron e Dickens, sendo o mais célebre The Legend of Sleepy Hollow *(A lenda do cavaleiro sem cabeça).*

    Em seu ensaio sobre Machado e o mar publicado nesta edição de D&C, *Rodrigo Duarte Garcia relembra a longeva tradição que desde Homero buscou na "imensidão das águas mais profundas um símbolo universal e poderoso para representar os mistérios da existência humana". Sem dúvida!, mas também tudo aquilo que nela há de tênue, suave ou mesmo monótono, pois a isso bem se prestam o vai e vem de suas águas. Num caso raro de bem sucedida simbiose, Irving confia a sua prosa ao mar deixando-se conduzir sem maiores cálculos por onde bem queiram suas vagas e ventos. Pois afinal, "quem poderá dizer, ao iniciar uma jornada, para onde o levarão as incertas correntes da existência?"*

> *Ships, ships, I will descrie you*
> *Amidst the main,*
> *I will come and try you*
> *What you are protecting*
> *And projecting,*
> *What's your end and aim.*
> *One goes abroad for merchandize and trading,*
> *Another stays to keep his country from invading,*
> *A third is coming home with rich and wealthy lading.*
> *Hallo my fancie, whither wilt thou go?*
>
> (Poema antigo)[1]

---

[1] "Naus, naus, eu vos desvendarei / No meio do mar, / Virei e sentir-vos-ei / O que protegeis / E projetais, / O vosso fim e a vossa meta. / Um parte para o estrangeiro em comércios e negócios, / Outro fica para evitar a invasão do seu país, / Outro volta a casa com cargas ricas e abundantes. / Oh, devaneio meu, aonde vais?"

Para um americano que vai de visita à Europa, a longa viagem que precisa fazer até lá já é uma excelente preparação. A ausência temporária de cenas e ocupações corriqueiras cria um estado de espírito especialmente apto a receber impressões novas e vívidas. O vasto espaço coberto de água que separa os dois hemisférios é como uma página branca na existência. Não há uma transição gradual que faça, como na Europa, as características e as pessoas de um país misturarem-se quase imperceptivelmente com as de outro. A partir do momento em que perdemos de vista a terra deixada para trás, tudo é um vazio até que ponhamos os pés nas praias opostas e sejamos lançados nas agitações e novidades de outro mundo.

Há nas viagens por terra uma continuidade de paisagem e uma sucessão de pessoas e incidentes correlatos que dão seqüência à vida e amenizam o efeito da ausência e da separação. Arrastamos, é certo, "uma corrente que se alonga"[2] a cada passo da nossa peregrinação. Mas a corrente não se parte. Podemos segui-la de volta, elo por elo; e sentiremos que o último deles ainda nos prende ao lar. Mas uma viagem por alto mar aparta-nos de tudo num só instante. Dá-nos a sensação de estarmos libertos do ancoradouro seguro da vida sedentária e soltos à deriva num mundo de dúvidas. Intercala um golfo – não apenas imaginário, mas real – entre nós e nossos lares; um golfo, sujeito a tempestades, e medo, e incerteza, o que torna a distância palpável e o retorno, precário.

Ao menos, foi esse o meu caso. Ver os últimos contornos azuis da minha terra natal desvanecerem-se como uma nuvem no horizonte era como fechar um tomo do mundo e suas preocupações, e dispor de algum tempo de reflexão antes de abrir outro. E aquela terra, que então fugia aos meus olhos, continha tudo o que me era mais caro na vida; que vicissitudes poderiam ocorrer nela; que mudanças ocorreriam em mim antes que pudesse visitá-la novamente! Quem poderá dizer, ao iniciar uma jornada, para onde o levarão as incertas correntes da existência? Ou quando retornará? Ou se lhe será concedido rever as paisagens da sua infância?

Disse que todo o mar era um vazio. Devo corrigir essa impressão. Para uma pessoa habituada a sonhar acordada e que aprecia perder-se em devaneios, uma viagem marítima é cheia de temas para a reflexão. Nessas circunstâncias, eles consistem nas maravilhas das profundezas e dos céus e tendem a desviar a mente dos assuntos corriqueiros. Eu folgava em debruçar-me sobre o parapeito da popa ou subir até a gávea num dia calmo e passar horas a cismar sobre o seio tranqüilo do mar de verão; a contemplar as pilhas de nuvens douradas espiando sobre o horizonte enquanto imaginava que algumas delas eram reinos fantásticos povoados por minhas próprias criaturas; folgava em observar as vagas, que em leve ondulação empurravam sua espuma prateada como que para a morte nessas alegres praias.

Havia uma deliciosa sensação de segurança mesclada com temor quando, desde a altura

---

[2] "*A lengthening chain*". Citação do poema "The Traveller", do escritor anglo-irlandês Oliver Goldsmith (1730-1774). Washington Irving, aliás, é autor de uma biografia de Goldsmith. (*N. do T.*)

vertiginosa em que me encontrava, eu menosprezava as cabriolas rudes dos monstros das profundezas: levas de toninhas saltando à volta do casco do navio; a orca, vagarosamente erguendo o imenso corpo acima da superfície; ou o ávido tubarão, rasgando as águas azuis como um espectro. A minha imaginação convocava tudo o que eu ouvira ou lera acerca do mundo aquático sob mim; acerca dos rebanhos escamados a perambular por vales imensuráveis; dos monstros informes que espreitam entre as próprias fundações da terra; e dos fantasmas selvagens que abundam nos contos de pescadores e marinheiros.

Às vezes, um veleiro distante, deslizando pelas bordas do oceano, tornava-se outro tema de ociosa meditação. Que interessante pedaço de mundo, apressando-se para reunir-se com o grande corpo da existência! Que glorioso monumento da engenhosidade humana, que de certa forma triunfou sobre os ventos e as ondas; que pôs em comunhão os cantos do mundo; que firmou um intercâmbio de bênçãos, derramando sobre as estéreis regiões do norte toda a exuberância do sul; que difundiu a luz do conhecimento, e as benesses da vida culta; e que assim ligou essas partes dispersas da raça humana, entre as quais a natureza parecia ter erguido uma barreira intransponível.

Certa vez, avistamos um objeto informe boiando à distância. No mar, qualquer coisa que quebre a monotonia da extensão ao redor atrai a atenção. O objeto revelou-se o mastro de um navio que emergira após um completo naufrágio, pois havia restos de lenços com os quais alguns tripulantes se ataram a essa verga a fim de evitar que as ondas os carregassem. Não havia qualquer traço que permitisse atinar com o nome do navio. Era evidente que aquela carcaça estava por meses à deriva; colônias de mexilhões impregnavam-na, e longas algas marinhas adornavam-lhe os lados.

Mas onde, pensava eu, estariam os tripulantes? Há muito a sua luta acabara. Afundaram-se em meio aos rugidos da tempestade; seus ossos pálidos repousam entre as cavernas da profundeza. Silêncio e olvido, como ondas, fecharam-se sobre eles, e ninguém pode contar a história do seu fim. Quanto não se haverá suspirado por esse navio! Quantas orações por ele não foram feitas diante da solitária lareira de um lar! Quantas vezes senhoras, esposas e mães não esquadrinhavam o jornal para encontrar alguma nota casual sobre esse explorador das profundezas! Como as expectativas degeneraram em ansiedade, a ansiedade em lamentação e a lamentação em desespero! *Alas*! Sequer um recordo jamais retornará para que o amor o acalente. Tudo o que se pode saber é que o barco partiu de seu porto "e depois nunca mais se teve notícias!"

A visão daqueles destroços, naturalmente, deu azo a muitas histórias sombrias. Aquele entardecer era particularmente propício para tanto: o tempo que até o momento estava bom começava a parecer revolto e ameaçador, dando indícios de que uma dessas borrascas súbitas rebentaria sobre a serenidade da nossa viagem de verão. Sentamo-nos em torno da luz baça de uma lâmpada, na cabine, o que deixava a escuridão ainda mais sinistra, e cada um tinha uma história de naufrágio e desastre que contar. Marcou-me particularmente um curto relato do capitão:

"Certa vez, eu navegava", disse, "num navio bom, robusto, pela costa de Terra Nova quando uma dessas pesadas neblinas que dominam a região impediu-nos de enxergar ao longe, mesmo durante o dia; à noite, a atmosfera era tão espessa que não podíamos distinguir qualquer objeto a uma distância maior que duas vezes o comprimento da nossa nau. Mantive acesas as luzes no tope do mastro e permaneci atento às sumacas de pesca, que costumam ancorar por aquelas margens. O vento soprava forte, e fazíamo-nos ao largo em grande velocidade. De súbito, o gajeiro deu o alerta: 'Embarcação adiante!' Mal terminara ele de pronunciar essas palavras e eis que já estávamos em cima do navio. Era uma escuna pequena, ancorada de través à nossa frente. Toda a sua tripulação dormia, sem o cuidado de deixar alguma luz acesa. Acertamos-lhe à meia nau. A força, o tamanho e o peso de nossa embarcação empurraram-na para debaixo das ondas; passamos sobre ela, e nosso barco começou a ir mais ligeiro. Enquanto a escuna destroçada naufragava sob nós, vi de relance dois ou três infelizes semi-nus saindo de suas cabines; levantaram-se das suas camas apenas para serem engolidos, aos gritos, pelas ondas. Escutei seus clamores afogados misturarem-se ao vento. A rajada que os trouxe aos nossos ouvidos ensurdeceu-nos. Jamais esquecerei aqueles gritos! Levou algum tempo até que pudéssemos parar o nosso navio, tamanha a força com que nos movíamos. Voltamos ao lugar em que, supúnhamos, a pequena nau estivera ancorada. Vagamos pela região por horas em meio à densa neblina. Disparávamos sinalizadores e mantínhamos os ouvidos bem abertos, na expectativa de escutar o chamado de algum sobrevivente. Mas houve apenas silêncio. Nunca mais vimos nem ouvimos nada".

  Admito que essas histórias puseram fim às minhas mais belas fantasias por alguns instantes. A tempestade intensificava-se junto com a noite. O mar revolvia-se em tremenda confusão. Ouvíamos o som pavoroso e ameaçador das ondas agitadas e do impacto das marés. Um abismo chamava outro. Por vezes, a massa negra de nuvens sobre nós parecia ser cortada pelos lampejos dos raios que vibravam ao longo da superfície espumosa dos vagalhões, e a escuridão conseguinte era duas vezes mais terrível. Os trovões urravam sobre aquele vasto deserto de águas, e o seu eco propagava-se pelas montanhas de ondas. Eu via o navio cambalear e submergir entre as cavernas estrondosas e pareceu-me um milagre que ele tenha recuperado o equilíbrio continuando a flutuar. Os deques mergulhavam nas águas; o casco estava quase enterrado sob as ondas. Por vezes, surgia uma maré súbita pronta para engolfá-lo não fosse um movimento hábil do leme preservá-la do choque.

  Retirei-me para a minha cabine, com a cena horrenda ainda a perseguir-me. O assovio do vento através do cordame soava como lamentações fúnebres. Era assustador escutar os estalos dos mastros, os chiados e rangidos dos tabiques, enquanto o navio enfrentava o mar caótico. O barulho das ondas varrendo os lados do navio, o seu rugido nos meus próprios ouvidos, era como se a Morte estivesse rondando esta prisão flutuante em busca de sua presa: o vão de um prego solto ou o rasgo em uma costura poderiam ter-lhe servido de entrada. Um dia bonito, porém, com mar tranqüilo e brisa favorável, logo afastou todas essas reflexões sombrias. É impossível resistir à influência benfazeja do clima agradável e do bom vento no mar. A nau coberta do seu esplendor, todas as suas velas enfunadas, vogando alegremente sobre as águas ondulantes: como é altiva, como é galharda! Como parece dominar as profundezas!

  Eu poderia encher um livro com os devaneios de uma viagem marítima; pois para mim, ela é quase um devaneio contínuo. Mas é tempo de chegar à costa.

Era uma bela manhã ensolarada quando o instigante grito de "terra!" soou a partir do tope do mastro. Ninguém além daqueles que tiveram tal experiência pode fazer idéia da deliciosa torrente de sensações que invadem o peito de um americano ao avistar a Europa pela primeira vez. Apenas o seu nome já evoca uma enormidade de associações. É a terra da promissão, prenhe de tudo o que ouvira durante a infância ou que ponderara nos seus anos de estudo.

Desde aquele instante até o momento da chegada, tudo foi um entusiasmo febril. Os navios de guerra, que rondavam a costa como gigantes guardiões; os promontórios da Irlanda, esticando-se no canal; as montanhas galesas assomando-se às nuvens: tudo era alvo de intenso interesse. À medida que o vento nos empurrava até Mersey, eu reconhecia as praias com uma luneta. Meus olhos demoraram-se com agrado em chalés brancos, com seus arbustos aparados e gramados verdejantes. Vi as ruínas decadentes de uma abadia tomada pelo mato e o pináculo cônico de uma igreja de vila erguendo-se sobre as fraldas de uma montanha próxima: tudo bem próprio da Inglaterra.

A maré e o vento foram tão favoráveis que o navio pôde ir diretamente ao píer abarrotado de pessoas. Algumas delas eram curiosos ocasionais; outras esperavam ansiosas por amigos ou parentes. Pude distinguir o mercador a quem o navio se destinava. Reconheci-o pela testa franzida em cálculos e pelo ar inquieto. Suas mãos estavam enfiadas nos bolsos; ele assoviava pensativo, andando de um lado para o outro. A multidão concedera-lhe um pequeno espaço em respeito à sua importância temporária. Aclamações e cumprimentos iam e vinham repetidas vezes entre a praia e o navio à medida que os amigos reconheciam-se uns aos outros. Reparei especialmente numa jovem em trajes simples, mas com um comportamento intrigante. Esticava o pescoço no meio da multidão; o olhar atirava-se ao navio que se aproximava da praia na tentativa de captar um semblante desejado. Parecia desapontada e triste. Escutei, então, uma voz débil chamar-lhe o nome. Era um pobre marinheiro que passara toda a viagem doente e recebera a benevolência de todos a bordo. Quando o clima estava bom, seus companheiros estenderam-lhe um colchão à sombra, no deque, mas depois a sua enfermidade agravou-se tanto que o marinheiro teve de ser levado à sua rede, suspirando apenas o desejo de ver a esposa antes de morrer. Ao entrarmos no estuário, ajudaram-lhe a subir para o deque. Ele então se debruçou sobre os ovéns, com um semblante tão abatido, tão pálido, tão lânguido, que não seria de surpreender que nem mesmo os olhos amorosos o reconhecessem. Mas ao som da sua voz os olhos da mulher cravaram-se nos seus traços: leram, de uma só vez, todo um compêndio de dor. Ela apertou as mãos e, gemendo debilmente, espremia-as numa agonia silenciosa.

Tudo agora era pressa e agitação: encontros entre conhecidos, cumprimentos entre amigos, troca de conselho entre negociantes. Apenas eu estava solitário e desocupado. Não tinha amigos a encontrar nem saudações a receber. Pisei a terra dos meus antepassados. Mas senti que era um estranho naquela terra.

Tradução de Cristian Clemente.

ROHMER: A COMÉDIA HUMANA DE MANEIRAS E IDÉIAS

por Jonas Lopes

Para muita gente, Eric Rohmer não passa de uma nota de rodapé no verbete da nouvelle vague em enciclopédias sobre o cinema. A obsessiva atenção dedicada pela crítica especializada e até pelo público a Jean-Luc Godard e François Truffaut condenou Rohmer – e também outros expoentes do período, como Alain Resnais, Claude Chabrol, Jacques Rivette e Agnès Varda, embora nem todos pertencessem ao núcleo da revista *Cahiers du cinéma* – a mero coadjuvante, alguém que fez filmes paralelamente a Godard e Truffaut. E enquanto esses dois e a relação entre eles são temas de livros e documentários – e por isso acabaram acomodados no círculo de divulgação de um público mais amplo –, Rohmer e companhia seguem confinados aos circuitos alternativos. O que, na verdade, pouco importa, até porque tais situações são cíclicas – basta lembrar que antes da década de 60 Gustav Mahler era um compositor pouco executado nas salas de concerto mundo afora, até que Leonard Bernstein, então diretor da Filarmônica de Nova York, promoveu uma campanha a seu favor; hoje não há orquestra minimamente séria que não o inclua em seus programas.

Muito mais importante do que reparar injustiças históricas é livrar Eric Rohmer de certas opiniões estigmatizadas e pejorativas sobre sua produção. A primeira envolve o suposto conservadorismo moral e político do cineasta, em oposição ao engajamento de Godard ou Resnais, o que para muitos formadores de opinião é um crime inafiançável. Rohmer se dizia indiferente a política quando questionado sobre o assunto em entrevistas, embora de fato garantisse que, mesmo não se considerando de direita, de esquerda ele tinha certeza absoluta que não era. Irritava-o, por sinal (e era um homem pouco irritável, ao menos pelo que se pode depreender das raras entrevistas que concedeu), a ditadura pública esquerdista, tida como detentora do monopólio da verdade e da justiça. "Eu também sou partidário – e quem não é? – da paz, da liberdade, da extinção da pobreza e do respeito às minorias", declarou em entrevista ao crítico Jean Narboni. "Mas isso não é ser de esquerda. Ser de esquerda é aprovar a política de alguns homens, partidos ou regimes que se denominam assim, nos quais nada impede que pratiquem, quando lhes convêm, a ditadura, a mentira, a violência, o favoritismo, o obscurantismo, o terrorismo, o militarismo, o belicismo, o racismo, o colonialismo, o genocídio".

Tal discussão sobre posições políticas servem, na verdade, para conduzirmos o debate a uma questão essencial, derivada de outro preconceito sofrido pela obra de Rohmer: a de conservadorismo estético. Enquanto Godard atravessou os anos em busca de formas de revolucionar a linguagem do cinema, acertando em muitos momentos (tudo que fez até 1967 e jóias posteriores como *Salve-se quem puder (A vida)* e os ensaísticos *Elogio ao amor* e *JLG por JLG*), porém também falhando miseravelmente em outros (a moralista fase maoísta dos anos 70, a medonha adaptação de *Rei Lear*, *Infelizmente para mim*, o recente *Filme Socialismo*), Rohmer recorreu a filmes lineares, centrados em personagens, em dilemas morais, em diálogos, abstendo-se em vários momentos de abordar temas políticos e ideológicos. François Truffaut sofreu críticas do próprio Godard por recorrer também a narrativas tradicionais, e era igualmente desprezado pela esquerda militante; o charme fácil de seus filmes, no entanto, lhe garantem um público que Rohmer não teve (outra diferença: Truffaut participou dos protestos de maio de 1968). Jacques Rivette, no fim das contas, é o mais próximo de Rohmer nesse sentido.

Tudo isso para dizer que poucos cineastas – na nouvelle vague, inclusive – foram tão modernos quanto Eric Rohmer; esse, e não tolas patrulhas ideológicas de direita ou de esquerda, é o ponto fundamental. Rohmer detestava as divisões usuais entre clássico e moderno, por acreditar que os dois conceitos não podem ser dissociados. "Quanto mais se respeita o passado, mas se caminha em direção ao moderno. O conservadorismo extremo e o progressismo extremo são irmãos". Era, pois, um profundo admirador do cinema clássico. Nos tempos de crítico escreveu, ao lado de Claude Chabrol, um ensaio sobre a obra de Alfred Hitchcock, considerado até então um diretor comercial e pouco profundo. Elogiou grandes narradores de Hollywood (Howard Hawks, Nicholas Ray, Joseph L. Mankiewicz, John Ford), idolatrava Jean Renoir, a seu ver o nome a ser batido na França (inclusive no subestimado período americano), Robert Bresson e Roberto Rossellini (converteu-se ao catolicismo durante uma sessão de *Stromboli*, e a obra-prima *Viagem à Itália* figurava no seu *top ten* de todos os tempos). É preciso levar em consideração, contudo, o amor de Rohmer pelos precursores da arte cinematográfica: Murnau, seu ídolo maior (mantinha uma máscara mortuária do alemão no escritório de sua produtora e escreveu um longo ensaio acerca de *Fausto*), Griffith, Eisenstein, Dreyer, Lang, Flaherty, Chaplin, Keaton. "É como na pintura moderna: os melhores são aqueles que utilizaram os antigos, como Picasso". O historiador da arte italiano Giulio Carlo Argan definiu, em um ensaio famoso, os conceitos de clássico e anti-clássico. Segundo Argan, o clássico busca traçar um diálogo direto com o passado, ao passo que o anti-clássico, como Michelangelo, sabe usar características do clássico para abrir veredas antes desbravadas. Mal comparando, Rohmer encaixa-se na categoria dos anti-clássicos. "Sou mais um reformista do que um revolucionário", disse na supracitada entrevista a Jean Narboni, recolhida no ótimo volume *The taste for beauty*. Nem toda quebra de paradigmas depende somente de desconstrução.

A paixão pelo clássico combinou-se às teorias sobre o cinema de autor, e da mistura Rohmer deu à luz seus filmes. Com uso pouco ortodoxo de edição, takes longos, câmera quase invisível, onisciente, pouquíssima trilha-sonora ou closes nos rostos de atores, o ritmo ditado pelos diálogos, eles são mais centrados no pensamento do que na ação. É famosa a frase dita pelo personagem de Gene Hackman em *Um lance no escuro* (*Night Moves*), de Arthur Penn: "vi uma vez um filme de Rohmer. Era como assistir a tinta secando". Preconceitos assim pululuram ao longo dos anos. Obviamente, não há neles nada de verdadeiro. Os filmes de Rohmer trazem discussões sofisticadas sobre temas fundamentais (família, amor, morte, desejo, amizade, beleza, liberdade, ética, traição, felicidade) sem perder a fluência narrativa. Rohmer discordava da teoria de Pier Paolo Pasolini de que o cinema se divide entre prosa e poesia. "Para mim, existe uma forma moderna de cinema de prosa, narrativo, no qual a poesia está presente, mas não é buscada de antemão; aparece como um acréscimo". Outra declaração famosa do francês reafirma a profissão de fé na necessidade de manter uma relação com o passado: "Diderot é um 'roteirista' muito mais moderno do que Faulkner". Sua lista de autores de cabeceira ratifica a divisão de clássicos e modernos. Cabiam nela tanto Balzac ("o gosto por tramas é parte do meu lado balzaquiano"), Racine, Stevenson, Melville, os moralistas do século 18 e o próprio Diderot, quanto Henry James e Joseph Conrad, dois autores igualmente preocupados em renovar a ficção sem abandonar a força narrativa. Muito se comparou Rohmer a Henry James, e apesar das inúmeras diferenças na escola de temas, a analogia faz sentido, sobretudo no uso de argumentos esquálidos, frágeis. Para Rohmer e James, a trama poderia até parecer a de uma novela de televisão, simples, mesmo simplista, desde que o tratamento narrativo a transformasse em algo elevado. E há, outra vez, Balzac. Rohmer considerava seus filmes comédias; comédias de maneiras e de idéias, vale acrescentar, ou comédias humanas de maneiras e idéias.

Jean-Marie Maurice Schérer nasceu a 4 de abril de 1920. Na juventude fora professor de literatura e aspirava ser escritor. Publicou em 1946 o romance *Elizabeth*, sob o pseudônimo Gilbert Cordier, e o livro, marcado segundo o próprio autor pela influência de literatura americana (principalmente Faulkner), quase não teve repercussão. Assinando Maurice Schérer, deu início à carreira de crítico de cinema, a princípio na *Gazette du cinema*, em *Les temps modernes* (onde se estranhou com Merleau-Ponty, que se irritou quando Rohmer escreveu que "se é verdade que a história é dialética, em algum momento os valores conservadores serão mais modernos que os valores progressistas") e na *Revue du cinema, entre outras, até se estabelecer na Cahiers du cinéma*, editada por ele entre 1957 e 63. Apaixonara-se pela sétima arte em visitas a um cineclube do Quartier Latin. Apenas mais tarde, já como cineasta, adotou o pseudônimo Eric Rohmer, homenagem ao ator e diretor austríaco Erich von Stroheim e ao romancista inglês Sax Rohmer. Extremamente reservado, dava poucas entrevistas, e nelas falava apenas sobre a obra, nunca sobre a vida particular, motivo pelo qual se conhece pouquíssimo acerca dela (reza a lenda que a mãe de Rohmer morreu sem saber que o filho fazia filmes). O primeiro longa, *O Signo do Leão* (antes fez alguns curtas, inclusive uma adaptação rara de *A sonata a Kreutzer* de Tolstói), de 1959, foi um fracasso de bilheteria, ressaltado ainda pelo sucesso alcançado naquele ano pelos outros cineastas franceses (*Acossado, Os incompreendidos, Hiroshima mon amour, Os primos*). *O Signo do Leão*, sobre um músico que acredita ter recebido a herança de uma tia e acaba ficando na miséria, está longe de ser ruim. Seu único pecado é ainda não possuir as qualidades que o consagrariam pouco tempo depois – tem poucos diálogos, bastante música, nenhuma digressão.

Cerca de uma década mais velho que os colegas de cena, prejudicado ainda pelo estilo reservado e pela falta de paciência para o marketing pessoal, passou os anos seguintes na obscuridade, inclusive dirigindo filmes para a televisão francesa (um deles, sobre Pascal, deu ensejo a *Minha noite com ela*; Victor Hugo e Mallarmé também foram temas de longas à época). Não que estivesse totalmente fora da cena. Em 1963 Eric Rohmer começou a trabalhar no importante conjunto de trabalhos de sua carreira, os *Seis contos morais*, finalizado em 1972 e que mais tarde seria seguida pelas séries *Comédias e provérbios* (anos 80) e *Contos das quatro estações* (anos 90); tal procedimento influenciou outro mestre, coincidentemente católico, o polonês Krzysztof Kieslowski (no *Decálogo* e na *Trilogia das cores*). O ídolo Murnau (mais exatamente seu maravilhoso *Aurora*, de 1927) serviu, de certa forma, de inspiração aos contos morais. Foi a partir dele que Rohmer bolou a estrutura básica dos contos, que via como um único filme, se possível exibidos de uma vez: um homem articulado, porém imaturo, ama ou está casado com uma mulher estável, mas se apaixona por outra, que lhe cativa sentimentos mais impulsivos. Após flertar com o perigo, o personagem retorna à mulher original. Esses trabalhos eram adaptações de narrativas curtas escritas por Rohmer e recusadas por editores. Garantiram-lhe eternamente a alcunha de "cineasta literário", embora no início isso não tenha sido um alívio. O produtor Barbet Schroeder, parceiro de Eric Rohmer desde a década de 60, lembra que *Minha noite com ela* chegou a ser recusado por festivais de cinema por ser considerado "teatro filmado". Rohmer discordava da definição. Para ele, há inegáveis elementos literários, como os diálogos, as conversas de cunho filosófico, tudo aquilo que é dito, mas também as elipses. Há uma diferença entre dizer e mostrar; o francês queria tanto mostrar quanto dizer.

Mas isso tudo é apenas uma dentre várias outras características, em especial as visuais. O jornalista Sérgio Augusto anotou, em um artigo publicado dias depois da morte de Rohmer, em janeiro de 2010, o fato de que ele estava à frente dos outros diretores franceses em termos de conhecimento de filosofia (considerava-se um kantiano, diga-se, ainda que seja plausível imaginá-lo lendo Montaigne, além de Pascal, naturalmente) e de artes plásticas. Costumava explorar a paleta de cores, o universo temático e as composições luxuriantes de mestres da pintura. Foi assim, por exemplo, em *O joelho de Claire* (Paul Gauguin), *Pauline na praia* (Henri Matisse), *A marquesa d'O* (Jacques-Louis David), *O amigo da minha amiga* (Nicolas de Staël) e *Os amores de Astrée e Céladon* (Simon Vouet). Seu uso de cores e paisagens é revelador. Erudito, escreveu um tratado admirável sobre música clássica, *Ensaio sobre a noção de profundidade na música: Mozart em Beethoven*, publicado no Brasil pela Imago. Preparou, por fim, uma peça intitulada *Trio em mi bemol maior*, homenagem a um divertimento para violino, viola e violoncelo de Mozart (KV 563).

O aspecto literário pode ser apenas

um de muitos outros que integram as obras de Rohmer, mas sem dúvida é o principal deles. Daí a insistência em mencionar os diálogos. As intermináveis conversas entre os personagens justificam a pecha de "cineasta da linguagem" atribuída a Rohmer. Através das palavras os personagens mentem, confessam, flertam, ocultam, analisam, enganam-se, fantasiam, provocam, racionalizam, lamentam, celebram, justificam. Trata-se do uso da linguagem como profissão de fé, um atestado de sobrevivência, a descoberta de si mesmos através da verborragia. Nem sempre é fácil gostar desses personagens desde o início; muitas vezes parecem mimados e narcisistas, sem rumo, fora da realidade, como se chafurdassem na auto-piedade a cada lance fracassado. E tudo isso é verdade mesmo – quem de nós não é assim? Rohmer os manipula à maneira do – é preciso retomar a analogia – romancista americano Henry James, especialmente em seus romances tardios, a exemplo de *Pelos olhos de Maisie*, *Os embaixadores* e *As asas da pomba*. Ambos, por sinal, atuam no território do realismo sugestivo, e o francês, como lembrou Sérgio Augusto, sempre defendeu o uso do realismo não como um modo de mimetizar naturalisticamente a realidade, e sim como busca da essência mais pura e verdadeira dos objetos analisados, no caso os personagens.

Assim como James, permitia ao público saber mais sobre os personagens do que eles próprios, embora isso não signifique que seus atos sejam facilmente previsíveis. Ao contrário, e aí reside parte da raiva que muitos espectadores sentiam pelos personagens, a seqüência de atos não raro resvala na falta de senso de ridículo. Caso de Sabine, em *Um casamento perfeito* (1982), resolve se casar com um bom partido antes mesmo que o rapaz saiba, e passa a agir publicamente como se tudo estivesse acertado entre ambos. Ou de Adrien, em *A colecionadora* (1967), que ao invés de entregar-se a Haydée a incentiva a conhecer outros homens. Ou do jovem Gaspard, em *Conto de verão* (1996), cujo amor está dividido entre três garotas completamente distintas entre si. Ou ainda de Frédéric, em *Amor à tarde* (1972), apaixonado pela esposa, e que mesmo assim devaneia no caminho até o emprego, sonhando com amantes, até que um caso, com a belíssima Chloé, acaba mesmo se tornando realidade. Essas atitudes aparentemente inexplicáveis resultam do desejo de cada um dos personagens de manter-se fiel a si mesmo – ou, pelo menos, vale repetir, aquilo que acreditam ser, visto que raramente conseguem ter uma noção exata.

"Palavras são lâminas, assim como um silêncio", afirma alguém em um dos prólogos de *A colecionadora*. "Aquele que fala demais acaba se machucando" é o provérbio de *Pauline na praia* (1983). Ou seja, instrumentos de ataque e defesa, como bem sabe Jean-Louis, de *Minha noite com ela* (1969) – o ponto mais alto da *oeuvre* rohmeriana. Engenheiro católico de uma pequena cidade do interior, ele se apaixona por uma mulher que vê aos domingos na missa. Decide se casar com ela – mais uma das certezas irredutíveis e algo falhas, sempre a ponto de desmoronar, típicas em Rohmer. Um amigo marxista o leva então para conhecer Maud, mulher divorciada e independente, cujo comportamento liberal ao mesmo tempo o incomoda e atrai. O trio passa horas discutindo metafisicamente questões relacionadas a moralismo e religião, inclusive Pascal, a quem Jean-Louis vem lendo. Maud não demora a perceber que a inclinação ao catolicismo, ainda que sincera, funciona como uma couraça instituída por Jean-Louis a fim de proteger-se. O jogo constante de manipulação faz parte da noção nublada dos personagens sobre o livre arbítrio, comprometimento e controle de sentimentos. Falam para driblar a curiosidade alheia, mas também, repito, para descobrir quem são, e acabam fazendo, dessa forma, com que os outros os conheçam mais do que se ele tivesse ficado quieto. Manter a liberdade ou entregar-se a outrem? Aí está outra questão recorrente, que o diga Jérôme, de *O joelho de Claire* (1970), Félicie, de *Conto de inverno* (1992), ou Delphine, de *O raio verde* (1986). Os confrontos entre razão e emoção terminam com epifanias e as figuras reconhecendo enfim que haviam agido estupidamente. Reconciliados com o autoconhecimento, podem agora decidir como levar à frente a relação.

Aliás, uma observação importante: enquanto nos *Seis contos morais* a perspectiva é predominantemente masculina, com protagonistas flertando com o adultério, as *Comédias e provérbios* (cada filme do ciclo começa com um provérbio popular ou literário) comprovam que Rohmer também sabia abordar o ponto de vista das mulheres. Os *Contos das quatro estações* retomam os temas básicos dos contos morais, porém sob um prisma mais leve e com foco dividido entre protagonistas masculinos (*Conto de verão*) e femininos (os outros três).

Além dos ciclos, Eric Rohmer tem em sua filmografia longas "soltos", de tendência mais política. O histórico *A marquesa d'O* (1976) é uma requintada e fiel adaptação da novela de Heinrich von Kleist sobre uma mulher que se apaixona por um oficial durante uma invasão russa à Alemanha no século 18. Estuprada por soldados russos, ela engravida e precisa justificar a situação ao amado. Outra incursão pela história acontece em *A inglesa e o duque* (2001), reinterpretação da Revolução Francesa e adaptação do diário de Grace Elliott, que defende a sempre condenada posição dos nobres em oposição aos selvagens e bêbados jacobinos. Para quem acusava Rohmer de ser esteticamente conservador, o filme era uma resposta contundente e corajosa. Realizado com tecnologia digital, o título traz pinturas como cenários de fundo, posteriormente integradas às cenas. O resultado é estonteante. Já defesa dos aristocratas rendeu críticas ferozes da esquerda a Rohmer. Não que ele se importasse: seu amor pela liberdade não permitiria. Até porque ele já havia feito *A árvore, o prefeito e a mediateca* (1993), sobre um político que enfrenta a fúria da sociedade ao tentar instalar um centro cultural numa pequena e provinciana cidade do interior. Rohmer transporta para o âmbito público, no confronto direto com o privado, a relação de liberdade entre população e estado. Ironiza a esquerda, pela militância invasiva, utópica e burocrática, e a direita, pelo medo de dar passos adiante e pelo trato da cultura como um elemento supérfluo na organização social.

Se havia causado surpresa ao mostrar vigor na velhice em *A inglesa e o duque*, superou-se ainda mais na obra-prima tardia *Agente triplo* (2004), fábula sombria sobre confiança e linguagem – sobre como as palavras ditas sem cuidado podem levar alguém à danação – travestida de thriller de espionagem. Na trama, um enigmático agente russo vive escondido em Paris com a esposa durante a Segunda Guerra Mundial, e o mistério de sua identidade (e o motivo de sua missão na capital francesa) conduz o casal a um desfecho dramático. O mais curioso é que apenas quando Rohmer lançou um thriller "de verdade", literal, os críticos passaram a notar o quanto de suspense havia nos filmes anteriores. Ao menos se considerarmos o conceito de suspense cunhado por Hitchcock, que na célebre entrevista a François Truffaut o diferencia da surpresa por informar o público do acontecimento que está por vir. Por exemplo, deixar a plateia ver uma bomba ser plantada debaixo de uma mesa e então colocar duas pessoas sentadas à mesa conversando durante quinze minutos. A tensão é inevitável e o suspense, extremamente eficaz. Rohmer não lidava com temas tão explosivos, na verdade recorria a sentimentos, mas, hitchcockiano que era, aprendeu bem o expediente do "MacGuffin", o elemento que atrai a atenção dos espectadores na trama, conduz o desenvolvimento da história e, ao final, parece às vezes nem causar tanto impacto no enredo em si; está ali para revelar algo submerso nos personagens. São exemplos de MacGuffins o colar perdido em *Conto de primavera* (1990) e o desejo incessante de Jérôme de tocar o joelho da ninfeta Claire.

A influência de Eric Rohmer sobre outros cineastas anula qualquer argumento ou patrulha em relação a seu suposto conservadorismo político e estético – de resto, infundado. Dois casos de diretores jovens que devem parte da formação a ele: o francês Arnaud Desplechin e o americano Noah Baumbach, que o homenageou carinhosamente em *Margot e o casamento*, estrelado por duas personagens com nomes tirados de uma das atrizes rohmerianas paradigmáticas, Amanda Langlet (Pauline e Margot). E como criticar alguém que, após décadas de produção, tem a energia de dirigir *A inglesa e o duque* e *Agente triplo*? Rohmer queria mais. Seu trabalho final, *Os amores de Astrée e Céladon* (2007), versão para um romance setecentista de Honoré d'Urfé, contesta o conceito de estilo tardio raivoso e radical de Beethoven, Rembrandt ou Goya. Pastoril, contagiante e fantasioso, o filme se filia à linhagem das comédias leves e irônicas de Shakespeare (*A comédia dos erros*, *Como gostais*, *Noite de reis*). Não tinha jeito, afinal, de Rohmer encerrar a carreira sem um manifesto sobre essa coisa patética e charmosa, irritante e incontornável que é a relação amorosa.

Jonas Lopes é jornalista da revista Veja São Paulo.

DIABOLUS IN MUSICA
por Bruno Gripp

Na escala musical de dó ocidental, o trítono é o intervalo que ocorre entre o quarto e o sétimo grau. Esse intervalo, composto por três tons inteiros, é bastante difícil de se afinar, e isto faz com que seja raro na maioria dos sistemas musicais, soando, por conseqüência, como dissonante para a maioria dos ouvidos ocidentais.

Essa raridade converteu-se em utilidade a partir do momento em que sua dissonância passou a ser usada pelos compositores com efeitos estéticos. Aquilo, porém, que destaca o trítono de todos os outros intervalos – algo que deriva, em última instância, dessa sua excentricidade acústica – é a história que possui no Ocidente. Quando se fala no trítono, a primeira coisa que vem à mente é que teria sido rejeitado e mesmo proibido pelos teóricos e compositores medievais, que o consideravam "o diabo na música" (*diabolus in musica*).

Numa passagem do importantíssimo *Gradus ad Parnassum*, que se tornaria o principal manual de contraponto para as gerações seguintes, Johann Joseph Fux (1660-1741) diz:

Lembre-se do verso famoso "mi contra fá é o diabo na música".

"Mi contra fá", no caso, não se refere às notas mi e fá como as conhecemos hoje (ou como o próprio Fux já as utilizava), mas sim de duas notas de hexacordes diferentes, ou, para ser mais claro, fá contra si, que é o trítono de que falamos aqui. Fux alude à pratica medieval firmemente estabelecida de se evitar o surgimento de um trítono em contraponto. Exemplos disso abundam na literatura antiga – "Diafonia é a não mistura de dois sons justapostos, como o trítono", diz Cleonides, um dos poucos teóricos gregos antigos de que temos uma obra completa, e que representa a visão mais corrente da música na Antigüidade – e medieval: "rudes e discordantes são suas vozes e de não fácil pronúncia, por isto, seu uso é raro", escreve Jacques de Liège em seu *Speculum Musicae*. Entretanto, a expressão "diabo na música" não é encontrada em passagem alguma na Idade Média ou na Antiguidade, e a menção de Fux é a mais antiga que se conhece.

Apesar do surgimento tardio dessa acepção, ela logo se tornou padrão nos comentários de história da música, especialmente na Alemanha. Então, por uma curiosidade histórica – o fato do livro do Fux ter se tornado o principal meio de acesso à música de Palestrina e à polifonia antiga como um todo –, esta maneira charmosa de se chamar o intervalo foi associada à Idade Média. E é assim que aparece hoje nas histórias da música medieval (por exemplo Ambros e Sokolowski, Hugo Riemann, etc), alguns apenas aludindo à "antiga instrução", e outros já afirmando que o intervalo era proibido pela Igreja.

Não é nenhuma surpresa que obras de cunho mais popular expandam essa idéia até o paroxismo: a revista de música da BBC diz em artigo recente que a Igreja medieval considerava que tal intervalo tinha um caráter sexual forte e por isso o proibiu. De onde isso foi tirado, especialmente a referência sexual, não se sabe, mas o fato revela o grau de fantasia que uma referência à Idade Média pode provocar e, de um ponto de vista geral, como uma seqüência de pequenas afirmações infundadas pode gerar todo um mito. Hoje, a afirmação do trítono como um tabu medieval é vastamente difundida e está na maioria das obras de referência de história da música.

O tema do "diabo na música", porém, é completamente alheio ao caráter da música medieval, tanto prática quanto especulativa. E é alheio, em especial, à música da Idade Média tardia, que talvez tenha sido o período menos interessado em questões de *ethos* musical em toda a história. Pois se na música grega e da Antiguidade em geral há espaço para se discutir implicações éticas da prática musical – se, por exemplo, determinado modo era adequado a jovens, que música melhor acompanhava uma marcha de soldados e assim por diante –, os tratados musicais medievais tendem a silenciar completamente sobre este ponto, por estarem mais interessados em aspectos físicos e cosmológicos da música do que em questões éticas.

Isso vem da subdivisão de Boécio (480-525 d.C.) entre *musica mundana*, *musica humana* e *musica instrumentalis*. *Musica mundana* (ou *universalis*) é a música de todo o Cosmo, que, partindo do mito de Er da *República* de Platão, apresenta uma harmonia e uma proporção que põem em ordem todas as coisas, para formar o que, de acordo com Boécio e boa parte dos medievais, seria um tipo de música arquetípica e não audível. Segundo essa concepção, a música não é somente sonora, mas antes de tudo a manifestação de uma razão matemática universal, e, conseqüentemente, as notas que nós chamamos de musicais são somente instâncias acústicas de algo maior. Os planetas e os astros movem-se com uma determinada proporção; essa proporção é considerada uma espécie de música, e daí a denominação *musica universalis*.

A *musica humana* é a manifestação nos corpos dessas proporções universais e somente a *musica instrumentalis*, produzida por instrumentos e vozes, configura aquilo que nós chamamos propriamente de "música". Mais interessada nos aspectos especulativos da música, a maior parte dos teóricos medievais, em especial aqueles que escreveram até o século XIII, tem muito pouco a nos dizer sobre essa terceira categoria.

Então, se formos procurar entre eles referências ao trítono, acharemos muita coisa (intervalos e harmonias pertenciam também à *musica universalis*), mas nenhuma proibição a seu uso, e muito menos uma definição do seu caráter ético, pela simples razão de que não estavam muito preocupados com isso. E permaneceu assim mesmo quando os escritores passaram a se interessar mais por questões práticas, como Jacques de Liège e Philippe de Vitry, em seu *Ars Nova*, ambos do século XIV. Quando este último fala da "consonância" (não no sentido atual, mas apenas no sentido de duas vozes soando ao mesmo tempo) do trítono, apenas chama de "falsa música" e manda fazer uso de acidentes (aquilo que depois vai ser chamado de *musica ficta*) para evitar o encontro. O próprio Jacques de Liège, contudo, admite seu uso, ainda que raro, fazendo a distinção, verdadeira na afinação pitagórica, entre a quarta aumentada e a quinta diminuta, que ele aceita melhor nas cadências.

Outro autor da mesma época, Johannes de Boen, aceita e recomenda o uso do trítono quando este ocorre com uma sexta, e chama-o de "consonância por acidente". Também compara seu efeito à luta de Davi e Golias, classificando-o junto da terça menor (ou, em suas palavras, dítono imperfeito) e da quarta. O efeito da resolução do trítono na quinta, segundo de Boen, é "admirável de se ouvir".

Ou seja, longe de proibir seu uso, a Idade Média o aceitou e, em alguns casos, até recomendou. A leitura dos tratados medievais nos leva para muito longe do mito do *diabolus in musica*. Não é por menos que o intervalo aparece com alguma freqüência na música do período, inclusive no cantochão (seria impossível à Igreja censurar todo o corpus gregoriano, explicavam os historiadores do século XIX).

Na verdade, como se pode ver, a história do *diabolus in musica* não passa de uma mistificação surgida a partir do *Gradus ad Parnassum* de Fux. Mas como explicar sua referência a um "verso antigo"? A única solução que me ocorre é a hipótese de alguma tradição local ter criado esse ditado. Talvez mesmo por questões didáticas, tenha sido difundido oralmente um poema com um número de regras básicas de contraponto, mas que não apareceu em texto (ao menos em texto conhecido por nós), até ser mencionado por Fux. A presença do verso no *Gradus ad Parnassum* garantiu sua fama, e a partir do século XIX a anedota se espalhou.

Não se encontra associação entre o trítono e algo demoníaco em nenhuma música anterior ao Romantismo. Quando o trítono aberto, isto é, sem a intervenção de uma nota no intervalo, é utilizado, normalmente o é na tradicional associação entre dor e dissonância. Assim, ele aparece no *crucifixus* de diversas missas, e em vários momentos das paixões de Bach, mas tais contextos têm pouco ou nada a ver com o demônio. Mesmo em *Don Giovanni*, de Mozart, na famosa cena em que o Comendador volta para levar o protagonista ao inferno, o trítono aparece apenas nos acordes diminutos, e o intervalo mais marcante é o da sétima diminuta, e não o do trítono.

É apenas na ópera *Der Freischütz*, de Carl Maria von Weber, que o trítono é associado ao demônio. Na cena que encerra o segundo ato, o trítono é usado exatamente no momento da aparição do demônio Samiel. Mas ainda não dá para saber se seu uso nesta ópera é casual ou consciente, ou seja, se a intenção de Weber é usar qualquer dissonância, ou se já crê em um efeito "sinistro" específico do intervalo.

Essa associação só é certa na segunda aparição demoníaca famosa da história da ópera. Na ópera-oratório *A danação de Fausto*, de Hector Berlioz, a orquestra encadeia dois acordes distantes um trítono do outro no Pandemônio que marca a entrada do Inferno: si maior e fá maior. Essa manifestação categórica do trítono torna-se padrão na música "sinistra" do Romantismo, e é reutilizada principalmente por Liszt em diversos momentos; na *Sinfonia Fausto*, no *Après un lecture de Dante* e nas *Valsas Mephisto*; Wagner, na música relacionada a Hagen no *Anel do Nibelungo*; e continuará sendo um padrão musical até em Stravinsky, no *Pássaro de fogo*.

Em conclusão, o *diabolus in musica* não é concepção medieval, mas surgiu a partir de uma sugestão de um livro didático do século XVIII. Não possuímos nenhuma base para seguir o *Oxford Companion to Music* e acreditar que se trata de um (des)uso que remonte à Idade Média. Na verdade, a Idade Média conhecia e mesmo utilizava o trítono e não tinha motivo para ver nele qualquer coisa de "demoníaca". A invenção dos historiadores do século XIX, contudo, foi útil para a música do período e deu margem a muitas criações; um caso curioso de má historiografia que gerou frutos riquíssimos.

....

Bruno Gripp é doutorando em letras clássicas pela Universidade de São Paulo e escreve regularmente sobre música no blog Euterpe.

DE LUGARES COMUNS E OUTROS LUGARES
Os 30 anos do clássico de Arthur C. Danto
por Eduardo Wolf

1. Uma dieta[1]

A tradição anglo-saxônica é – ou foi até bem pouco tempo – uma lamentável ausência no debate sobre estética e filosofia da arte entre nós. Com o perdão da simplificação, pode-se dizer que nossa dieta intelectual na área manteve-se, nas mais das vezes, restrita a uma escolha entre, de um lado, a inegável e já longeva influência francesa (existencialismo, estruturalismo, pós--estruturalismo), e, de outro, abordagens sociológicas várias (marxismo, Escola de Frankfurt e assemelhados). Sem querer menosprezar a relevância dessas correntes, o que seria sintoma de ignorância ou miopia intelectual, o fato é que, a despeito da presença pontual de autores e críticos de língua inglesa aqui e ali, não se chegou a travar um diálogo proveitoso com essa tradição.

---

[1] Este singelo artigo deve muito ao trabalho dos professores José Arthur Giannotti (USP) e Paulo Faria (UFRGS), assim como ao fraterno diálogo filosófico com o amigo Alberto Barros.

Não cito a tradição norte-americana por acaso. Mais do que uma simples referência, seus autores e obras constituem parte do *background* de Arthur C. Danto, o autor do clássico *The Transfiguration of the Commonplace: A Philosophy of Art* (*A Transfiguração do Lugar-Comum: uma filosofia da arte*), que completa trinta anos de publicação em 2011[2]. Autor de um excelente ensaio sobre Santayana[3], de quem extrai uma importante lição de ética e de estética (p. 154), Danto reconhece sua dívida pessoal, quando não filosófica, para com o autor de *The Life of the Reason* no prefácio à edição brasileira de seu livro. Mais que isso, sua obra reflete os impasses conceituas deixados pelo intenso debate de seus predecessores nos anos 50. Em *A Tranfiguração*, sobretudo nos capítulos 3 e 4, é impossível não perceber como sua investigação sobre a *ontologia* das obras de arte ou sobre o papel da estética na busca de uma *definição* de arte dialoga com os trabalhos dos americanos Monroe Beardsley e Morris Weitz. O mesmo vale para a análise empreendida por Danto acerca da noção de "senso estético", que remete o leitor informado ao fundamental *The Sense of the Beauty* (1896), do citado Santayana.

Assim como alguns de seus mestres, Danto se exercitou na tradição analítica, publicando diversos trabalhos nessa linha (*Analytical Philosophy of History*, de 1965, *Analytical Philosophy of Knowledge*, de 1968, e *Analytical Philosophy of Action*, de 1973), um projeto concebido para formar um sistema filosófico completo. O intenso ambiente artístico da Nova York das décadas 50 e 60 levaram o professor de Columbia a se dedicar quase que exclusivamente, nos anos seguintes, às questões de estética e filosofia da arte, vindo a exercer notável trabalho como crítico (especialmente no *The Nation*). Do ponto de vista de sua carreira filosófica, pode-se agrupá-la sob duas grandes rubricas: de um lado, o trabalho de elaboração conceitual em busca de uma *definição* de arte. É o caso do hoje consagrado *A Transfiguração do Lugar-Comum: uma filosofia da arte*; de outro, sua *filosofia da história da arte*, como os ensaios reunidos em *The philosophical disenfranchisement of art* (1986). Contudo, por mínimo que seja o entendimento que se busque da obra máxima de Danto, é indispensável compreender como os dois ramos dessa filosofia estão imbricados um no outro. E, para tanto, é melhor começarmos com a elaboração de *A Transfiguração*.

3. Uma origem

Ao contrário daquilo que vinha sendo feito em filosofia da arte, *A Transfiguração* tem o mérito inegável de suscitar questões filosóficas com base no *confronto direto* com as obras de arte de sua época, e não em uma busca ideal por uma definição puramente abstrata. O próprio autor – que ainda no início dos anos 60 mantinha em alta suas pretensões como pintor – narra a origem do problema conceitual, que viria

---

[2] Arthur Danto: "A Transfiguração do Lugar Comum: uma filosofia da arte" (tradução de Vera Pereira). Cosac & Naify, 2005.
[3] Na edição mais recente do clássico *The Sense of Beauty*, do filósofo hispano-americano, pela MIT Press, Danto assina uma preciosa introdução.

a enfrentar mais tarde, ao relatar o choque que foi, em Paris, ver uma reprodução de *The Kiss*, de Roy Lichtenstein, figurando em revistas americanas de arte. Depois da indignação ("porque eu acreditava nos mais altos ideais da pintura", diz ele no prefácio à edição brasileira de sue livro), a inquietação filosófica: como um quadro que se assemelhava a uma tira de quadrinhos entra para a galeria de Leo Castelli?

Essa inquietação receberia a formulação adequada depois da exposição de Andy Warhol, em 1964, em que sua *Brillo Box* causou um verdadeiro frisson. A grande questão a ser respondida era: por que as caixas de sabão *Brillo* de Warhol eram consideradas como objetos de arte – e foram assim aceitas –, e suas contrapartes no supermercado, não? Essa é uma questão sobre a *ontologia dos objetos artísticos*, e é tal problema que anima o livro de Danto: o que faz com que determinados objetos sejam considerados *artísticos*, ou, na fraseologia analítica, estejam na extensão do conceito 'arte', ao passo que outros, ainda que *prima facie* idênticos, não o sejam?

Aqui vale a pena fazer uma ressalva. A reação muito natural de simplesmente declarar que tais objetos não são obras de arte é pior do que escamotear o problema. Isso porque, ou bem se está dizendo que a *Brillo Box* não é uma obra de arte, no mesmo sentido em que, diante de um péssimo soneto, afirmo "isto não é um soneto"; ou bem o que se quer dizer é que não se deve considerar tal objeto (a caixa de Warhol, no presente exemplo) como uma obra de arte. No primeiro caso, estamos diante de uma concepção de arte que faz com que eu reconheça tal peça como sendo um caso de obra de arte, mas sugiro que seja uma péssima realização. Apesar de reconhecer, ao menos em algum nível – formal ou institucional, digamos –, que o objeto em questão é uma obra de arte, pretende-se dizer que ele não é uma *boa* obra de arte. No segundo caso, uma determinada concepção ou teoria da arte está por trás da tomada de decisão que exclui o objeto da classificação "arte". Ora, tanto em um caso como em outro, o problema que Arthur Danto pretende analisar se impõe – a saber, qual é *ontologia dos objetos artísticos* –, pois em ambas as situações é uma determinada concepção ou teoria da arte que anima a classificação (ou desclassificação) do objeto como sendo arte ou não, boa ou má, pouco importa.

O que nos leva a uma segunda ressalva. Assim como no caso da sentença "isto não é um soneto", dizer algo desse tipo de uma determinada obra de arte não resolve o problema de investigar quais são as propriedades constitutivas dos objetos artísticos, não elimina a pergunta por sua ontologia. Antes, o juízo negativo, ao contrário do que parece, considera dado que o objeto em questão *é* uma obra de arte (assim como o soneto ruim *é* um soneto), ao mesmo tempo em que, por sua avaliação negativa, pretende como que excluí-lo do escopo em que ele (o objeto) precisou ser aceito de início para ser avaliado. Danto enfrenta esse tipo de análise, e pode-se ler à página 148:

> Mas me parece que a apreciação estética também inclui considerações negativas: certas obras de arte nos causam repulsa, nojo ou até náusea. Limitar a aplicação do epíteto "obra de arte" aos objetos avaliados favoravelmente é como dizer que as considerações morais só são perti-

nentes a pessoas que tenham um "mínimo de valor ou mérito potenciais". Ainda que se acredite que todos sempre têm algo de bom, a teoria moral deve abranger os canalhas, os vis, os diabólicos, os malvados, os indolentes, os repulsivos e os medíocres.

O que está em jogo, portanto, não é uma pergunta pelo belo, mas sim pelo que constitui ontologicamente um objeto artístico. Dito de outro modo, que elementos podem fazer parte de uma definição de arte e que elementos não podem.

4. Um clássico

Na obra de Danto, estamos no domínio que é de direito da filosofia: a busca por *definições*, a *análise dos conceitos*, o exame de suas *relações*, as *implicações* que trazem consigo. Certo, a argumentação é exigente, como deve ser em se tratando de filosofia, e algum conhecimento mais especializado em filosofia analítica – assim como uma boa dose de informações sobre a arte do século XX – é requerido. De qualquer forma, é possível traçar as linhas gerais da obra, indicando ao leitor um caminho de leitura, e, mais que isso, é possível tentar encontrar um núcleo comum às reflexões de Arthur Danto.

Sua análise começa retomando a origem de suas investigações e buscando traçar a linha de demarcação entre objetos artísticos e meras coisas reais, demarcação essa que a arte nova-iorquina dos anos 60 – mas não apenas ela – parecia colocar em xeque. A distinção que é submetida aqui a uma investigação traz consigo ainda outra, mais familiar a qualquer debate sobre arte, aquela entre imitação (ou mimese) e realidade, arte e vida. Ainda que transite com elegância e precisão pelos meandros desse problema a partir de uma análise da atitude (condenatória) socrático-platônica, passando por Shakespeare e sua concepção de arte como um *espelho*, arrisco dizer que o centro do estudo que Danto desenvolve desse ponto é outro, e nos leva ao que chamei de núcleo comum de seu trabalho.

O autor mostra como uma devida apreciação de objetos artísticos *enquanto representações* supõe como condição necessária o reconhecimento prévio de que se trata de uma representação. Não é outra a lição de Aristóteles em sua *Poética*, a que Danto faz referência já no primeiro capítulo, "Obras de arte e meras coisas reais" (p. 49/50): "A visão de determinadas coisas nos causa angústia, mas apreciamos olhar suas imitações perfeitas, sejam formas de animais que desprezamos muito, sejam cadáveres", lição tanto estética como psicológica. A mesma reflexão aristotélica será retomada no terceiro capítulo, "A estética e a obra de arte" (p. 51), lado a lado a uma consideração de Diderot que segue o mesmo passo ao afirmar que "podemos nos comover até as lágrimas diante de representações de coisas que por si só não nos comoveriam, ou nos comoveriam de forma diferente" (p. 151).

É no *Nascimento da Tragédia* de Nietzsche, contudo, que Danto busca um exemplo para a distinção que pretende analisar. O autor de *Ecce Hommo* oferece uma análise muito rica da questão da representação ao escrever sobre os rituais dionisíacos que se encontrariam na origem da forma trágica. Danto sintetiza o ponto (p. 56):

A idéia, em resumo, era entorpecer as faculdades racionais e as inibições morais para demolir as barreiras do ego até que, no clímax, o próprio deus se fazia presente para os participantes. Havia a crença de que em todas as ocasiões o deus se fazia literalmente presente, e este é o primeiro sentido da representação: uma (re)apresentação. Mas com o correr do tempo, esse ritual foi substituído por sua reprodução simbólica na forma do teatro trágico.

Não mais um ritual de entorpecimento, mas uma representação simbólica, como um balé; não mais a presença real de Dionísio, mas um ator que o representava – e agora o conceito de representação não é mais o mesmo, o de reapresentação de algo, mas sim outro: algo está no lugar de outra coisa. Pode-se dizer que essa primeira transfiguração apontada por Nietzsche fundamenta nossa concepção de representação (e anima um dos grandes projetos da arte por séculos, o do realismo das representações artísticas). Para o ponto que pretendo ressaltar, contudo, basta reter uma importante lição: é preciso alguma elaboração conceitual prévia, a saber, um conceito de realidade que permita distinguir representações das coisas que representam, para que se possa reconhecer determinados objetos como sendo "obras de arte".

Façamos como Aristóteles, e, para seguir na trilha das lições de Danto, busquemos um novo começo. Seria perfeitamente razoável argumentar que os objetos artísticos são tais que possuem uma cadeia causal completamente diferente de suas contrapartes (mesmo que materialmente indiscerníveis entre si) que não são arte. Assim, a cadeia causal que leva um homem de uma sociedade com uma concepção mágica do mundo a esculpir aquilo que nós chamaríamos de uma estátua de um deus (e que para ele *é* a apresentação *real* desse deus) é completamente diferente da cadeia causal que leva, digamos, Leonardo a pintar a *Santa Ceia*. Danto lidou com o caso-limite dessa diferenciação ao escrever sobre a *Brillo Box* de Warhol: a cadeia causal das caixas do supermercado (que nos leva a aceitar alguma modalidade de causa final) é distinta daquela apresentada pelo artista, cujas intenções são, portanto, de outra ordem.

Um primeiro ponto relevante sobre o problema é obtido com a análise de Danto do célebre conto *Pierre Menard, autor do Quixote*, de Borges. Na conhecida história, os textos de Menard e de Cervantes não possuem nenhuma propriedade que nos permita de início distingui-los. O que os olhos vêem é idêntico: as mesmas frases são lidas em um e em outro. No jogo fictício de Borges, o que os torna distinguíveis? Com sua fineza usual, Borges nos mostra como uma série de predicados podem ser atribuídos à obra de Menard, mas não à de Cervantes. Borges escreve que "Cervantes opõe às ficções cavalheirescas a pobre realidade provinciana de seu país", ao passo que Menard, por outro lado (!), trata da "terra de Carmem durante o século de Lepanto e Lope de Vega". Escusa informar o leitor que são descrições diferentes do mesmíssimo lugar, mas que pelo jogo ficcional montado pelo escritor argentino, são efetivamente distintas: Cervantes não poderia ter escrito sobre a "terra de Carmem", personagem do século XIX. Para além do problema da intensionalidade (com "s"), é importante reter a extraordinária lição de ontologia da arte que Borges nos deixa: não devemos seguir na ilusão de que a obra de arte possui uma ontologia imanentista, de que podemos isolar fatores como autoria, intenção e história, pois esses são fatores – como afirma Danto – "que, por assim dizer, permeiam a *essência* da obra" (p. 77).

A lição parece trivial, mas não é. É impossível conceber a *Comédia* de Dante sem Virgílio e sua *Eneida*, assim como é impossível conceber T. S. Eliot sem ambos. Só que essa não é uma informação acidental, puramente acessória; trata-se de reconhecer que pertencer a certa história – e estar em uma determinada posição desta história – é uma característica básica, *fundamental* das obras de arte – faz parte da lógica interna do conceito de obra de arte. O mesmo vale para a noção de autor: por que, diante de duas obras hipoteticamente indiscerníveis do ponto de vista da técnica e do resultado final (o que é bem plausível), uma obra assinada por Vermeer ou por Cézanne tem valor, e outra assinada Elmyr de Hory[4] – ainda que indiscernível – não tem? Não custa lembrar que frequentemente as técnicas de verificação da autoria de um quadro, por exemplo, não podem oferecer mais do que uma diferença de datação do material – ou do tipo de material –, e isso implica não haver diferenças naquilo que chamaríamos de "apreciação estética". Ora, o que explica o valor diferente das obras em um caso como esse é o fato elementar de que sim, ser uma obra de Cézanne é parte constitutiva da obra de arte em questão – não é uma propriedade eliminável, secundária, como afirmam tradições tão distintas como o *new criticism* e o desconstrucionismo.

Não mencionei a expressão "apreciação estética" acima por acaso. Se fiz uso dela é porque geralmente nos deparamos com tentativas de definição de arte que envolvem a noção de "estética", ou de "senso estético", para ser mais preciso. Danto desenvolve uma análise sobre esse ponto no capítulo 4 de seu livro, "A estética e a obra de arte", em que compara o uso da expressão "senso estético" com sua contraparte na filosofia prática, "senso moral" – e mesmo com "senso de humor" –, extraindo algumas consequências muito importantes. O essencial da questão pode ser resumido no seguinte: é preciso reconhecer que uma reação estética a determinados objetos, apesar da etimologia, não pode ser tomada como o *mesmo* que uma reação sensorial; uma reação estética envolve uma mediação conceitual muito específica (p. 146), e isso é decisivo: como já afirmava Santayana, "a observação não basta: há necessidade de apreciação" (citado por Danto, p. 154).

Essa necessidade de apreciação é decisiva para que possamos compreender o alcance dessa nova lição de Danto: é fato que a "apreciação estética" faz parte do debate sobre arte, assim como é fato que muitas propriedades de um objeto de arte são tais que poderíamos chamar de "estéticas". É preciso diferenciar,

---

[4] O célebre falsificador sobre o qual Orson Wells constrói o seu clássico *F for Fake* (1974), em que o assunto é discutido com muita astúcia. Veja-se também Nelson Goodman e seu *Languages of Art*.

contudo, a reação "estética" diante de um objeto de arte e aquela reação que tenho diante de sua contraparte que não é arte. E para que tenhamos reações distintas "é preciso que já tenha sido feita a distinção entre o que arte e o que não é" (p. 154), e essa necessidade já estava dada quando Aristóteles insistia em afirmar que apreciamos as imitações cujos originais nos causam repulsa – é preciso saber *de antemão* que se trata de uma imitação. Por isso, como dirá o próprio Danto em outro momento, a estética (entendida aqui como nossas apreciações sensoriais de certos objetos), ainda que desempenhe importante papel na avaliação das obras de arte, não é capaz de distinguir entre objetos artísticos ou não, e por isso não faz porte do núcleo lógico do conceito de arte.

É nessa linha que Danto procede sua crítica à Teoria Institucional da obra de arte, que tende a ver na aceitação socialmente organizada do "mundo da arte" o elemento definidor do que é arte e o que não é. Refletindo sobre o quanto uma informação acerca do objeto que está sendo apreciado é relevante para determinar nossa consideração sobre ele, o autor formula um ponto essencial para compreendermos porque sua teoria é uma ontologia da arte, ao passo que a Teoria Institucional não o é. Imaginemos uma situação em que, bebendo um Gigondas, sou informado de que este vinho tem um sabor framboesa. Posso perfeitamente ser instruído quanto a isso e, apesar de inicialmente não ter percebido, passar a descobrir e a *sentir* o referido sabor no vinho em questão.

Ainda assim, é preciso reconhecer que as propriedades que eu passei a reconhecer no vinho *após* haver sido instruído quanto a elas *já se encontravam* nele *antes,* eu é que não as havia percebido. No caso da análise das obras de arte, algo parecido pode ocorrer em certo nível: posso ser instruído a *ver algo como algo,* e a passar a compreender um quadro ou uma escultura de modo completamente diferente do que o fazia antes, como na famosa imagem do pato-coelho das *Investigações Filosóficas* de Wittgenstein. O mesmo não ocorre, contudo, se nos deparamos com um objeto de arte e seu par idêntico mas não artístico (por ora, fiquemos com os exemplos consagrados da *Fonte* de Duchamp e da *Brillo Box* de Warhol): ao contrário do que ocorria com o vinho, as propriedades que posso atribuir ao objeto artístico *não estão* em sua contraparte não artística. Trata-se de uma diferença *ontológica*; por mais que se reconheça uma dimensão institucional ou social – e certamente há uma –, ela não é a decisiva: a grande diferença está *inscrita ontologicamente no objeto artístico*, e, com alguma simplificação, pode-se dizer que o que vem *inscrito ontologicamente* em tal objeto (e que está ausente em sua contraparte não artística) é uma *teoria da arte* – ou, para usar um termo menos forte, uma *interpretação* – que permite sua realização.

É óbvio que "irreverente", "ousado" – mesmo "ridículo", "grosseiro" – são predicados que podem se aplicar à *Fonte* de Duchamp, mas não aos seus "irmãos" urinóis que lhe são materialmente idênticos; idem para a *Brillo Box* de Warhol. Como tais exemplos são viciados – há uma predisposição ou bem para descartá-los pura e simplesmente do mundo das artes, ou bem para tomá-los como suprassumo da genialidade humana – vou propor um exemplo adaptado. O leitor mais familiarizado com questões de estética já deve ter visto a escultura etrusca *L'Ombra della Sera* (nome dado pelo poeta Gabriele D'Annunzio) que se encontra no Museu de Voltera, na Itália, e que data do século III a. C., aproximadamente. Sua figura humana é absolutamente retilínea e alongada, em 57 centímetros de bronze, sem maiores contornos; em nada se assemelha com nenhum outro objeto de arte daquele período – e, de resto, de praticamente nenhum período anterior ou posterior. Tanto é assim, que a lenda sobre ela conta que fora usada como atiçador até ser descoberta e adquirida por um nobre. Quem quer que veja a escultura hoje é inevitavelmente levado a pensar na obra de Alberto Giacometti – pouco importando se a escultura etrusca chegou a lhe servir de influência. Trata-se de um notável exemplo de como um objeto como aquele, que mais se assemelhava a uma escultura modernista, não podia ser *tomado* como um objeto de arte ao longo de tanto tempo – inicialmente, seu valor era ditado mais por sua raridade e antigüidade, mesmo depois de descoberto. Claro, isso faz lembrar a célebre frase de Heinrich Wölfflin segundo a qual nem tudo é possível em qualquer momento, sugerindo que algumas obras de arte simplesmente não poderiam ser aceitas como tais em determinados momentos. Quer no caso de Warhol, quer no caso da escultura etrusca, há uma *transfiguração* em jogo.

Como se vê, por todos os caminhos dessa investigação, fica sempre o questionamento: diante de uma obra de arte, *vemos tudo o que nela está? Ou, dito de outro modo, será que o que sentimos encontra uma contraparte material – ou seja, "está" – na obra?* Essas questões sempre ficam no horizonte da análise de Danto, que aponta para a evidência que uma teoria da arte é requerida como condição para reconhecer um determinado objeto como artístico ou não, e, nesse sentido, *constitui* o próprio objeto.

O resultado dessas análises é mais importante do que parece, pois, no fundo, a compreensão do conceito de arte em Danto nos remete, como eu havia anunciado no início, à sua filosofia da história da arte. O filósofo americano busca reunir as condições necessárias e, conjuntamente, suficientes para a definição de arte. Certamente muitos leitores poderão reconhecer aqui um certo formalismo, como o que animou a origem da disciplina História da Arte (cujos exemplos poderiam ser os trabalhos de Alois Riegl ou, em certo sentido, os de Heinrich Wölfflin), ou então a tendência tipicamente analítica de se concentrar na análise de termos. A posição de Danto, contudo, se afasta dessas tradições ao mostrar que uma das "condições necessárias" para a definição do objeto artístico é o reconhecimento de sua *historicidade*: o objeto é constituído de maneiras diferentes em diferentes épocas. É desse modo que dois objetos materialmente idênticos podem ser ontologicamente distintos, um sendo uma obra de arte, outro não, e essa diferença é sustentada pela teoria artística do momento histórico em que os objetos se dão.

Assim, como aponta o crítico e professor em Yale, Jonathan Gilmore, Danto fazia convergir dois modos de compreensão usualmente tidos como opostos: sua definição é, a um só tempo, essencialista e historicista. *Essencialista* porque empreende uma análise da ontologia dos objetos artísticos, porque busca uma definição que capture as condições necessárias e suficientes para que um determinado objeto seja considerado um objeto artístico. *Historicista* precisamente por incluir entre tais condições a historicidade do objeto.

Uma objeção poderia estar saltando aos olhos, aqui: a ontologia dos objetos artísticos não poderia fazer referência a algo externo que os torna aquilo que são, este algo sendo diferente de uma "essência" artística, digamos assim. Quer dizer, a ontologia, num primeiro momento, pareceria requerer que as propriedades do objeto em questão fossem suas intrinsecamente, e não *por relação a outra coisa*, seja à história, seja à interpretação que se lhes dá. Ocorre que é precisamente tal equívoco metafísico que, em parte, o livro de Danto pretende sanar – e é por isso que tal objeção não passa de um falso problema. Isso porque objetos artísticos não são o que são *por natureza*, ao contrário de cavalos marinhos, homens ou gatos. Eles são o que são precisamente *porque são feitos por seres humanos*, são artefatos, e não é novidade, desde Platão e Aristóteles, que tais tipos de objetos não possuem, e mais, *não podem* possuir uma "essência" no sentido clássico do termo – aquele empregado pela objeção hipotética aqui levantada. Artefatos são o que são *por relação* a quem os faz. Sua ordem causal, digamos assim, é outra.

O que Danto faz é levar adiante essa constatação trivial. É exatamente o que encontramos quando escreve, à página 172:

O que estou tentando dizer é que o 'objeto estético' não é uma entidade platônica, eternamente fixa, uma incessante felicidade além do tempo, do espaço e da história, eternamente presente para a deslumbrada apreciação dos especialistas. Não é só que a apreciação seja uma função da situação cognitiva do esteta, mas também que as qualidades estéticas da obra são função de sua própria identidade histórica, e talvez seja necessário rever completamente a avaliação de uma obra à luz das informações obtidas sobre ela: é possível até mesmo que a obra não seja o que se pensava dela a partir de informações históricas erradas.

Essa busca da definição de arte que, para além dos conceitos que o filósofo analisa ao final de sua obra, tais como *retórica*, *expressão* e *estilo*, envolve também o reconhecimento de sua historicidade, assim como da dimensão histórica das próprias teorias e interpretações que constituem os objetos artísticos, requer uma consideração de sua filosofia da história da arte. Danto lida com uma matriz hegeliana para tentar compreender a história da arte como contendo uma estrutura de relações internas entre as obras, os estilos e as épocas, uma espécie de desenvolvimento mais do que cronológico e que é internalizado pelas obras de arte. Nesses termos, o filósofo reconhece uma espécie de teleologia, um "fim da arte": assim como para Hegel a arte se desenvolve como veículo de autoconhecimento do Espírito (para usar sua própria terminologia) até chegar ao seu fim – ou seja, livre dessa função, "entregue a si mesma", assim também Danto enxerga no desenvolvimento da história da arte um processo que é cada vez mais auto-reflexivo: a arte, quando livre da tarefa hegeliana de ser veículo de conhecimento do Espírito em sua progressão teleológica, quando "entregue a si mesma", passa a ser cada vez mais filosófica, mais capaz de problematizar a si mesma.

Assim, se é verdade o que afirmei acima sobre uma "meta" realista na pintura (e que encontra sua formulação mais acabada no Renascimento e logo após esse período), é também verdade que a arte moderna, de meados do século XIX em diante, toma como meta *conhecer a si mesma*, fazer a *crítica de suas próprias condições*, como notou bem Clemence Greenberg em seu "Modernist Painting", comparando a pintura moderna à filosofia crítica iniciada com Kant. Ora, não por acaso, desde o início deste ensaio, venho insistindo no fato fundamental de que Danto toma a *Brillo Box* de Warhol como um marco – final – desse processo: a arte levara ao limite o processo de conhecimento de suas próprias condições, problematizara-se ao extremo, e estava, então, livre para ser o que bem quisesse. Obviamente esta liberdade não passou em branco, e não é por acaso que fica fácil encontrar lamentos de reacionários como Theodoro Adorno, que em tom lamurriento e pessimista mal disfarçado escrevia em sua *Teoria Estética* (1969) que não havia mais nada de evidente em se tratando de arte, nem mesmo seu direito de existir. Para além do discurso anticapitalista (sempre no horizonte de Adorno), pode-se dizer que essa condição absolutamente liberta dos objetos artísticos era, em parte, fonte do desespero cultural desse grande nome da Teoria Crítica. A arte contemporânea era mais (e não como simples gesto provocativo) do que ele jamais poderia aceitar e, nesse caso, Adorno não está sozinho.

5. Uma dieta

A riqueza conceitual da obra de Danto, que este artigo mal dá conta de sugerir ao leitor; as acaloradas polêmicas que ela despertou; as objeções reveladoras a que pode ser submetida; tudo isso aponta para caminhos conceituais que deixamos de trilhar (e, se o fizemos, fizemo-lo mal ou pouco) no debate sobre estética no Brasil.

Na abertura deste artigo, lamentei a pobreza de nossa dieta intelectual. O pouco interesse que essas questões parecem despertar em nossos meios letrados (para além de uns poucos iniciados) parece-me uma prova suficiente disso. E não se pode dizer que o alerta quanto a isso já não nos tivesse sido dado pela própria obra de Danto, que transita com coerência por autores como Aristóteles e Nietzsche, Wittgenstein e Sartre, com a mesma competência com que se vale da pintura realista e do expressionismo abstrato ou da *pop art*. Aliás, pode-se dizer que o alerta é anterior ainda: "Uma causa principal de doenças filosóficas: uma dieta unilateral de exemplos." (Ludwig Wittgenstein, *Investigações Filosóficas*, § 593).

....

***Eduardo Wolf** é Bacharel em Filosofia pela Universidade Federal do Rio Grande do Sul (UFRGS). Foi professor de Literatura por mais de uma década em Porto Alegre, publicou uma edição anotada e comentada das* Memórias póstumas de Brás Cubas *(Editora Leitura XXI) e de* O Noviço, *de Martins Pena (L&PM).*

ANATOMIA DO POEMA

por Jessé de Almeida Primo

Violoncelo
Camilo Pessanha, *Clepsidra*

Chorai arcadas
Do violoncelo!
Convulsionadas,
Pontes aladas
De pesadelo...   5

De que esvoaçam,
Brancos, os arcos...
Por baixo passam,
Se despedaçam,
No rio, os barcos.   10

Fundas, soluçam
Caudais de choro...
Que ruínas, (ouçam)!
Se se debruçam,
Que sorvedouro!...   15

Trémulos astros...
Soidões lacustres...
— Lemes e mastros...
E os alabastros
Dos balaústres!   20

Urnas quebradas!
Blocos de gelo...
— Chorai arcadas,
Despedaçadas,
Do violoncelo.   25

Muitas vezes o gosto por um poema antecipa nosso entendimento do seu conteúdo. Imagens, sugestões sonoras, uma frase bem escrita com freqüência bastam para chamar nossa atenção. Superficialismo? Desculpas para continuar não entendendo? Talvez. Por outro lado, para que entender o que Camões quis dizer com "O fogo que na branda cera ardia"?

Quando me deparei com esse poema há um ano, passei horas e horas, não meditando esse verso mas apreciando-o. Nunca minha leitura dos sonetos camonianos foi tão lenta. Avançava na leitura dos treze versos restantes, às vezes espiava o soneto seguinte, mas sempre voltava a esse verso, declamava-o. Eis um verso que de tão perfeito não necessita de explicação.

A poesia, pois, como disse alguém, aspira à música. Dito isso, o que essas famosas quintilhas de Pessanha nos dizem? Não sei exatamente. É como ouvir uma sinfonia ou um concerto que nos remetem a algumas lembranças mas nunca sabemos exatamente a razão, uma vez não ser possível perceber um conteúdo objetivo. Nada impede, porém, que achemos belo, tocante etc. Essas quintilhas são uma música instrumental. Ora (direis) mas têm palavras! E óperas e oratórios (vos digo eu) também as têm e não sei o conteúdo de boa parte dessas peças. Como em todo poema, essas palavras são os instrumentos. Nesse caso, porém, essas quintilhas estão mais próximas à pura música.

Qual a mensagem? Nenhuma. É uma ilustração que não encerra uma mensagem específica. Da mesma forma que uma música pode evocar alguma imagem, esse poema nos faz ver alguém com quem compartilhamos a audição dos violoncelos. Talvez esteja triste, entregue a qualquer coisa que a melodia sugira. Quiçá, esteja pensando no aquecimento global ou no destino daquelas aves besuntadas de petróleo socorridas por alguma ONG ecológica. É bem possível que a razão da tristeza não mais interesse. Sim, às vezes fica-se tão triste que se esquece a razão de se estar assim. Pode ser também que o sujeito só tenha ficado triste porque a melodia é triste por ser bela e bela por ser triste.

De qualquer modo, a forma escolhida reforça a sugestão de que os violoncelos estão sendo executados. Todos os versos são tetrassílabos, correspondendo dessa forma às quatro cordas do instrumento. Ademais, todas as rimas são graves como o som de um violoncelo. E o que sai desse som? Até a terceira estrofe, os dois primeiros versos permitem visualizar a execução do instrumento (vv. 1, 2; 6,7; 11, 12). Quanto aos três versos restantes, são as imagens (música) que saem dessa execução (vv.3-5; 8-10; 13-15), as quais predominam na quarta estrofe. Na última estrofe, porém, há uma inversão: as imagens sugeridas pela execução do instrumento ocupam os dois primeiros versos. E com essa inversão, o tema inicial (vv.1,2) é retomado (vv.23-25) com algum floreio (v.24), tal qual acontece numa sinfonia ou num concerto, em cujos movimentos finais percebemos a melodia do primeiro movimento.

Soneto VII
Camões

O fogo que na branda cera ardia,
Vendo o rosto gentil que eu na alma vejo,
Se acendeu de outro fogo do desejo,
Por alcançar a luz que vence o dia. 4

Como de dous ardores se encendia,
Da grande impaciência fez despejo,
E, remetendo com furor sobejo,
Vos foi beijar na parte onde se via. 8

Ditosa aquela flama, que se atreve
A apagar seus ardores e tormentos
Na vista de que o mundo tremer deve! 11

Namoram-se, Senhora, os Elementos
De vós, e queima o fogo aquela neve
Que queima corações e pensamentos. 14

Northrop Frye: "Na pintura, na escultura, na música, é muito fácil ver que a arte se exibe, mas não pode dizer coisa alguma" (*Anatomia da crítica*. pp. 12 e 13).

Em princípio essa frase, que ilustra a natureza da poesia, poderia ser aplicada ao poema de Camilo Pessanha, que não encerra uma mensagem específica, exibe-se, mas não diz, não se justifica, expõe-se apenas. É uma das mais bem sucedidas imitações da música, sem contarmos "Fonógrafo" do mesmo autor, ou "O teu silêncio é uma nau com todas as velas pandas", de Fernando Pessoa.

Camões com "O fogo que na branda cera ardia," alcançou tal realização sonoro-visual: mais o pensamos como uma exibição, um belo quadro, do que lhe procuramos um significado. É um verso de andamento lento, cujas vibrantes sutilmente aliteradas (*branda cera*) tornam sua elocução mais detida, que reproduz a tranqüilidade com que as chamas consomem uma vela. A lenta elocução desse verso prolonga-se nos seguintes, quase que se arrastando, como se reproduzisse a chama presa num ponto específico a partir do qual pretende alcançar o rosto por ela iluminada. Ou como se reproduzisse a lentidão com que um belo rosto aos poucos ganha contorno pelo esforço da memória ou é iluminado pelas chamas (v. 2). Poderia ainda dizer que as vogais fechadas e nasaladas (O *fogo* que na *bran*da *ce*ra) se abrem na primeira vogal de "ardia" reproduzindo fielmente o corpo baço de uma vela no topo do qual brilha a chama.

Há, a partir do segundo verso, um habilidoso jogo visual, um jogo de perspectiva: uma espécie de triângulo amoroso tão sutil quanto intrigante. Em primeiro plano, a chama sobre a vela; em segundo plano, um rosto; em terceiro plano, a voz lírica. No plano do sensível, porém, apenas duas presenças são notadas. A voz do poema e a chama. A voz por trás do poema, por sua vez, graças a sua imaginação, visualiza uma terceira presença: "vendo o rosto gentil que eu na alma vejo". A vela, por sua vez, num *tour de force*, ilumina a visualização empreendida pelo poeta.

Esse jogo visual também pode ser notado neste espelhamento: o poeta, com sua imaginação ardente, se vê espelhado na vela e suas chamas. A paralisia da vela se contrasta com a vivacidade da própria chama da mesma forma que o poeta, na sua timidez, tem de lidar com seus desejos.

Além do triângulo, a trama pode ser dividida em três partes: o despertar do desejo no primeiro quarteto; a iniciativa impulsionada por esse mesmo desejo e a disputa pelo mesmo objeto, no seguinte; por fim, nos tercetos, aceitação da derrota nessa disputa.

O que era triângulo termina numa rivalidade. O efeito da iluminação sobre o "rosto gentil" se confunde com a busca da chama por aquilo que ilumina. Percebendo uma mudança na sua natureza, vê-se desejando, sente-se atraída pelo rosto sobre o qual incide e sobre o qual demora (vv. 5-8). O quinto verso, pela natureza e elaboração, é retomado no terceiro: "Se acendeu de outro fogo do desejo" e "Como de dous ardores se incendia". O terceiro verso anuncia uma transformação a se operar; e o quinto, uma vez completada essa transformação, anuncia o efeito dessa metamorfose (v. 6) e a ação a que esse efeito conduz (vv.7 e 8). E essa iluminação, que confere contorno ao rosto, começa a disputar com a própria capacidade de imaginação do poeta, que sai derrotado e reconhece a vitória de seu rival (vv. 9-14). Belo canto. Belo conteúdo.

Soneto XII de Shakespeare
Ivo Barroso, *O torso e o gato*

"When I do count the clock that tells the time"

Quando a hora dobra em triste e tardo toque
E em noite horrenda vejo escoar-se o dia,
Quando vejo esvair-se a violeta, ou que
A prata a preta têmpora assedia;   4
Quando vejo sem folha o tronco antigo
Que ao rebanho estendia a sombra franca
E em feixe atado agora o verde trigo
Seguir o carro, a barba hirsuta e branca;   8
Sobre tua beleza então questiono
Que há de sofrer do Tempo a dura prova,
Pois as graças do mundo em abandono   11
Morrem ao ver nascendo a graça nova.
Contra a foice do Tempo é vão combate,
Salvo a prole, que o enfrenta se te abate.   14

Essa tradução é uma das realizações mais felizes que alguém poderia conceber. Com ela, Ivo Barroso logrou um daqueles versos que nos freia o ímpeto de seguir adiante, faz-nos demorar para curtir cada detalhe, saborear cada palavra e até esquecer que há mais treze esperando pacientemente nossa apreciação.

No final, pouco importa se é uma tradução ou uma composição 100% original. De fato, quando se atinge tal excelência, passa a fazer parte do repertório do próprio tradutor, a ser uma realização tão-somente sua, até se integrar, enfim, ao espírito poético de sua cultura.

Apenas tivesse traduzido a primeira linha, já seria um grande feito. Como a citada abertura do soneto de Camões, somos levados a nos deter no verso, tal como acontece também no original. E por meio de uma impressionante equivalência sonora – reproduzindo o tic-tac do relógio do poema de saída – diz a mesma coisa pelo recurso a outra frase:

[When I] [do COUNT] [the CLOCK] [that TELLS] [the TIME]
[QuandO A HO][ra DO][bra em TRIS][te e TAR][do TOque]

Enquanto no original o verso explicita a presença de alguém que acompanha a batida do relógio ("*when I do count the clock...*") que o faz refletir sobre a passagem do tempo e a proximidade da morte ("*...that tells the time*"), a tradução, por sua vez, estende na forma original do pentâmetro iâmbico o conteúdo dos três últimos pés métricos, ignorando, através de uma estratégia formal, a presença do sujeito que aparece nos dois primeiros. Xavier Pinheiro, outrora tendo usado o mesmo recurso, torna elíptica ou apenas subentendida a "selva selvagem" do primeiro canto do "Inferno".

Essa foi substituída e com grande êxito sonoro pela sugestão visual de um amontoamento de árvores que escurece os caminhos. Assim, "*Questa selva selvaggia ed aspra e forte*"(I-4) vai para o português "Desta brava espessura a asperidade".

Há outros grandes versos ou soluções na tradução, como por exemplo, "toque" (v. 1) rima com a combinação de um monossílabo tônico com o pronome relativo ("*ou que*"). O dia que é engolido pela noite ou que nela afunda ("*sunk in hideous night*") passa para o vernáculo "Em noite horrenda vejo escoar-se o dia". O quarto verso, comparado ao primeiro, não perde em engenharia sonora: "A prata a preta têmpora assedia" tem a mesma qualidade e aspereza da solução dada por Xavier Pinheiro ao verso de Dante. Se com dificuldade nos despedimos do primeiro verso para chegar aos restantes, eis que freamos nesse quarto verso. O que o primeiro tem de leveza sonora e gravidade dos sentidos, o quarto tem da aspereza de uma bela estatuária: agressiva ao tato, suave aos olhos. Esse verso, assim como outros, têm qualidade metamórfica: descrevem fenômenos que se manifestam paralelamente às batidas do relógio, fenômenos esses que ilustram por sua vez a passagem do tempo.

Um dos grandes avanços desse soneto em relação às quintilhas de Pessanha é explicitar um drama do espírito por via de um verso que é também pura música. O conteúdo de Pessanha, como o de Shakespeare-Barroso, pode ser triste, mas é de uma tristeza vaga, entediada, de uma tristeza que se justifica em si mesma de tal modo que se torna uma estranha forma de diversão. Por outro lado, a música do soneto ivo-shakespeareano é de tal modo elaborada, que a morte e o envelhecimento de que fala acabam por exercer o mesmo encanto. Mas, desta vez, sabemos o que choram as arcadas dos violoncelos.

Soneto XXXII
Tasso da Silveira

Somos aves do mar, batendo, ansiadas,
as asas, num viveiro de pomar.
Em torno, ao vento, agitam-se as ramadas:
ao vento vivo que nasceu do mar.   4

Ah, que nunca dobremos resignadas,
as asas, nem deixemos de sonhar.
O vento vem em trêmulas lufadas;
e no canto do vento vem o mar...   8

Se entre as formas efêmeras nascemos
foi para que a alma eterna que trouxemos
em si mesma realize, a soluçar   11

a absoluta beleza, à nostalgia
das origens divinas a que um dia
retornaremos como para o mar...   14

Se esse foi o último soneto de Tasso da Silveira, não poderia haver melhor forma de se despedir. Todo ele é uma sucessão melódica e imagética de primeira linha. Forma e conteúdo numa relação tão estreita que por vezes se confundem com a natureza da música instrumental do poema de Camilo Pessanha.

Sua declamação pede um tom suspenso, algo com a qualidade do vôo, mas de um vôo cuja origem é misteriosa como misterioso será seu destino (vv.12, 13 e 13). Diríamos que o ritmo e a melodia dos versos são uma imitação da eternidade. Como já foi dito, a declamação pede um tom suspenso e como tal começamos a declamar como se já o tivéssemos feito num momento anterior à nossa própria memória. Desse modo, os versos têm a qualidade dos números. O número zero não é propriamente o início, é apenas um início quantitativo, não o início de fato que continuaremos a ignorar. Os números são uma metáfora de algo que não sabemos exatamente como começou. Sim, a matemática tem algo de poesia. Como os números, não sabemos exatamente quando começa; e como os tais, não sabemos exatamente quando termina (vv. 12, 13 e 14).

É notável a relação entre os dois quartetos. O primeiro abre com uma melodia em plena suspensão, sem repouso. A título de comparação, "O fogo que na branda cera ardia" encerra seu sentido no quarto verso, mas encontra repouso melódico em "ardia". Quanto ao primeiro verso do soneto de Tasso da Silveira, só encontra tal repouso no segundo, o qual é emendado de tal modo ao anterior que até parecem constituir um único. Na linguagem da geometria, o verso de Camões é um arco. O de Tasso, uma reta. Logo, porém, retoma a suspensão nos versos 3 e 4. Como era de se esperar, a melodia em suspenso do primeiro quarteto é retomada no seguinte, porém o tom se encontra um pouco mais abaixo (seria algo como uma oitava a menos?), logo é um pouco mais relaxado. Como isso se demonstra? O primeiro quarteto descreve um impulso inicial, o esforço maior exigido das asas, batendo sempre, para se ganhar altura. Por isso, a suspensão plena. E uma vez alcançada a altura desejada, esse esforço não é mais exigido, a batida das asas é mais tranqüila, com pausas maiores, mais descansada. As aves encontraram um ponto em que podem repousar ou planar. Cabe, porém, uma advertência: "Ah, que nunca dobremos resignadas, / as asas, nem deixemos de sonhar".

Os dois quartetos também se relacionam na escolha das imagens. Ambos começam descrevendo a ação das asas: "batendo" (v. 1) e "dobremos" (v. 5). O objeto direto ("*as asas*") abre o segundo e o sexto versos. Tanto no verso 3 como no 7 aparece o "vento" e seus efeitos ou aquilo a que está relacionado: "agitam-se as ramadas" (v. 3) e "trêmulas lufadas" (v. 7).

O tom suspenso da declamação de algum modo acentua cada palavra, e de cada palavra cada sílaba, acentuações essas que reproduzem o bater contínuo das asas. O verbo ("*somos*"), que introduz o verso, explode numa vogal muito aberta da palavra seguinte ("*Aves*"). Esse verbo que tem um som fechado, nasalado, e repentinamente se abre numa vogal aberta, imita um impulso seguido por sua vez da abertura de uma asa. Eis um *fiat lux*. Daí em diante é uma sucessão de *A*'s abertos, incluindo as rimas em "ar" (vv. 2, 4, 6, 8), que nos dá a impressão de que o poema são asas eternamente abertas, atravessando quartetos e tercetos até chegar às "origens divinas a que um dia / retornaremos como para o mar..."

"Castelo Interior", 105
Bruno Tolentino, *As horas de Katharina*

Celebrar este mundo adivinhando
a incurável leveza, a inabalável
certeza do esplendor interminável
da luz de Deus, aurora ruminando 4

para sempre a quietude do imutável.
Somos reflexos dessa luz, um bando
de flamingos ardendo, misturando-
se ao sol nascente, ao inimaginável 8

incêndio indescritível, todo asas,
todo luz... Somos feitos como brasas
abrindo o vôo, somos como o vôo 11

dos flamingos em brasa ao oriente...
E nunca há de apagar-se aquele ardente
sol perfeito que neles se espelhou 14

Experimentem declamar o primeiro verso desse soneto. Façam o mesmo com o soneto XXXII, de Tasso da Silveira. Isso pode ser feito com o poema inteiro, na verdade. A mesma melodia suspensa, num tom um pouco menor. Por isso, comparado à melodia mais tensa do soneto de Tasso, que sugere uma asa demasiadamente aberta, a música do de Tolentino parece um pouco mais repousada. A qualidade de um grande poema é evidente em comparação a outro.

Observem que o soneto XXXII apresenta uma sucessão de *A*'s abertos, que lembram asas tensas. Quanto ao poema 105, há uma seqüência de vogais fechadas e nasaladas, a reproduzir, assim, a mesma melodia, num tom mais baixo. A acentuação é a mesma, na terceira, na sexta e na oitava. A oitava do soneto de Tolentino, porém, é uma semiforte (*adivinhando*). A marcação, por outro lado, permanece a mesma. Notemos, também, que a pletora de vogais abertas do soneto de Tasso da Silveira lhe confere um ar mais solar, mais claro. Já o de Tolentino, por meio de vogais fechadas e nasaladas, ilustra o momento do crepúsculo, quando o fenômeno do reflexo da luz nas asas dos flamingos pode ser notado. A presença de algumas vogais abertas entre elas sugerem, por contraste, luzes em meio a uma escuridão nascente.

As acentuações começam a se distinguir a partir do segundo verso. Isso, porém, não importa. O impulso inicial foi dado e a musicalidade do soneto de partida se prolonga nos versos seguintes, mesmo que as bases acentuais sejam outras.

A relação entre os dois sonetos também se prolonga no uso das imagens: os homens metaforizados como aves. No soneto de Tasso, criaturas em vôo constante em direção ao Eterno, e durante o qual alma e corpo se confundem, tanto na sua origem como no seu fim – e de tal maneira que de ambos parece surgir um terceiro elemento – embora se distingam quanto à natureza. No final, a natureza contingente de um desperta o apetite pelas "origens divinas" no outro (vv. 9-14). Esse apetite, aliás, não é estranho à poética tolentiniana. No poema "O pêssego", podemos ler: "Há quem diga que as almas têm seu pacto / com as sensações também" (em *O mundo como idéia*). Como já foi dito, o início não parece propriamente definido, assim como o final não parece propriamente um final. Desse modo, o poema dá a sensação de que tudo se repetirá. O que vem Dele para Ele retorna (vv. 1, 12-14). No poema 105 os flamingos são os homens apresentados como algo que em si mesmo denuncia sua origem, são seu reflexo (vv. 6-12). (N'*A imitação do amanhecer*, Tolentino dá a essa imagem dos flamingos um destino diverso: são a metáfora da negação das trevas, da não aceitação da morte, de modo que procuram prolongar em suas asas, por mais algum tempo, a luz de um sol que declina, "Porque subitamente / o espaço se incendeia, a asa sai à frente / da luz que se rebela, e é sua companheira" [III-118]). Mais que buscar as origens divinas, no poema 105 não parece haver dúvidas de que essas origens estão sempre presentes (vv. 2-4). E é igualmente assertivo ao afirmar a perenidade dessa presença em contraste com a mortalidade daquilo que a reflete: "E nunca há de apagar-se aquele ardente / sol perfeito que neles se espelhou.", que é, por sinal, outro modo de dizer "origens divinas a que um dia / retornaremos como para o mar..."

....

Jessé de Almeida Primo *é crítico literário e autor de* A natureza da poesia *(Tulle, 2007).*

COMO ESCOLHER UMA AMANTE
por Benjamin Franklin

Diz-se que o Founding Father *Benjamin Franklin costumava lançar num cronograma as qualidades e virtudes que pretendia adquirir, para, ao final de cada semana, calcular o balanço numa planilha. Não é difícil ver como tal atitude, bem intencionada decerto, mas à primeira vista ingênua e mesmo cômica, se infusa num coração sinceramente piedoso, porém rígido e estreito, pode gerar aquela severidade de escrúpulos puritanos tão intragável e tão típica em terras anglo-saxônicas. E é de todo previsível, por outro lado, que quando o seu oposto, o tipo mais pragmático e materialista, empreende esta forma de "barganha moral", a primeira coisa a ceder seja o incômodo adjetivo, degenerando mais cedo ou mais tarde naquele capitalismo designado, a justo título, "selvagem". Já transfigurado, ou melhor, desfigurado à luz do humor negro, tal individualismo utilitarista, para chamá-lo por seu nome próprio, só poderia dar nestes conselhos de um velho preceptor ao seu discípulo, em espírito, queremos crer, de brincadeira – mas que como tal há de ter seu fundo de verdade.*

O gosto é duvidoso, e fica para o leitor tirar a prova. A bem da verdade, é provável que, não fosse o nome célebre do autor, não o tivéssemos publicado. Mas talvez sirva como oportuna profilaxia contra um certo deslumbramento descabido ao lado de lá de nossa América. E não deixa de ser reconfortante constatar, por um lado, que Pais Fundadores também são filhos de Deus e, logo, compostos da mesma "mistura de anjo e lama" que todos nós, e, por outro, que mesmo líderes políticos maiores em retidão e coragem sabem que há tempo e lugar para tudo, até para se ser politicamente incorreto.

25 de Junho de 1745

Meu caro Amigo,

Não conheço remédio algum capaz de apaziguar as violentas inclinações naturais que mencionastes; e se conhecesse, creio que não to diria. O casamento é o melhor remédio. É o estado mais natural do homem, e, logo, o estado no qual há maior probabilidade de se encontrar uma felicidade sólida. Tuas razões para não contraí-lo no momento, parecem-me bem pouco fundamentadas. As vantagens circunstanciais que tens em vista ao adiá-lo não só são incertas, mas pequenas em comparação com a coisa em si, isto é, com o estar casado e bem estabelecido. São o homem e a mulher unidos que fazem o ser humano completo. Separados, ela deseja a força do corpo e da razão dele; ele, a suavidade, a sensibilidade e o discernimento agudo dela. Juntos têm muito mais chances de serem bem sucedidos no mundo. Um homem solteiro não tem nem a sombra do valor que pode ter em um estado de união. É como a metade solta de um par de tesouras. Se elegeres uma esposa saudável e prudente, a dedicação em tua profissão, aliada a uma economia bem gerida por ela, serão suficiente fortuna.

Mas se não aceitares este conselho, e persistires com estas tuas idéias de que um comércio com o outro sexo é inevitável, então eu repito a minha antiga sugestão, isto é, de que em todos os teus *amours* prefiras uma mulher de idade às jovens. Chamas isto um paradoxo, e perguntas-me por minhas razões. Ei-las:

Primeira. Porque elas conhecem melhor o mundo e porque suas mentes têm um depósito mais rico de observações, de modo que sua conversação é mais proveitosa e, a longo prazo, mais agradável.

Segunda. Porque quando as mulheres deixam de ser belas, trabalham para serem boas. A fim de manter sua influência sobre os homens suprem a redução de beleza com um acréscimo de utilidade. Aprendem a prestar 1.000 serviços pequenos e grandes, e são as mais ternas e úteis de todas as amigas quando se está doente. Desta forma continuam amáveis. Assim, pois, dificilmente se poderá encontrar algo como uma mulher de idade que não seja uma mulher de bem.

Terceira. Porque não há o risco dos filhos, que se produzidos irregularmente exigem uma atenção deveras inconveniente.

Quarta. Porque, sendo maior a sua experiência, são mais prudentes e discretas ao conduzir uma intriga, de modo a evitar suspeitas. O intercurso com elas é, destarte, mais seguro no que toca à tua reputação. E, com relação à delas, se o *affaire* vier a ser descoberto, as pessoas de consideração estarão muito mais inclinadas a desculpar uma mulher de idade que tenha generosamente assumido os cuidados de um moço, formando suas maneiras com seus bons conselhos e prevenindo que sua saúde e fortuna se arruínem nas mãos de mercenárias e prostitutas.

Quinta. Porque em todo animal que anda ereto a deficiência dos fluídos que irrigam os músculos aparece primeiramente na parte mais elevada: a face se faz lânguida e enrugada; então vem o pescoço; logo o peito e os braços. Já as partes inferiores continuam até o fim tenras como sempre: assim, se se cobre tudo o que está acima com um cesto, e se olha somente aquilo que está abaixo do espartilho, é impossível diferenciar uma mulher velha de uma nova. E como no escuro todos os gatos são pardos, o prazer do gozo corporal com uma mulher de idade é, no mínimo, igual, e freqüentemente superior, posto que toda habilidade é passível de ser aperfeiçoada com a prática.

Sexta. Porque o pecado é menor. A corrupção de uma virgem pode ser a sua ruína, tornando-a infeliz pelo resto da vida.

Sétima. Porque a compunção é menor. A infelicidade que porventura hás de provocar em uma donzela pode trazer-te reflexões amargas; nada que se possa esperar ao fazer uma mulher de idade feliz.

Oitava e última. Elas são tão gratas!!

E isso basta quanto ao meu paradoxo. Mas, ainda assim, aconselho-te a buscar diretamente o matrimônio;

Seu sempre sincero amigo,

B.F.

Tradução de Marcelo Consentino

UM CAIPIRA EM NOVA YORK
por Guilherme Malzoni Rabello

A idéia surgiu no ano passado, depois de assistir a um concerto da OSESP na Sala São Paulo. Tinha ficado muito impressionado com a apresentação de uma peça de Arvo Pärt e voltei para casa orgulhoso: "Como é bom viver num lugar onde se pode ouvir Arvo Pärt numa quinta à noite! Isso é coisa de primeiro mundo"... e como o sono não vinha, fiz a besteira de tentar comprovar meu devaneio comparando a programação paulistana com a de Nova York.

Doce ilusão achar que a diferença não seria assim tão grande. Foi o fim da minha alegria e alguns meses depois seria o fim das minhas economias. Ao ler a programação do Carnegie Hall, da New York Philharmonic Orchestra e do Metropolitan Opera me senti numa aldeia isolada da civilização e decidi que não descansaria enquanto não conferisse pessoalmente o que tinha visto pela internet.

Pois bem, há uma enorme e inevitável dose de caipirismo nessa proposta e meu relato não nega nem foge disso. Ao contrário, em muitos sentidos (senão em todos) sou caipira mesmo. Mas sou um caipira que gosta de música e talvez essas andanças para além da nossa roça possam dar espaço para mais de um dedo de prosa e de reflexão.

Mettropolitan Opera

E já que queria colocar todo meu provincianismo à prova, nada melhor do que começar no mais opulento espetáculo da casa de ópera mais prestigiosa deste lado do Atlântico. Como quem vai ao shopping center pela primeira vez e fica com medo da escada rolante, estava nervoso para a primeira apresentação de ópera da minha vida.

Não era por acaso que nunca tinha assistido a uma ópera, pelo contrário. Há um bom tempo li um ensaio, salvo engano escrito por W. H. Auden, em que lá pelas tantas ele dizia que "nenhuma pessoa com menos de trinta anos pode realmente apreciar uma ópera". A carapuça serviu e, como ainda tinha muito a aprender, resolvi que não ouviria nem leria nada sobre o assunto antes dos trinta.

Assim foi até aquela fatídica noite em que resolvi conferir a programação do Met Opera. Fiquei intrigado ao descobrir que depois de mais de 20 anos a Companhia apresentaria nas duas próximas temporadas uma nova montagem das quatro óperas do *Anel do Nibelungo*, a grande obra de Richard Wagner. Mais do que isso, a produção estaria a cargo de Robert Lepage, o diretor canadense que já fez de tudo e chamou a atenção em quase tudo o que fez: da turnê de Peter Gabriel à montagem de *The Rake's Progress* (música de Stravinsky, libreto de Auden); do Cirque du Soleil a uma peça de oito horas de duração.

Eu estava interessado pela obra de Wagner havia algum tempo e essa recusa de assistir a óperas começava a me parecer ridícula. A oportunidade estava ali, a loucura estava assumida e eu quebraria a promessa em grande estilo assistindo a *Das Rheingold* em Nova York.

Para aproveitar minha *premiere*, resolvi que não faria nenhuma leitura ou audição prévia da peça. O que eu já sabia não tinha jeito, mas não leria críticas à montagem, interpretações do enredo nem notas de audição.

Simplesmente fui e ao chegar percebi que o primeiro show era o próprio teatro, com seus cinco andares em dourado e vermelho coroados por um lustre gigantesco. Pouco antes do horário marcado, um senhor subiu ao palco e anunciou que haveria um atraso de 25 minutos. As conversas à minha volta não eram animadoras: isso nunca acontecia no Met Opera. Será que a parafernália de 45 toneladas do Lepage engripou? Só faltava o palco high-tech não funcionar!

Mas meia hora depois as luzes se apagaram, uma gigantesca estrutura metálica apareceu iluminada de azul e os contrabaixos em *pianissimo* surgiram delicadamente ao fundo. Vocês sabem, mas não custa lembrar que essas não eram as primeiras notas de uma ópera qualquer, era o começo do projeto mais ambicioso de um artista que tentou redefinir a arte do Ocidente. Wagner era um maluco que queria criar a *obra-de-arte-integral*; deixando o mérito do projeto de lado, ele de fato revolucionou a ópera, sobretudo com o desenvolvimento de um sistema de *leitmotifs* – segmentos melódicos, rítmicos ou harmônicos relacionados a alguma característica da peça que dão ao acompanhamento musical um papel de outra ordem no desenvolvimento do drama.

O auge desse projeto foi a composição do *Anel*, que pode ser entendido como o mito de criação desse novo mundo que Wagner queria criar. O enredo das quatro peças é baseado na mitologia germânica, e as primeiras notas da primeira peça precisavam fazer jus a todo esse projeto. E de fato fazem! Como diz o programa, "não há nada em qualquer ópera parecido com este miraculoso inicio": aos poucos a orquestra vai surgindo e ganhando força até que no auge surgem as *Sereias do Reno*: a criação estava feita e eu estava literalmente de boca aberta.

Mas nem tudo que é bom dura para sempre. Aquele momento de extrema força emotiva não voltou, e se em vários momentos o que via era belíssimo, apenas essa abertura me pareceu sublime. Nos primeiros minutos não estava mais em Nova York, esqueci que aquilo era uma ópera: parecia estar nas profundezas do Reno a ouvir sereias cantarem. Não que eu seja o melhor juiz; pode ser que tenha sido eu a me perder ao longo do caminho, como é comum aos principiantes. Por outro lado, as duas horas e meia sem intervalo da apresentação passaram-se sem desconforto. Tudo bem que é a menor obra do clico, "apenas um prelúdio", como Wagner gostava de dizer, mas adoraria ter assistido ao mesmo espetáculo no dia seguinte se pudesse.

Sobre a produção do Lepage, o primeiro comentário é que ele parece ter algum fetiche em colocar gordinhas para voar. Em alguns momentos ficava claro que as cantoras estavam completamente inseguras dependuradas daquele jeito – e quase sempre alguém voava por algum motivo. Além disso, acho imperdoável a estrutura metálica do palco fazer barulho ao se mover, como aconteceu sobretudo no começo da apresentação (e não foi só no dia em que assisti). Fora isso, algumas críticas específicas podem ser feitas, mas a mobilidade do palco e o efeito que aquelas garras de aço criavam ao se moverem eram sensacionais – e, o que é melhor, não traíram o espírito da peça.

A única pena é que o Metropolitan Opera está tão longe e custa tão caro! Essa primeira vez certamente conseguiu me fisgar para a ópera. Por mais algum tempo não respeitarei o conselho do Auden, mas não me arrependo de simplesmente ter ignorado o assunto até agora. Não quero ser orgulhoso da própria ignorância, mas simplesmente reconhecer o fato de que é impossível conhecer tudo sobre tudo. Todos nós ignoramos vergonhosamente alguns assuntos e a solução não está em afetar um gosto universalmente preciso, mas em reconhecer as limitações e pouco a pouco tentar aprender. E a graça da grande arte está justamente nesse processo: não somos nós a julgá-la, é sempre ela que nos julga e nos ensina.

New York Philharmonic

No segundo dia pensei que estaria em casa. Assistiria a um concerto da New York Philharmonic e apesar de estar muito animado para mais essa "*premiere*", o fato é que apresentações sinfônicas são a minha praia e já assisti a mais de um grande concerto em São Paulo. Na verdade, estava até um pouco apreensivo porque o programa da noite seria também um teste para minha educação musical.

A principal peça seria de Tchaikovsky e tenho uma relação problemática com esse russo que preferiu a Europa. Sempre acreditei piamente na máxima de que "*gosto não se discute... aprende-se, moleque!*" e por isso desde que comecei realmente a *ouvir* música faço um esforço consciente para educar os meus gostos. Na prática, isso significa pensar por que se gosta ou não se gosta de uma peça, estilo ou compositor e aos poucos tentar prestar atenção a um maior número de características daquilo a que se é exposto. Por outro lado, o grande risco dessa atitude é inverter o processo, ou seja, não mais tentar descobrir por que gostou de uma determinada peça, mas passar a gostar ou não gostar de determinada peça (ou compositor, ou estilo musical) porque pensou (ou leu num manual) que ela tinha essa característica interessante (ou *cult*, no pior dos casos). Inverter o aprendizado dessa maneira é a maior traição que se pode fazer a uma obra de arte, mas muitas vezes a tentação é grande. Afinal, nossa reação a toda experiência depende também das concepções prévias que levamos conosco (os nossos inevitáveis preconceitos).

Tinha, e tenho ainda, dúvidas se realmente *não* gosto de Tchaikovsky ou se minhas reações negativas às suas obras são fruto de um preconceito pedante que desenvolvi para me convencer de que "entendia" alguma coisa de música. O fato é que nunca tinha me emocionado com uma obra sua; todas as vezes saia do concerto com a sensação de que o russo tinha conseguido a proeza de unir o pior de Mozart com o menos interessante de Beethoven e o resultado era no máximo "bonitinho", mas não comovia. Será que sairia com essa impressão da New York Philharmonic?

Tinha comprado o ingresso sobretudo porque Anne-Sophie Mutter se apresentaria com a orquestra nesse dia e não queria perder a chance de vê-la tocar. Para a maioria dos musicistas de talento, a única coisa que realmente importa é *ouvi-los*, mas Anne-Sophie é diferente e já vendeu muitos discos por conta disso. Queridinha de Herbert von Karajan desde tenra idade, nas últimas décadas ela assumiu o papel que tinha pertencido a Jacqueline Du Pré: o de *sex symbol* da música instrumental. Não poderia perder a chance de vê-la, e ainda teria eventualmente a chance de me livrar de um preconceito. Então, ao concerto.

A primeira peça da noite foi a *Abertura americana*, Op. 42, de Sergei Profokiev. Trata-se de uma peça muito pouco conhecida e sua presença no programa era provavelmente fruto de uma peculiaridade do maestro convidado, Michael Tilson Thomas, Diretor Musical da Sinfônica de São Francisco. É uma música muito peculiar, a começar pela formação de 17 músicos na qual os únicos instrumentos de corda são duas harpas, dois pianos e dois contrabaixos. A conseqüência dessa formação é uma coloridíssima combinação de instrumentos de sopro e uma melodia que não se desenvolve muito bem. Mas nem precisava, o som é ao mesmo tempo tão estranho e cativante que a surpresa valeu como amostra do que estaria por vir.

Os oito minutos da *Abertura* foram-se rápido e na seqüência uma

> **Sempre acreditei na máxima de que "gosto não se discute... aprende-se, moleque!"**

grande formação subiu ao palco. Novamente, porém, era uma orquestra muito estranha: não havia nenhum violinista em cena. Tratava-se de *In tempus praesens,* um concerto para violino e orquestra da compositora russa Sofia Gubaidulina (1931-). O único violino que ouviríamos seria o de Anne-Sophie Mutter e quando ela finalmente apareceu no palco sinceramente vi justificados todos os discos que vendera pela capa. Não era uma "moça bonita" que estava ali, era alguém com uma presença de palco quase impensável em concertos de música erudita. A impressão clara era de que ela dominava a orquestra, tanto com o violino quanto com a roupa que vestia. Tanto assim que a lembrança mais viva que tenho da peça é o vestido azul da moça. As notas do programa diziam que nada naquela peça era por acaso: o desenvolvimento em cinco partes representava a sabedoria e era uma homenagem à coincidência de compositora e solista chamarem-se Sofia (o concerto foi composto para Mutter); a estrutura harmônica usava princípios de organização derivados de Bach, Fibonacci e Lucas; enfim, eram notas a um programa de dar medo.

Como normalmente acontece, tanta complexidade transforma-se num caos para ouvidos normais como o meu: não era possível "acompanhar" o desenvolvimento da peça e, assim como a *Abertura* de Prokofiev, o que mais chamava a atenção era a estranheza do som – com a diferença que a primeira era extremamente cativante; a segunda, não.

Essa extrema complexidade é uma característica de muitas composições contemporâneas e confesso que (pelo motivo oposto ao de Tchaikovsky) não sei lidar muito bem com isso: alguém que não tivesse lido o programa poderia relacionar sabedoria com o que estava ouvindo? *Por que* o uníssono final significava "Sabedoria"? Será que fui só eu que não entendeu exatamente essas relações? Mas não foi só o vestido azul que fez valer a noite, ficaram alguns momentos impactantes, bonitos mesmo, seja nos impressionantes solos de violino resolvendo o caos da orquestra, ou na percussão (numerosíssima) "quebrando tudo" e fazendo-nos sentir no peito a força da orquestra.

Mas o principal da noite estava guardado para a segunda parte. Nada de orquestras diferentes, nada de sonoridades estranhas: a New York Philharmonic apresentaria a *Sinfonia no. 2 em dó menor,* Op. 17, de Piotr Ilitch Tchaikovsky. E a verdade é que ou eu sou um caipira preconceituoso que ficou impressionado só porque estava no estrangeiro, ou a apresentação foi algo absolutamente sensacional. Que sejam as duas coisas, pouco importa: o Tchaikovsky que ouvi tinha uma precisão que dava a outra dimensão àquele som. Eu tinha feito a lição de casa, ouvido uma gravação da sinfonia antes do concerto e a sensação tinha sido mais ou menos a mesma de sempre: não me parecia nada demais. Ali não, e isso me faz pensar no que diferencia uma boa orquestra de uma grande orquestra. A sensação era de que todos os músicos sabiam exatamente o que todos os outros estavam fazendo e conseguiam tocar o seu instrumento de maneira exata não só em relação à partitura, mas sobretudo em relação aos outros músicos. Em outras palavras, era como se a orquestra inteira fosse apenas um instrumento musical gigante, não só perfeitamente afinado, mas preciso nas intensidades, ataques e cores. Os violinos não brigavam com as trompas, que davam espaço para os cellos exatamente quando eles deveriam aparecer.

Foi a maior surpresa da viagem e depois desse concerto o que mais quero são outras oportunidades para ouvir Tchaikovsky. Será que vou me decepcionar? Será que tudo não passou da felicidade de um caipira em Nova York?

Anne-Sophie again!

O terceiro dia era um domingo, e a tarde prometia um novo encontro com Anne-Sophie Mutter, dessa vez tocando música de câmara. O programa abriria com o *Trio de cordas em sol maior*, Op. 9, de Beethoven e se encerraria com o *Octeto para cordas*, Op. 20, de Mendelssohn. Entre eles haveria duas estréias: a mundial de *Díade para violino e contrabaixo*, de Wolfgang Rhim; e a *premiere* americana de *Duo concertante para violino e contrabaixo*, de Krzysztof Penderecki. As duas obras foram comissionadas pela Anne-Sophie Mutter Foundation e a formação pouco usual de violino e contrabaixo foi um pedido da alemã para promover o seu protegido: Roman Patkoló, um contrabaixista de 29 anos.

O destaque inegável da noite foi a composição de Rhim: maestra e pupilo deram um verdadeiro show de execução, precisa e equilibrada. O contrabaixo muitas vezes fica esquecido na cozinha da orquestra e poder ouvi-lo em toda sua expressividade foi o auge da noite. Espero ansioso por uma gravação dessas peças, sobretudo da de Rhim.

Comecei o texto falando de Arvo Pärt, e agora volto a ele para notar que junto com Penderecki e Rhim são os três compositores vivos que me parecem mais interessantes. Mais do que qualquer outra forma de arte, a música toca diretamente as nossas emoções. O final da apresentação, no entanto, guardou uma surpresa que serve bem para encerrar o "causo". Alguns dias antes, no site da orquestra, fora anunciado que Mutter doaria o cachê daquela apresentação para as vítimas do terremoto do Japão. Quando ela e os sete músicos da orquestra voltaram ao palco depois do *Octeto* de Mendelssohn, ela anunciou que o bis era uma homenagem às vitmas da tragédia e começou a tocar... a *Ária da quarta corda*, de J. S. Bach. De repente, o caipira da sala não era mais eu: nada mais piegas do que isso! Mas poucas vezes ouvi algo tão bonito. E música é só isso.

....

Guilherme Malzoni Rabello é engenheiro naval (Poli-USP), doutorando em neurociência pela Escola Paulista de Medicina e presidente do IFE.

AS ALMAS DO PURGATÓRIO
por Felipe Garrafiel Pimentel

Michel Vovelle, *As almas do purgatório ou o trabalho de luto*, UNESP, 2010 (*Les Âmes du purgatoire ou le travail du deuil*, Gallimard, 1996).

O objeto do conhecimento histórico padece de impasses epistemológicos delicados: dado seu caráter inatual e a conseqüente impossibilidade de ser acessado plenamente, muitos teóricos – e também o senso comum – chegaram à conclusão de que as afirmações históricas são desprovidas de critério de verdade, no sentido filosófico do termo: não podem ser *verdadeiras ou falsas*. Assim, a história não passaria de uma espécie de a) consenso dos historiadores; b) visão atual de um tempo passado; e/ou c) hermenêutica ou ficção baseada em um ou outro indício. Não bastasse isso, o impasse aumenta quando, para além da busca do que "realmente aconteceu", os historiadores arriscam-se numa interpretação do *porquê* os fatos assim aconteceram. Desde o século XIX, teóricos buscaram saídas para uma interpretação da História, para a elaboração de uma *teoria*: Dilthey, Comte, Marx. A escola ditheyana foi arrasada pela fraqueza epistemológica (a hermenêutica não se apresenta como uma salvaguarda suficiente); os positivistas lograram avanços metodológicos (como acessar documentos), mas não teóricos (como interpretar a história como um todo) – restou o marxismo. A teoria da história de Marx e sua tríplice raiz – o idealismo alemão, o socialismo francês e a economia política inglesa – possibilitava acessar os diferentes métodos da história, compreendê-las num mecanismo subjacente comum e, não bastasse isso, transformá-la. O resultado disso foi o predomínio desta teoria e metodologia na formação dos historiadores ao longo do século XIX e XX. Mas não só: com a ênfase na leitura materialista da sociedade e da história – novo efeito pernicioso – uma série de temas e problemáticas foram negligenciados em nome da *situação da classe operária*. Tudo que é da *superestrutura* – a arte, a religião, os afetos, a vida privada – foi deixado de lado ou visto como sintoma de exploração da classe dominante.

Na primeira metade do século XX, a escola dos Annales veio arejar este ambiente. Os temas abandonados pela interpretação materialista foram retomados e viraram objeto de pesquisa de centenas de historiadores, principalmente na França. Lentamente se consolidava a história das mentalidades, uma escola disposta a analisar o espírito de cada época, sem o resguardo materialista da exploração de classe: como os homens (para além da sua posição na estrutura produtiva) se relacionavam? Do que tinham medo? Amavam? Este amor estava em conflito com quais sentimentos? Como viam a morte? Temiam seus mortos?

É por questões como essas que os historiadores das mentalidades dedicam-se muito ao período medieval, pela sua riqueza de contraste: o espírito daquela época confronta-se agudamente com o contemporâneo e seu libertarismo e vazio metafísico, *i.e.*, a Idade das "Trevas" é muito luminosa. Georges Duby já trabalhara belamente sobre o medo no ano 1.000 (quando os europeus esperavam a confirmação da predição apocalíptica do fim do mundo) e Jacques Le Goff acompanhou a relação do homem medieval com seus mortos até a elaboração da idéia de purgatório no século XII.

É nesta corrente que se insere Michel Vovelle e na qual devemos tomar seu livro *As almas do purgatório*. O historiador francês dá continuidade ao estudo de Le Goff e avança até o século XX, buscando traçar tanto a evolução quanto a descontinuidade da idéia que o homem europeu teve com os mortos: Para onde foram? Sofrem? São acessíveis? Quem os recebe?

A escolha metodológica de Vovelle é a iconografia, meio não totalmente autônomo, porque em diálogo com os discursos de cada momento, mas provavelmente autoral: pinturas e retábulos, iluminuras, gravuras, figurações esculpidas, imagens populares, até as basílicas e as grandes obras de Rubens. A intenção é desvendar como se construiu o imaginário em torno deste "terceiro local", que veio perturbar, ou acomodar, a dicotomia entre o abençoado paraíso eterno e a infinita danação.

Um espaço, tempo, ou ritual necessário à purificação dos mortos já levantara debates desde o cristianismo primitivo, seja em torno à purificação necessária de São Paulo, através do fogo, seja em torno às penas purgatórias de Santo Agostinho. Contudo, este longo caminho do cristianismo primitivo até o surgimento do termo *Purgatorium* entre 1170 e 1200, proposto por Pierre le Mangeur e ratificado por Inocêncio III, fora trabalhado por Le Goff. E é daí em diante que Vovelle estuda, acompanhando os retábulos no sudoeste da França, gravuras em Flandres e xilogravuras germânicas, com **extrema** delicadeza e acuidade estética, mas, acima de tudo, com uma criatividade sem exageros interpretativos. Dada a razoável singularidade da empresa, poucos autores vêm debater com Vovelle, mas a sua erudição e leveza na escrita fazem da obra uma agradável trajetória ao longo da relação do homem com a finitude.

A infância do "terceiro local" é ímpar: ele é formalizado e explicitado em sua função (o purgatório foi promulgado no Concílio de Lyon em 1274, e ratificado pelo Concílio de Florença em 1439), mas então ainda não podemos formar uma imagem dele – é o que o autor chama de tempo do "imaginário sem imagens". Lentamente, vemos os discursos articularem uma figuração possível do "receptáculo dos mortos", pela primeira vez visível no Breviário de Filipe, o Belo (1296), e imaginado na *Comédia* de Dante.

A morte, até então, apresentava-se multifacetada: os mortos estavam próximos em alguns casos, inacessíveis em outros; alguns mortos precisavam dos vivos, outros não tinham mais auxílio; a própria morte às vezes tomava corpo em figuras cadavéricas e assombrosas, em outras, não tinha forma. O purgatório vem cobrir este espaço do desconhecido da morte: ainda no século XIV podemos ver a idéia da morte cadavérica, feminina, que vem buscar os mortos – algumas vezes acompanhada de São Miguel – e os ciceronear no terceiro local. Este preenchimento faz proliferar as imagens sobre ela no século XV, com destaque para a representação de Botticelli.

Não é comentado o suficiente por Vovelle, mas, associadas com a idéia do purgatório, crescem na Europa uma série de práticas e instituições clericais – executadas pelos vivos – com a intenção de salvar os mortos daquele local. Eis a origem do repúdio dos reformadores no século XVI ao purgatório. A Igreja católica, no Concílio de Trento (1545-63), o confirma, e entramos no período de auge da sua imagem, que se estenderá até o século XVIII.

Novas elaborações associam-se às já consolidadas, como a idéia dos santos intercessores pelos mortos, os amuletos, rosários, escapulários, e, sobretudo, a figura da Virgem consoladora, complacente e generosa. As imagens de Cristo crucificado cedem lugar ao Menino Jesus no colo da Mãe e as representações objetivas de Deus Pai são substituídas por figuras abstratas. É assim que entramos no século XIX, quando o inferno também diminuirá nas imagens e o purgatório tomará a frente. Vovelle comenta como a religiosidade cristã deste século está repleta de panteísmos: aparições, revelações, comunicações com os mortos, e mesmo, o espiritismo. Multiplicam-se imagens e textos sobre o purgatório – é da releitura do Don Juan de Mañara, por Mérimée, intitulada *As almas do purgatório*, que o autor empresta o título do livro.

Ao final da obra, Vovelle arrisca interpretar o século XX: a decadência das alternativas cristãs para lidar com a morte (para o autor o desaparecimento do purgatório é uma obviedade) deixa um vazio agora preenchido pelas religiosidades orientais ou por quaisquer estratégias típicas do "irracionalismo moderno", como os extraterrestres e os universos cósmicos. Ainda que esta análise final seja efetuada como sugestão ou "à guisa de conclusão", não devemos deixar de atestar que falta consistência do início ao fim na sua leitura do século passado: desde a premissa sobre o declínio do cristianismo até sua parca pesquisa sobre as figurações da morte no período. A proliferação imaginativa das respostas ao nosso questionamento da finitude não atesta um apaziguamento com a radicalidade da *hora extrema* – esta forma poética com a qual Marco Aurélio chamava a morte.

....

Felipe Garrafiel Pimentel é historiador, psicólogo e mestrando em Filosofia pela UFRGS.

COMO FUNCIONA A FICÇÃO
por Luiz Felipe Amaral

James Wood, *How Fiction Works*, Farrar, Straus & Giroux, 2008 (*Como funciona a ficção*, Cosac Naify, 2011, Tradução: Denise Bottman).

James Wood é figura conhecida da crítica literária. Escrevendo em veículos como *The Guardian*, *The New Yorker* e *The New York Times* e citado em tantos outros, inclusive nesta revista e seu site, Wood talvez seja o crítico mais badalado de nossa atualidade. Vale lembrar, obviamente, que também leciona e tem obras de ficção publicadas, o que me traz à mente toda uma série de ditados maldosos sobre críticos de qualquer coisa – que o leitor saiba que não creio neles. Em seu livro mais recente *How Fiction Works* (*Como funciona a ficção*), faz exatamente o proposto no título.

Ainda assim, *How Fiction Works*, a despeito

da clareza do título, é um pouco difícil de definir. Primeiramente, não serve como manual de escrita – ainda bem! –, mas tampouco é um tratado sobre o romance. Seu lugar, como fica evidente pela forma com que é escrito, é algo intermediário. Pode servir tanto para a multidão de escritores em potencial em escritórios e repartições quanto para quem aprecia a ficção e gostaria de aprimorar sua leitura. Verdade seja dita, deve ser mais útil para o segundo grupo. Até porque se você, caro leitor, pertence ao primeiro, não é esse o livro que há de lhe transformar em Flaubert. Mas tudo a seu tempo. Já no prefácio descobrimos que o intuito é fazer algumas indagações sobre a arte da ficção. Particularmente, o desejo de Wood é responder a questões teóricas com respostas práticas; a indagações de críticos com réplicas de escritores. Algo muito razoável para alguém que como o autor é Professor de Prática de Crítica Literária na Universidade de Harvard. Nessa parte, fica também claro o que se quer dizer com respostas práticas: Wood logo nos primeiros parágrafos dispensa, ainda que aprecie, os métodos do estruturalismo de Roland Barthes. A idéia é passar pelos pontos básicos da ficção observando como os escritores os enfrentam.

Com esse mote, os capítulos lidam com os elementos importantes da ficção. Logo no primeiro, discute-se o ponto de vista narrativo, a narração em primeira pessoa versus terceira, o discurso indireto livre e assim por diante. Conforme avança o livro, são discutidos ainda o papel dos detalhes, dos personagens, da linguagem e tantos outros. Mas, como dito, o mais importante não são os temas, mas sim o método. Cada argumento de Wood é baseado em trechos de romances, contos e poemas. Wood enfatiza as palavras e frases essenciais, vai ensinando os "truques" dos escritores, e mostra ao leitor o que deve merecer a sua atenção.

E, estando nesse tema, é importante atentar para uma pequena polêmica sobre a tradução brasileira do livro, lançada pela Editora Cosac Naify em março desse ano. Denise Bottman, a tradutora, abriu mão da responsabilidade final pela tradução. Ao que consta, Bottman, entendendo a importância e a conexão do texto de Wood a inúmeros trechos de outras obras citados no livro, decidiu por fazer a tradução destes, de forma a garantir que os pontos esmiuçados pelo autor permanecessem na tradução. A editora na versão final optou por usar traduções já existentes, criando o problema. De fato, é crucial no livro o modo como as citações e o texto se ligam. Infelizmente, não tive a oportunidade de examinar a edição brasileira, mas deixo o aviso aos possíveis leitores.

Para encerrar a questão do método de exposição do livro e de suas citações, devo confessar, aliás, que é esse o grande prazer da leitura de *How Fiction Works*: observar James Wood ler. O crítico não destrincha demasiadamente as linhas, tampouco se prende ao que não é importante. Pelo contrário: se atem ao que merece atenção, vai ao ponto, encara o texto como algo construído para ser lido; inclusive quando lida com escritores de prosa "hermética" como David Foster Wallace. Wood quer ensinar como compreender o texto, e o faz em com um texto altamente inteligível. Coisa que, o próprio autor admite, não é tão comum assim entre os críticos literários. Em uma breve crítica a Barthes, escreve: "Barthes em particular não escreve como se esperasse ser lido e compreendido por qualquer tipo de leitor comum".

Como seria de se esperar, uma atitude sensata como essa foi tachada em outras resenhas por críticos acadêmicos profissionais e escritores pós-modernos como reducionista e anacrônica. Talvez seja mesmo muita pretensão um crítico literário tentar explicar como funciona a ficção, afinal não se espera de biólogos que expliquem como funcionam os organismos vivos...

Obviamente, não é o caso da intenção de Wood. No próprio prefácio o autor já indica que o livro está mais para um manual do que para um tratado. Os críticos acadêmicos profissionais encontraram nele, como de costume, mais do que deveriam. Contudo, a clareza e simplicidade do texto de Wood têm de fato seu lado negativo: acabam por passar a impressão de superficialidade em algumas leituras e alguns argumentos. Mas em contraposição a ela, há momentos majestosos na obra. O primeiro capítulo sobre a narrativa é um deles. Mais ainda é o último, uma defesa do realismo na literatura. Realismo, para o autor, é a capacidade da ficção de tratar da vida real. Não é simplesmente verossimilhança. Também não pode ser somente um gênero. Para Wood o realismo é quase uma filosofia da literatura, e é esse o grande argumento do livro. A ficção, na visão do autor, é ao mesmo tempo verossimilhança e artifício; é a tradução da vida real por meio da arte. Uma visão não tão simplista assim, convenhamos.

Enfim, o livro de Wood é bom. Muito valioso para quem gosta de literatura. Talvez não tanto para os acadêmicos profissionais de literatura. Mas isso é provavelmente demérito deles e mérito de Wood.

Luiz Felipe Amaral é membro do IFE e doutorando em Economia pela Universidade do Illinois - Urbana-Champaign.

UMA RECICLAGEM NECESSÁRIA
por Paulo Guilherme Cardoso

Oliver Sacks, *O Olhar da Mente*,
Companhia das Letras, 2010
(*The Mind's Eye*, Alfred A. Knopf, 2010)

É sabido que Oliver Sacks é um dos melhores escritores da atualidade, que possui uma prosa extremamente agradável e que tem a capacidade de abordar assuntos complexos com uma rara clareza. Só que, ainda que isso seja um grande mérito nos dias atuais, seu maior feito é outro: reavivar nos corações dos homens do século XXI um autêntico humanismo[1].

Às custas de muita ciência, principalmente, mas não só. É certo que seus textos são densos e muitas vezes podem cansar o leitor que os tente ler numa tacada só: trata-se, afinal, de um vasto trabalho de pesquisa, recheado de citações, termos técnicos e relatos intrigantes que suscitam novas perguntas à medida que aparecem. Não nos esqueçamos, porém, que Sacks tem sólidos conhecimentos de literatura, filosofia, história do pensamento e arte.

Em *O Olhar da Mente*, ele está interessado na questão da linguagem e nos processos pelos quais o ser humano adquire conhecimento do mundo à sua volta. Começa nos contando sobre pessoas que perderam a capacidade de ler e de identificar símbolos, objetos e até rostos de conhecidos. Como, por exemplo, um escritor que, após sofrer um AVC, passa a levar horas tentando

---

[1] O leitor encontrará na quarta edição de *D&C* um ensaio de Sacks sobre o movimento antimanicomial: *As virtudes perdidas do hospício* (disponível em www.dicta.com.br) (*N. do E.*).

decifrar o significado de uma única palavra. Isso teria sido uma catástrofe não fosse a surpreendente descoberta de que era capaz de contornar o problema atentando à visualização do ato da escrita. Ele jamais conseguiria corrigir sozinho seus textos, mas com a ajuda de uma pessoa que lê seus manuscritos em voz alta, volta a publicar um livro, um romance inspirado em sua história de vida.

Saindo do enigma dos símbolos, Sacks se dirige ao da estereopsia, a capacidade de enxergar o mundo em três dimensões. Aqui temos uma surpresa: o próprio autor passa a ser vítima, paciente e objeto de estudo ao descrever sua vivência de ter sido diagnosticado com um melanoma no olho direito em 2005. Com a visão desse olho afetada, ele passa a ver o mundo em duas dimensões. Nesse ponto a narrativa adquire um tom dramático, que foge ligeiramente da frieza científica, embora preserve sua fundamentação técnica. Só até aqui, o livro já vale para o resto da vida como um riquíssimo aprendizado sobre a fragilidade emocional do paciente com câncer.

Ao lado da sua estão as histórias de deficientes visuais e dos diversos modos como lidam com esse obstáculo. Há os que afirmam "ver" melhor (mais intensamente, devido a uma estimulação mais acentuada do córtex visual, a chamada "persistência da visão"), os que perdem completamente a capacidade de visualização de qualquer imagem, e os que, com o auxílio dos outros sentidos, como o tato e a audição, visualizam praticamente tão bem quanto qualquer pessoa que enxergue normalmente. Ficamos com a questão ainda não respondida: como o poder da visualização pode ser tão forte a ponto de reverter inexplicavelmente quadros considerados irreversíveis?

O médico inglês percorre um caminho no qual o homem do século XXI pode andar sem medo, o terreno do "cientificamente comprovado", seguro e confiável, para então mostrar que, mesmo hoje, a neurociência, sozinha, é incapaz de explicar o mistério que nos torna humanos. O resultado é um humanismo raro nos tempos atuais, no qual Oliver Sacks mistura ciência, arte, filosofia existencial e resgate do significado de *self* a uma "ética da nobreza humana", na expressão de A. Renaudet. Sacks, um cientista, nos mostra, cientificamente, que mais produtivo do que responder, é fazer a pergunta.

Paulo Guilherme Cardoso é graduando em Medicina pela Escola Paulista de Medicina – UNIFESP.

LÓGICA DE PRIMEIRA ORDEM
por Julio Lemos

Raymond M. Smullyan, *Lógica de primeira ordem (First-Order Logic,* Dover, 1995), tradução de Andréa M. A. de Campos Loparic, René Pierre Mazak, Luciano Vicente, Ed. UNESP / Discurso Editorial, 2009.

Escolher um bom manual de lógica para iniciar o estudo da disciplina (penso especialmente nos autodidatas, mas também em alunos matriculados em algum curso) é uma tarefa bastante difícil para quem lê em inglês: são literalmente *centenas* de opções, e várias dezenas de excelentes opções.

Esse problema não existe no Brasil. Até pouco tempo, até onde sei tínhamos apenas um excelente manual traduzido: o do

Benson Mates, *Lógica elementar* (Ed. Nacional, 1968). Um manual difícil, especialmente para o estudante sem professor. E principalmente desatualizado, embora algumas universidades no Brasil ainda o adotem como livro texto básico.

Não digo que o estudante de lógica – ou de filosofia em geral, ou de matemática, ou de qualquer outra ciência – possa deixar de lado o inglês. Como sempre, a bibliografia de quase todas as disciplinas começa com livros em inglês. Raramente temos o material necessário em português – o mínimo necessário! – para começar a estudar algum tema. Mas seria um erro concluir que as traduções de nada servem. Sequer preciso defender esse ponto aqui.

Por isso é positivo, muito positivo, o lançamento da tradução de um dos melhores manuais de lógica no mercado, relançado pela Dover em 1995: o *First-Order Logic*, do lógico americano Raymond Smullyan – autor do poderoso *Theory of Formal Systems* (Princeton, 1961), mas também um bem sucedido divulgador de puzzles divertidíssimos, como os de *Alice no País dos Enigmas* (Zahar, 2000), lançado no Brasil.

Não se trata de um texto fácil para um estudante de Humanidades. Já faz muito tempo que a lógica deixou de ser uma disciplina propedêutica para os estudantes de filosofia (e mais tempo ainda de ser ganha-pão de advogados). A lógica, depois de derrubar as suspeitas que recaíam sobre si no início do século XX, ganhou *status* de fundamento da matemática (mesmo para quem não segue a tese de que a matemática pode ser reduzida à lógica). Por isso a lógica entrou também, e com todas as forças, nas faculdades e institutos de matemática.

Um dos motivos da dureza do texto de Smullyan, relançado com correções várias em 1995 (sendo a primeira edição de 1968), é o exigir o que os especialistas chamam de "*mathematical maturity*". O livro é auto-contido, ou seja, não faz uso de conceitos não definidos no livro e não exige nenhum pré-requisito formal. Um bom aluno de Ciência da Computação, Engenharia, Física ou Matemática não terá qualquer dificuldade em, mesmo a duras penas, aprender bem os fundamentos do cálculo de predicados via Smullyan. Já um aluno de Humanidades sem muita intimidade ou curiosidade com a matemática terá dificuldades bem concretas, porque se trata de um livro de "lógica de verdade", ou seja, suficientemente abstrato e preciso; além disso, elegante e com exercícios em geral desafiadores (uns fáceis, outros quase impossíveis). Mas não se desespere o aluno de Filosofia: o melhor será aprender um pouco de lógica em um livro mais fácil, como o de Copi, e depois partir para o Smullyan.

A inteligência cresce quando enfrenta dificuldades. A recompensa de enfrentar um livro como o de Smullyan é enorme. O aluno de Filosofia ou Direito – ou mesmo o simples curioso – sairá bem acima dos seus colegas que pensam que o exercício da inteligência é brincadeira de crianças, regozijo de filósofos franceses confusos. Além disso, a elegância matemática e a precisão do autor são coisas belas de se contemplar. Afinal, o que supera a beleza da clareza e da concisão?

O livro é extremamente compacto. No primeiro capítulo, o autor introduz noções sobre árvores, necessárias para a compreensão do método de prova utilizado ("tableaux analíticos"), um *mix* entre os métodos de Beth e Hintikka, que seguem a idéia geral que deriva de Gentzen, e o básico sobre lógica proposicional. Adiante, descreve com detalhe o método de prova referido – que é de uma simplicidade impressionante – (cap. 2), apresenta o Teorema da Compacidade e várias provas dele (cap. 3) e os fundamentos da lógica de primeira ordem. Depois apresenta provas dos seus teoremas mais importantes, inclusive o de Skolem-Löwenheim (caps. 4 a 6), bem como daquele a que o autor chama "Teorema Fundamental da Teoria da Quantificação" (cap. 7), utilizando esses resultados para estabelecer a completude dos sistemas axiomáticos mais conhecidos (cap. 8). O restante do livro (caps. 9 a 16) introduz novos pontos e explora os sistemas de Gentzen para a lógica proposicional e a teoria da quantificação.

Recomendo ao estudante que proceda lentamente, "indo e voltando", e que nunca se desespere. Em matemática, a tendência é que na segunda ou terceira vez a monstruosa Hidra perca parte do seu potencial assustador. Cada leitor terá seu limite; não é necessário digerir o livro todo. Recomendo os capítulos 1-4 aos mais modestos. E mesmo o mais audaz não perderá a honra se der o trabalho por terminado no capítulo X.

A tradução encabeçada por Andréa Loparic, talvez a maior lógica que já tivemos (e isso não é uma relativização: em "lógica" incluo também os "lógicos", ok?), é praticamente impecável. O trabalho foi difícil; mas Loparic soube trazer à terminologia do português todos os vocábulos especializados, e converter à nossa sintaxe e semântica a precisão do original. Algum equívoco aqui e ali (como o uso de "o mesmo" como pronome), mas isso não chega a chamar a atenção. Ademais, a edição é muito correta.

Julio Lemos *é advogado, doutor em direito pela USP e membro do IFE.*

CARTER, BLAIR E BUSH: MEMÓRIAS
por Fabio Silvestre Cardoso

Jimmy Carter, *White House Diary*, Farrar, Straus and Giroux, 2010. Tony Blair, *The Journey*, Knopf, 2010. George W. Bush, *Decision Points*, Crown, 2010.

Recentemente, Jimmy Carter, Tony Blair e George W. Bush ajudaram a escrever mais alguns capítulos da história política mundial. A motivação para tanto não teve nada a ver com alguma decisão executiva, mas, sim, porque os três líderes políticos lançaram livros que dão conta de sua trajetória como presidentes da República (como é o caso de Jimmy Carter e de George W. Bush) e primeiro ministro (Blair). E, ao contrário do que se pode corriqueiramente imaginar, Carter, Blair e Bush têm mais em comum do que o séquito político de cada um deles gostaria de acreditar.

Os livros não são narrativas "imparciais", isto é, assinadas por outros autores. Cumprindo uma espécie de tradição, que remonta aos grandes líderes do passado, ao sair de seus respectivos cargos executivos, os presidentes e os ministros de Estado costumam guardar para si um tempo para processar as mudanças e, por que não dizer?, prestar um acerto de contas para com a sociedade que esteve sob seu comando. Nesse sentido, os livros autobiográficos, mais do que obedecer à lógica do escândalo e do espetáculo que grassa na contemporaneidade, têm como objetivo mostrar as motivações, os acertos, os erros, e, eventualmente, apresentar explicações (ou mesmo um mea-culpa) acerca de determinados atos. Por tudo isso, os relatos tendem a ganhar carga bastante emocional, não apenas porque as histórias de vida são fascinantes, mas, essencialmente, porque os depoimentos podem trazer revelações esclarecedoras a propósito de alguns eventos históricos.

É o caso dos *White House Diary*, assinado pelo ex-presidente norte-americano Jimmy Carter. O livro possui estrutura bastante peculiar, uma vez que foi escrito originalmente durante o período em que Carter esteve no cargo mais importante do mundo, como gostam de ressaltar alguns analistas políticos. Carter foi o presidente que substituiu Nixon, que foi abatido pelo escândalo de Watergate, malgrado suas conquistas na política externa. É curioso, nesse sentido, que, embora tenha tido muito mais complacência por parte dos veículos de comunicação de seu tempo, o legado mais lembrado nessa área, hoje em dia, é a Revolução Islâmica, que tirou o Xá Reza Palevi do poder e encastelou os aiatolás fundamentalistas. Carter era o comandante-em-chefe naquela ocasião, e seu comportamento, algo tergiversante, é evidenciado nas suas anotações. Para aplacar esse e outros dissabores, Carter adotou uma estratégia interessante: não alterou o texto original, mas acrescentou comentários extras, em itálico, a fim de "contextualizar" o leitor 30 anos depois.

Desse modo, o público tem em mãos quase uma segunda biografia, pois os comentários são estritamente estudados e traçam comparações com os governos subseqüentes, ora atacando a gestão de seu rival político, Ronald Reagan (como na política de guerra contra as drogas do republicano); ora justificando suas conquistas (como ao ressaltar a preocupação com os direitos humanos, tema essencial de sua agenda democrata).

O caráter internacionalista de sua gestão pode ser comparado com a do ex-premiê britânico Tony Blair, cujo *The Journey* tem o mérito de dissecar o seu longo mandato em Downing Street. No caso do político britânico, chama a atenção o fato de que seu governo também recebeu juras de amor da mídia liberal tanto dentro quanto fora da Europa, como se, sob seu comando, a renovação do partido trabalhista tivesse corrigido a rota após os desastrosos anos do governo conservador. E boa parte de sua narrativa inicial mostra exatamente isso: a derrota dos conservadores, que definitivamente representavam o atraso, e a vitória dos trabalhistas, com a esperança de mudança, como se fosse o retorno da imaginação ao poder.

A esse estado de coisas, deve-se acrescentar que a morte da princesa Diana concedeu um status de altíssima popularidade a Tony Blair, a quem se atribui, no imaginário popular sobre a política de bastidores, a articulação para que o funeral fosse um evento público, com a participação e a declaração de pesar da Majestade, a Rainha Elizabeth II. Para quem não se lembra, houve mesmo, naqueles dias, quem atribuísse a Blair a manutenção da Monarquia. De forma semelhante a esse exagero triunfalista, existe destempero por parte dos críticos em relação à atuação de Tony Blair desde 2001, quando os EUA deflagraram "Guerra ao Terror". Aliado de primeira hora de George W. Bush, Blair foi achincalhado até o fim de seu mandato, e os mesmos acólitos que antes o saudavam como o agente da mudança foram céleres em classificá-lo como animal de estimação do presidente norte-americano. Blair parece não temer o confronto, pois em suas memórias elogia inclusive a inteligência e a assertividade de George W. Bush.

O ex-presidente norte-americano, por sua vez, não precisa da defesa de Tony Blair. Em seu *Decision Points*, o político republicano defende com clareza ímpar as posições mais controversas de sua gestão. Do ponto de vista da organização textual, trata-se do texto mais original entre os três, até mesmo porque Bush radicaliza e não apresenta um livro linear. Em vez da jornada do herói, o que se lê é a construção do político improvável que chegou à Casa Branca em 2000 e foi reeleito em 2004, com uma plataforma conservadora intragável para os "bem pensantes". Nesse sentido, Bush não tem dúvidas: é, sobretudo, um homem resoluto e que cita até *Admirável Mundo Novo* para justificar sua restrição contra as pesquisas de células-tronco. Já na política externa, Bush sai em defesa das guerras que empreendeu e, ironia das ironias, observa que Obama acertou ao dedicar mais atenção ao Afeganistão para conter a insurgência naquele país.

Nesse ponto, é significativo o fato de que os três líderes políticos sejam personagens não apenas de sua época ou de suas respectivas nações: pertencem, isto sim, a um período histórico marcado pela interdependência política dos acontecimentos. Seus relatos constituem, assim, apesar da insistência de seus detratores em contrário, um registro fundamental para a história contemporânea.

....

Fabio Silvestre Cardoso *é jornalista e professor universitário.*

O ASSUNTO PROIBIDO
por Guilherme Malzoni Rabello

Étienne Gilson, *From Aristotle to Darwin and Back Again. A Journey in Final Casuality, Species and Evolution*, Ignatius Press, 2009.

Tirem as crianças da sala, fechem as janelas, desliguem os celulares. Essa resenha é sobre um tema proibido. Até alguns editores da revista tentaram me dissuadir quando avisei sobre o que escreveria: "Um *tomista* falando sobre teoria da evolução!? Você não quer escolher outro livro?", disseram-me entre um olhar ameaçador e um sorriso malicioso. Mas vá lá, a transgressão tem seu charme.

D'Aristote à Darwin... et retour foi publicado em francês por Étienne Gilson em 1971, traduzido para o inglês em 1984 e desde então estava fora de catálogo. A nova edição da Ignatius Press (2009) traz de volta um livro com três características relevantes: coragem na escolha do tema, honestidade nos argumentos e clareza na exposição.

Gilson não é autor de panfletos e sua abordagem não foi pensada como um palco para desfiles ideológicos. Pelo contrário, já no primeiro capítulo somos apresentados a um dos trabalhos menos discutidos de Aristóteles. É a partir de *A história dos animais* que Gilson vai mostrar como a noção de causa final era para Aristóteles menos uma teoria e mais a constatação de um fato observável tanto nas ações humanas quanto na natureza. À diferença dos homens, no entanto, na natureza a finalidade seria espontânea e não adquirida. É verdade que a noção de uma teleologia imanente (sem "consciência") é algo misterioso para nós. "Mas Aristóteles não crê", escreve Gilson, "que isto seja razão para negar sua existência. [Pois a finalidade na natureza] não é incompreensível por causa de sua complexidade – a qual só podemos esperar que a ciência um dia clarifique – mas por causa de sua própria natureza, que não permite que [a teleologia] seja expressa numa fórmula" (pág. 14).

A concepção aristotélica continuou a mais aceita até que Descartes e Bacon (sempre eles!) negassem a noção de forma substancial. Se a matéria é apenas extensão geométrica, os únicas explicações possíveis são mecânicas; assim a ciência passa a ser um braço-de-ferro entre o homem e a natureza, e o conhecimento prático, o único relevante. Depois de Steve Jobs, nem precisamos perguntar o que ganhamos com essa mudança; mas será que perdemos alguma coisa? E mais importante: será que essa perda era necessária?

Se seguíssemos Descartes à risca e limitássemos a ciência ao mecânico e ao material, não haveria ali espaço para contemplação. Felizmente os grandes cientistas não chegaram a tanto e é muito comum ouvi-los falar, por exemplo, sobre a "beleza das equações de Lagrange", para usar um exemplo do livro. Porque não há necessidade de negar a teleologia para pensar na ciência. Nas palavras de Gilson: "se um cientista se recusa a incluir a causa final na sua interpretação da natureza tudo está em ordem; sua interpretação será incompleta, não falsa. Por outro lado, se ele nega que exista causa final na natureza está sendo arbitrário. *Afirmar que a causa final está além da ciência é uma coisa; colocá-la além da natureza é outra completamente diferente*" (pág. 31, grifo meu).

A partir daí, Gilson pode entrar propriamente nas discussões sobre *A origem das espécies* e a teoria da evolução. O livro é muito bem informado e, como já disse, não cai nenhum momento em qualquer tipo de proselitismo. Mas para além de uma exposição clara, sobretudo três *insights* de Gilson me parecem muito relevantes.

Em primeiro lugar, ao apontar para o nevoeiro conceitual das discussões sobre o desenvolvimento das "espécies", Gilson mostra como desde há muito tempo o assunto foi relacionado indevidamente com problemas teológicos e concepções religiosas. A conseqüência desse tipo de associação sempre foi (e continua sendo) má teologia e má biologia. Mas não deixa de ser curioso que quase nunca se note o paradoxo de ao mesmo tempo negar a "forma substancial" e basear toda a discussão no conceito de "espécie" – este é quase uma aplicação científica daquele. Essa trapalhada conceitual se mantém até a obra de Darwin: ou senão, como falar em espécie se as modificações são contínuas?

O outro ponto de interesse é a relação entre as teorias de Darwin e a noção de finalidade na natureza. Hoje Richard Dawkins é celebridade e nem passa pela nossa cabeça que as duas coisas são, de fato, compatíveis. Mas se pensarmos bem (e Gilson pensa), fica claro que não há incompatibilidade entre um mecanismo de seleção natural aleatório e a existência de uma ordem na natureza. Pelo contrário! Os mecanismos de seleção só podem ser aleatórios porque "a luta pela sobrevivência" não é. E, o que é mais interessante, o próprio Darwin não parece ter visto grandes problemas quando seu amigo Asa Gray escreveu na revista *Nature* que a grande contribuição dele (Darwin) tinha sido "reestabelecer a teleologia na ciência natural".

Mas o mais surpreendente, porém, é a relação entre o pensamento Darwin e a teoria da evolução. Eles estão longe de ser a mesma coisa! Em primeiro lugar, a palavra "evolução" não aparecia *nenhuma* vez nas seis primeiras edições de *A origem das espécies*. A história de como um biólogo escrupuloso transformou-se no profeta que conhecemos hoje foi uma obra conjunta que aconteceu sobretudo quando os darwinistas (e não Darwin) se apropriaram das idéias de Spencer e transformaram um mecanismo biológico numa teoria com conseqüências em tudo que se conhecia.

A edição poderia ser mais bem cuidada e o livro certamente tem algumas falhas. Mas seus acertos começam no prefácio do cardeal Christoph Schönborn e permeiam esse estudo que certamente deve ser lido por quem se interessa pelo assunto.

....

Guilherme Malzoni Rabello *é engenheiro naval (Poli-USP), doutorando em neurociência pela Escola Paulista de Medicina e presidente do IFE.*

O PESO DA MEMÓRIA
por Joel Pinheiro da Fonseca

Michel Laub, *Diário da queda,* Companhia das Letras, 2011.

Há muitos nós na garganta em *Diário da queda*, de Michel Laub. Felizmente, o livro transcende a indulgência complacente para com os sentimentos de culpa e pena (um mérito ainda mais notável quando um dos temas é o Holocausto) para tratar do que realmente importa: o que fazer com eles? No centro da estoria está um fato determinante na vida do narrador, cujas notas desconexas, matéria-prima de uma auto-biografia futura, lemos: aos 13 anos, ou seja, ao se tornar "filho do dever" (segundo o judaísmo do qual faz parte), junto com seus amigos, pregou uma peça maldosa num colega (mais pobre e goy) bem no dia do aniversário dele. O garoto foi para o hospital e por pouco o dano não foi irreversível. A chaga desse dia perdura na consciência do narrador, que narra sua história já maduro, aos quarenta anos e três casamentos.

Ao colocar suas memórias no papel, o narrador ecoa as ações de seu avô, sobrevivente de Auschwitz que emigrou para o Brasil deixando para trás memórias secretas na gaveta do escritório, e de seu pai, que começou a manter um diário depois de descobrir que sofria de Alzheimer. O propósito que leva cada um dos três – especialmente o narrador – a escrever só ficará claro no fim.

O avô é certamente o mais enigmático. Um homem absolutamente fechado que viveu seus dias depois de chegar ao

Brasil sem jamais se abrir à mulher ou ao filho, dedicando-se apenas a trabalhar e escrever suas memórias. Memórias (das quais lemos apenas algumas passagens citadas pelo neto) que, diga-se, são um caso à parte: centenas de páginas do mais cínico e amargo sarcasmo. Todas as suas experiências, e todos os objetos que tiveram alguma relevância em sua vida, são descritos da forma que "deveriam ser" num mundo ideal; e por contraposição concluímos como eles *não* foram na vida real. A hospedaria em que se consegue uma cama chegando da Europa é um lugar limpo, os donos são acolhedores e caridosos para com o judeu pobre recém-chegado, a sociedade é livre de preconceitos, o leite é uma bebida saudável e não-contaminada, o nascimento de um filho é fruto do amor dos pais e traz grande alegria a ambos. Colocar *isso* de forma sarcástica é descer aonde poucos descem. Um belo dia, meteu uma bala na própria cabeça, deixando o filho de 14 anos para tomar conta dos negócios e encarar sozinho as memórias amargas de um pai que nunca conhecera direito.

Esse menino cresce tendo que justificar o pai, de forma que todas as suas falhas têm de advir de uma única causa, perto da qual qualquer maldade doméstica desaparece: Auschwitz. Este fato, por ele elevado à condição de conceito, é a lente pela qual enxerga o universo e os outros, e determina portanto como vê o futuro e as aspirações do filho que, para seu desencanto, é muito menos interessado no Holocausto do que ele. Dá para ter uma boa idéia do narrador e de seu pai; é o avô que permanece um mistério insondável. Se todas as suas ações externas eram uma casca oca, o que preenchia sua vida? Entendo que, pela própria natureza da história, o neto não tinha como conhecê-lo bem; mesmo assim, tendo apresentado essa que é a figura mais instigante do romance, faz falta não lhe dar um pouco mais de espaço.

Algumas marcas estilísticas repetidas à exaustão irritam um pouco, como os períodos longos, orais, em que apostos em seqüência tentam dar um tom visceral à narrativa. Contudo, Laub cria algumas passagens em que se sente de fato o tipo de culpa e angústia que assola os personagens, e outras, mais para o fim do livro, são tocantes sem ser piegas. Seu maior mérito, contudo, é oferecer, com realidade psicológica (isto é, de forma convincente ao leitor que presenciou uns maus bocados ao longo do romance) a possibilidade de redenção frente à "inviabilidade da experiência humana em todos os tempos e lugares". Cada geração, ou melhor, cada indivíduo, tem suas dores e provações. Se comparadas objetivamente, umas parecem muito mais sérias do que outras (como comparar a frieza paterna, ou ainda uma brincadeira maldosa, a Auschwitz?). Já na esfera subjetiva podem desempenhar os mesmos papéis, e as reações, as atitudes internas de cada um acabam importando mais do que os fatos em si; se algo concorrerá para o bem ou para o mal, é o indivíduo que o decidirá. *Diário da queda* não termina sem que nos ajude a levantar.

....

Joel Pinheiro da Fonseca é Bacharel em Ciências Econômicas pelo Insper e em Filosofia pela Faculdade de Filosofia, Letras e Ciências Humanas (USP), mestrando em Filosofia pela mesma faculdade e membro do IFE.

223 | **GALERIA** *por Daniel Faiad Barreto*

| 224 | O LANÇAMENTO QUE NÃO HOUVE |

O DIA DO JUÍZO
WHITTAKER CHAMBERS E O DESTINO DO OCIDENTE
por Túlio Sousa Borges

Sardonicis quodammodo herbis omnem Romanum populum putes esse saturatum. Moritur et ridet.
(Salviano)

Martyrdoms are never solutions but pyres whose flicker is addressed, not primarily to the present, but to a posterity that has not yet cohered out of chaos and old night.[1]
(Whittaker Chambers)

It is an interesting reflection on the relationship of history to literature... that whereas biography is history, autobiography is literature.[2]
(George Kennan)

Foi em Nova York, em uma tarde fria no início de 1925, que Whittaker Chambers decidiu se juntar ao Partido Comunista. Até então um dos alunos da Columbia University, ele sentou-se em um banco de concreto do campus, de frente para a estátua de seu antigo herói político, Alexander Hamilton, e absorto em pensamentos e indagações sobre a crise do século XX, lembrou-se de duas linhas do livro-texto usado em suas aulas de História. Elas eram uma tradução um tanto quanto imprecisa da melancólica frase escrita por Salviano quinze séculos antes, enquanto os bárbaros avançavam sobre Roma: "O Império Romano está repleto de miséria, mas é faustoso. Morre, e, no entanto, ri".

A história parecia se repetir. *Moritur et ridet.* Não era justamente isso o que fazia o moderno Ocidente? Dois anos antes, durante o verão, Chambers havia passado três meses na Europa – ou no que restara dela depois da Primeira Guerra – com dois colegas universitários. Na França, vira ruínas e cicatrizes, bem como uma frivolidade que o incomodava profundamente – especialmente entre americanos; na Alemanha de Weimar, desespero e caos existencial.

Uma cena que testemunhou em Berlim marcaria para sempre sua memória. Na Kurfürstendamm, em plena luz do dia, caminhava, altiva e muito bem-vestida, uma mulher. Uma torrente de lágrimas corria de seus olhos sem parar, mas ela continuava andando, ereta, sem esperar compaixão. E estava certa. Todos a seu redor permaneceram indiferentes.

Ainda na Europa, Chambers, um estudioso de línguas desde a infância, descobrira nos escritos de Georges Sorel uma visão de mundo

---

[1] "Martírios jamais são soluções, mas piras cujas chamas são dirigidas não primariamente ao presente, mas a uma posteridade que ainda não se consolidou em meio ao caos e à noite antiga" *(N. do E.)*.
[2] "É uma reflexão interessante sobre a relação da história com a literatura... que enquanto a biografia é história, a autobiografia é literatura" *(N. do E.)*.

semelhante à sua, ao mesmo tempo reacionária e revolucionária. Foi também lá que o jovem familiarizou-se com a obra de Oswald Spengler, adquirindo no processo o que William F. Buckley chamaria mais tarde de "Spenglerian gloom".

De volta à América, Chambers retomara os estudos universitários que já havia interrompido uma vez e que jamais concluiria. A verdade é que sua cabeça já se ocupava com a revolução. Ele mergulhara na leitura dos socialistas britânicos – Sidney e Beatrice Webb, G.D.H. Cole, R.H. Tawney, autores que lhe pareceram tediosos, excessivamente teóricos. Foi a voz de Lênin, em um discurso pronunciado em abril de 1918, que conquistou o rapaz. Diferentemente dos fastidiosos Fabianos, o líder bolchevique era eminentemente prático. Conclamava seus partidários à ação e deixava claro que a causa revolucionária demandava sacrifício pessoal e dependia do terrorismo e da espionagem para emergir vitoriosa.

Também o irmão mais novo de Chambers, Richard, estava desiludido com o mundo e com a civilização moribunda que os cercava. A princípio mais sociável e alegre do que o taciturno Whittaker, Richard foi aos poucos perdendo a vivacidade. Chegou à conclusão de que tudo era uma farsa e de que viver não fazia sentido. Certa vez, propôs ao irmão um pacto de suicídio. Rejeitado, sentenciou: "Você é um covarde, mano".

Mas Whittaker Chambers pensava diferente. Os comunistas tinham o remédio que sanaria a doença civilizacional; eram os cirurgiões que salvariam, por intermédio de um procedimento radical, o paciente moribundo. Naquela tarde fria em Columbia, ele decidiu se oferecer, de corpo e alma, ao Partido. Procurou seus representantes, foi levado a reuniões e acabou sendo aceito. Filiou-se pouco tempo depois, em 17 de fevereiro de 1925.

O caminho tomado por Chambers o colocaria, eventualmente, no centro de uma conspiração que infiltrou os altos escalões do governo americano no final da primeira metade do século. Passar-se-iam muitos anos antes disso, porém. E foi apenas em 1948, dez anos depois de Chambers ter rompido com o Partido, que ele testemunhou publicamente contra seu antigo colega e amigo Alger Hiss, naquele que é possivelmente o grande julgamento americano do século.

Mas mesmo que não pudesse imaginar tudo o que vinha pela frente, Chambers já estava profundamente envolvido nas atividades do Partido Comunista Americano no dia 8 de setembro de 1926, data em que Richard responderia à sua maneira à crise do Ocidente. O jovem não tinha completado vinte e três anos quando cometeu suicídio.

*

Whittaker Chambers (1901-62) teve uma vida curiosa – triste e por vezes solitária. Nasceu na Philadelphia, no mesmo ano que o novo século, sob o signo das convulsões sociais. Veio ao mundo no *April Fool's Day* – o Dia da Mentira – em meio a uma violenta nevasca.

Pouco mais de cinco meses depois, na cidade de Buffalo, Nova York, o presidente americano William McKinley sofreria um atentado anarquista durante a Exposição Pan-Americana. Baleado duas vezes, morreria oito dias mais tarde. O século XX mal começara e já mostrava seu cartão de visitas. Como dissera Trotski a um amigo – numa frase freqüentemente citada pelo próprio Chambers, "se você desejava uma existência tranqüila, escolheu o século errado para nascer".

Ao encarnar como poucos o drama de sua época, Chambers transformou-se em uma figura controversa. Muitos, entre os quais Nixon e Reagan, o consideravam um herói. Para seus numerosos detratores, porém, ele era pior do que um criminoso. Era um "leproso moral" – na frase de Lloyd Paul Stryker, o habilidoso advogado de defesa de Alger Hiss no primeiro julgamento por perjúrio.

Arthur Koestler, outro notório ex-comunista, discordava. Embora fosse um homem de esquerda, mandou um telegrama de condolências à *National Review* de William Buckley por ocasião da morte de Chambers: "Sempre achei que Whittaker Chambers foi a pessoa mais incompreendida de nosso tempo. Ao testemunhar, ele cometeu suicídio moral conscientemente, para assim pagar pelos pecados de nossa geração... A testemunha se foi, o testemunho permanecerá".

O comentário é aguçado – a começar pela semântica religiosa. Mas afinal de contas, quem foi Whittaker Chambers, esse homem de muitas faces?

*

Se compreender Chambers e seu tempo é, por si só, uma difícil tarefa, o que se dirá de fazê-lo no Hemisfério Sul? E isso não se deve apenas à mais do que resistente praga do antiamericanismo. Hoje, a Guerra Fria é uma distante memória, pouco mais do que uma curiosidade histórica. E na medida em que conhecemos alguma coisa sobre anticomunismo americano, o associamos automaticamente ao senador Joseph McCarthy, tido como um facínora despido de qualquer virtude redentora.

De certo modo, Chambers está tão distante de nós quanto Isaías, Malaquias ou João Batista. Por outro lado, está muito próximo, da mesma maneira que seu pensamento continua relevante diante de nossos dilemas políticos e da contínua crise do Ocidente.

Sua voz chega até nós através das décadas. Basta ouvi-la com atenção. Ou mais propriamente, basta lê-lo com a atitude correta, pois, como previra Koestler, o testemunho permanece.

Se a vida de Chambers foi triste, foi igualmente inspiradora – e inspiradora porquanto trágica. Ele conta a maior parte dela em *Witness* (1952), sua monumental autobiografia, um livro de singelas oitocentas páginas, jamais publicado no Brasil.

Logo no prefácio, Chambers diz que foi um comunista, e um de seus objetivos ao longo do livro é explicar o porquê de sua conversão ao comunismo. É no terceiro capítulo, por exemplo, que ele relata o momento, naquela tarde fria na universidade, em que decidiu se alistar no exército de Lênin.

Mas Chambers foi mais do que um comunista, um ex-comunista e um anticomunista. O prefácio e título do livro não deixam dúvidas. Whittaker Chambers foi, antes de tudo, uma "testemunha".

*

Já dizia Leo Strauss – outro que meditou com propriedade sobre a crise do Ocidente – que para se compreender um texto é fundamental saber a quem ele se dirige. Strauss também demonstrou em suas minuciosas exegeses de textos filosóficos que o prefácio de um grande livro não raro inclui uma epístola dedicatória – quando não se constitui de uma. Pensemos em Maquiavel, que dedicou ao Príncipe Lorenzo de Medici seu tratado sobre a arte governar.

Em *Witness* não é diferente.

Chambers intitula seu prefácio de "Uma Carta aos meus filhos". Trata-se de um texto magnífico, por si só uma obra-prima, independentemente do restante do livro. Ainda chegará o dia em que um editor suficientemente arguto o publicará separadamente, da mesma maneira que já se fez com "O Grande Inquisidor", um dos melhores capítulos de *Os irmãos Karamazov*, de Dostoievski – escritor onipresente na obra madura de Chambers.

Whittaker Chambers escreve aos filhos porque ele os ama e deseja prepará-los para o sofrimento que necessariamente terão de enfrentar no futuro. O sofrimento faz parte da vida e Chambers enxerga nele a possibilidade de redenção do homem moderno. Mas Chambers não está preocupado apenas em revelar a natureza do mundo para os filhos. Ele sente que tem uma grande dívida para com eles.

Deve-lhes, em primeiro lugar, uma explicação sobre seu passado. Se Chambers acredita que o comunismo é perverso, por que se tornara um comunista? Mas a história não acaba aí. Chambers deve mais do que uma explicação às crianças. Ele lhes deve gratidão, pois foram eles os responsáveis últimos por sua completa ruptura com o comunismo.

É óbvio que como pai Chambers sentia o peso de colocar seus filhos em risco por causa das atividades clandestinas em que se envolvia. O fato, porém, é que a sua ruptura com o comunismo não deve ser vista como um ato racional e utilitário de um pai de família que deseja somente aumentar a qualidade de vida dos seus – até porque ao sair do Partido, no início de 1938, ele os colocou em perigo ainda maior: ele, sua esposa e os dois filhos passaram um ano escondidos, temendo retaliação. Nesse período, Chambers dormia só durante o dia. À noite, sempre com uma arma ao alcance, ocupava-se das traduções que lhe rendiam dinheiro mais do que necessário enquanto vigiava o sono da família.

Sua ruptura com o comunismo foi mais propriamente uma apostasia. A desilusão apareceu gradualmente e foi o resultado de muitos fatores, como a ascensão e consolidação do Stalinismo por meio de traições e expurgos. Mesmo assim, os filhos de Chambers – especialmente a pequena Ellen – desempenharam o papel decisivo nesse processo.

Na "Carta aos filhos", Chambers relata um terno episódio que ocorrera em meados da década de 30, enquanto tomava seu café da manhã. A pequena Ellen, que ele considerava seu tesouro, sentava-se à mesa na cadeira de bebê. Observando-a, os olhos de Chambers detêm-se sobre os delicados traços da orelha da menina. Maravilhado com a perfeição que tinha diante si, ele pensa em Deus e acredita ter encontrado uma prova de Sua existência. Afinal de contas, aquela bela orelhinha de criança não poderia ter sido o mero resultado de um encontro casual de átomos. A visão comunista, que Chambers descreveria mais tarde como "a visão do Homem sem Deus", tinha sido desafiada por uma pimpolha. Ele tenta esquecer rapidamente o pensamento, mas a semente da dúvida já tinha sido lançada.

E a verdade é que o prelúdio disso ocorrera algum tempo antes, já com o nascimento de Ellen. Chambers dedica o sexto capítulo de *Witness* a esse evento. Intitulado "A Criança", ele é o mais curto de todo o livro e ocupa uma posição central na narrativa.

No início de 1933, Esther, a esposa de Chambers, mulher quase tão corajosa quanto o marido, engravidou pela primeira vez. A notícia alegrou o casal apenas por um momento, enquanto considerações práticas não tomaram precedência. Juntos, eles acabaram decidindo friamente que não teriam o bebê e que, no dia seguinte, Esther procuraria o médico que realizaria o aborto.

Ao retornar da consulta médica, porém, Esther implora, chorando, pela vida do bebê. Escreve Chambers: "Uma alegria intensa tomou conta de mim. A razão, os sofrimentos de minha família, o Partido Comunista e suas teorias, as guerras e revoluções do século XX, tudo isso cedeu ao toque de uma criança".

E como ele bem sabia, não seria a primeira vez que o nascimento de uma criança mudaria o mundo.

*

Por isso mesmo, Chambers foi uma testemunha em mais de um sentido. Ele não testemunhou apenas contra Hiss e o comunismo, mas também e sobretudo a favor de sua fé.

Como outros já observaram, a genial ambivalência do título das memórias de Chambers remete às *Confissões* de Santo Agostinho e constitui um índice da excelência literária da obra. Em meio ao turbilhão político que envolveu a vida de Chambers, é comum esquecer que *Witness* não foi escrito simplesmente por um ex-comunista, mas por um artista muito sensível.

Quando as pessoas afirmam que Chambers foi comunista, jornalista e informante, costumam se esquecer de que, além de tudo, era um literato. É um fenômeno semelhante ao que ocorre com George Kennan, por exemplo.

Há algumas exceções, é claro. O biógrafo de Chambers, Sam Tanenhaus, sempre fez questão de descrevê-lo como "um homem de letras". Em seu recém-lançado livro sobre manifestos anticomunistas[3], o Professor John V. Fleming, de Princeton, segue a mesma linha.

Um jornalista sem diploma – de Jornalismo ou qualquer outro curso, Chambers se tornou um dos grandes da profissão, como fica bem claro na coletânea *Ghosts on the Roof*, editada por Terry Teachout. O livro vai dos primeiros textos, contos propagandistas publicados no informativo comunista *New Masses*, até os ensaios tardios que abrilhantaram as páginas da conservadora *National Review*.

O volume editado por Teachout tira seu título da mais célebre peça jornalística de Chambers, escrita em 1945, quando ele trabalhava na *Time* e tentava modificar a orientação da revista em relação aos soviéticos, ainda considerados como aliados antifascistas pela maior parte dos americanos. "Ghosts on the Roof" é uma fantasia literária sobre Yalta. Brincando com o fechamento da cúpula à imprensa, Chambers imagina que Nicolau II e sua família, vítimas dos bolcheviques em 1918, se encontram no telhado daquele que fora um de seus vários palácios e dali espiam as negociações entre Stalin e os líderes ocidentais. Os Romanov estão acompanhados de Clio, a musa da história e, ironicamente, idolatram o ditador soviético. Vêem-no como um herdeiro, o grande líder que realizará o antigo projeto imperial russo. Se o texto foi

---

[3] *The Anti-Communist Manifestos: Four Books That Shaped the Cold War* (W.W. Norton, 2009).

mal-recebido por muitos, aproxima-se bastante dos alertas que George Kennan faria um ano mais tarde no "Longo Telegrama". E em 1948, quando ninguém mais alimentava ilusões a respeito da União Soviética, a *Time* fez questão de republicar o texto. Se três anos antes dissera que, apesar dele, acreditava na cooperação com os soviéticos, agora o exibia orgulhosamente como sinal de que antevira a Guerra Fria.

Witness, por sua vez, é um clássico da literatura americana e ocidental, bem como um dos melhores livros do século passado. Como autobiografia, situa-se no mesmo patamar de *Memoirs of a Superfluous Man*, de Albert Jay Nock, e *The Education of Henry Adams*. E assim como esses dois outros clássicos, é mais do que uma simples autobiografia.

O sempre perfeccionista Chambers excedeu em mais de um ano o prazo da entrega do manuscrito. E não por acaso *Witness* é, a um só tempo, uma *apologia pro vita sua*, um *thriller* de espionagem, um drama de tribunal, uma filosofia da história, um panorama do século XX, um manifesto anticomunista e, *last but not least*, uma exortação ao Ocidente.

Impulsionado pela notoriedade do caso Hiss, o livro tornou-se rapidamente um *best-seller*. Apesar de extremamente complexo, repleto de alusões literárias, conseguia prender a atenção de leitores comuns ao dar vários detalhes sobre o submundo da espionagem.

*

Um fatídico encontro aguardava por Chambers pouco depois de sua deserção. Apresentado por Isaac Don Levine, ele conheceria o General Walter Krivitsky, famoso dissidente soviético cuja cabeça fora colocada a prêmio por Moscou.

Em meio a um longo diálogo pontuado por memórias, Krivitsky afirmou que aqueles eram tempos revolucionários e que demandavam uma escolha radical: ou se defendia a revolução ou se era contra-revolucionário. Por conhecerem como poucos a natureza do inimigo, os ex-revolucionários tinham um papel crucial. E não possuíam qualquer escolha, senão a de atuar como informantes. "No nosso tempo, delatar é um dever", declarou o velho soldado.

O dilema do delator é bastante conhecido e atormentava Chambers desde o primeiro momento em que ele contemplou deixar o Partido. Acusar antigos companheiros, destruindo suas vidas e de seus familiares – pessoas com as quais Chambers convivera, seria ele capaz disso? Além de tudo, o próprio Chambers correria o risco de ser preso se procurasse as autoridades.

Mas o argumento de Krivitsky tinha peso e o anúncio do Pacto Molotov-Ribbentrop, em agosto de 1939, acabaria convencendo Chambers da necessidade de denunciar a conspiração comunista nos Estados Unidos.

Em outro encontro arranjado por Levine, Chambers foi então recebido, em casa, por Adolf Berle, Secretário-Assistente de Estado e um homem muito próximo do presidente Roosevelt. Depois do jantar, sentado numa mesa do jardim, Chambers virou duas doses de uísque. Mais relaxado, descreveu suas atividades e companheiros passados. Berle, alarmado, anotava compulsivamente as informações fornecidas por Chambers e mesmo antes que seus convidados fossem embora, já estava discutindo-as ao telefone.

Chambers parecia ter feito sua parte. No entanto, não demoraria muito tempo para ficar desapontado. Abafadas no seio da Administração Roosevelt, suas denúncias não renderiam resultado. A mesma coisa se observaria anos depois, em meados dos anos 40, quando agentes do FBI procuraram um Chambers já muito relutante, conseguiram entrevistá-lo, mas não puderam prosseguir em suas investigações.

Em 1948, porém, significativas mudanças haviam ocorrido. Diferentemente de seu predecessor, Truman via os soviéticos com desconfiança e, gradualmente ao longo dos anos de sua presidência, faria do anticomunismo o cerne de sua política externa. Outras coisas, porém, permaneciam as mesmas. Apesar da diferente postura exterior, o Executivo continuava a obstar investigações acerca da infiltração comunista no governo. E teria sido exitoso não fossem as pressões do Congresso, retomado pelos Republicanos dois anos antes. Essas, amparadas por alguns segmentos da imprensa e da opinião pública, consubstanciavam-se no HUAC (o Comitê da Câmara sobre Atividades Antiamericanas), que incluía entre seus membros o jovem congressista californiano Richard Nixon.

Foi assim, então, que, dez anos depois de ter deixado o Partido Comunista, Chambers seria finalmente chamado a testemunhar em público sobre suas atividades clandestinas. Impulsionados pelas eletrizantes declarações de Elizabeth Bentley, que sucedera Chambers no *underground* comunista, os membros do comitê convocaram o pachorrento editor da *Time* como testemunha. Em princípio, Chambers não faria mais do que corroborar os pontos centrais expostos por Bentley. Mas ao acusar um famoso membro do governo, transformou-se no principal ex-comunista da América.

Assim começava o caso Hiss, um evento que deixaria feridas abertas na sociedade americana.

*

Chambers escreve nas últimas páginas de *Witness* que nenhuma outra característica do caso Hiss foi tão perturbadora quando a profunda fissura que ele revelou entre os americanos comuns e as elites que afetavam defendê-los.

Chambers e Hiss se conheceram como membros do movimento comunista. Chambers, o revolucionário romântico, era o elo entre agentes soviéticos e um aparato de espionagem em Washington, do qual faziam parte Alger Hiss e outros membros da elite progressista americana, jovens talentos que haviam entrado na política por causa de Franklin Delano Roosevelt e o *New Deal*.

Além desse aparato, conhecido como o Grupo Ware, havia outros. O objetivo ao infiltrar o governo não era apenas roubar segredos de Estado, mas também influenciar decisivamente a política dos Estados Unidos, especialmente na área trabalhista e em questões internacionais.

Hiss estava muito bem posicionado para cumprir sua função. Era um homem elegante, simpático e bem apessoado. Formado nas melhores escolas, possuía credenciais impecáveis. Advogado, havia sido assistente de Oliver Wendell Holmes Jr.. No Departamento de Estado, exerceu diversas funções diplomáticas e burocráticas. Foi uma dos membros da delegação americana em Yalta[4], além de secretário-geral da Conferência das Nações Unidas sobre Organizações Internacionais, em outras palavras, um dos *founding*

---

[4] Chambers desconhecia esse fato quando escreveu "Ghosts of the Roof".

fathers da ONU. Quando Chambers o acusou publicamente, Hiss já havia deixado o governo americano e era presidente do Carnegie Endowment for International Peace.

E era esse homem que um pária mal-vestido chamado Whittaker Chambers acusava de ser um espião comunista. Hiss negou categoricamente as acusações até sua morte e, pelo menos no início, afirmou que não conhecia seu acusador. Depois, afirmou que tinha chegado a conhecer Chambers, mas que ele usava outro nome e se apresentara como um escritor.

Hiss contava com a simpatia de boa parte da opinião pública e com o apoio de muitas pessoas importantes. Mas testemunhas e indícios materiais provaram que Chambers dizia a verdade e selaram o destino de Hiss. Como o crime de espionagem havia prescrito em virtude de um recente estatuto, Alger Hiss foi condenado por perjúrio.

Quase da noite para o dia, Chambers virou um herói conservador. Seus admiradores encontraram no caso munição para condenar o legado de F.D.R.

Enquanto isso, se alguns *liberals*, os anticomunistas entre eles, reconheciam que Chambers falara a verdade, a maioria deles, no entanto, insistia cegamente na inocência de Hiss. Afinal de contas, como poderiam confiar num homem como Chambers. Segundo eles, a testemunha de acusação era um "psicopata", um "mentiroso patológico", um "pervertido sexual" e, acima de tudo, um delator.

*

Chambers seria o primeiro a reconhecer que não era um homem perfeito. Via-se como um pecador – mas um pecador arrependido.

De certo modo, *Witness* é, além de tudo aquilo que já mencionamos, uma forma de penitência do autor. A prática não é estranha. Muitos religiosos a adotaram na Idade Média. E em *Reparação*, famoso romance de Ian McEwan, Briony Tallis escreve um livro para reparar seus pecados.

Tudo isso se relaciona ao fato, muito bem observado pela escritora britânica Rebecca West, de que Chambers era um místico. Assemelha-se nisso, aliás, aquele outro grande anticomunista, Alexander Soljenitsin, que tentava sobreviver aos campos de concentração soviéticos enquanto Chambers testemunhava nos tribunais e escrevia suas memórias.

Witness também pode ser lido como a magnífica jornada de um homem que procura por Deus. Um homem que acreditava tê-Lo encontrado no comunismo até ser tocado, direta e indiretamente, por algo que acreditava ser a graça divina. Não é por acaso que as memórias de Chambers lembram os romances de Pär Lagerkvist e os filmes de Theo Angelopoulos.

Nas primeiras semanas do caso Hiss, Henry R, Luce, o famoso magnata que era dono da *Time*, disse a Chambers, citando o evangelho de João: "Você é aquele jovem nascido cego. E tudo que você precisava oferecer a Deus era sua cegueira, para que, por meio das ações de sua restaurada visão, os trabalhos Dele pudessem se manifestar".

Perto do fim de sua vida, Whittaker Chambers ouviria de Henry Zolan, com quem havia estudado em Columbia, uma avaliação um pouco distinta: "Você não mudou, Whit. Apenas trocou de lado".

De fato, Chambers sempre buscou uma causa – desde a juventude. Buscava uma causa à qual se entregaria cegamente, no espírito, ironicamente, do discurso que Oliver Wendell Holmes proferira em Harvard em 1895, exaltando o martírio secular dos soldados no campo de batalha. Tudo em nome de uma crença cega.

Como o próprio Chambers deixa claro, as relações entre o comunismo e o cristianismo estão entrelaçadas de forma muito complexa. Em um de seus escritos tardios, Chambers chegou a comparar a debilidade do Ocidente diante dos comunistas à fraqueza do Império Romano diante dos primeiros cristãos.

Na infância, a leitura de *Les Misérables*, de Victor Hugo, o impressionou muito. Em *Witness*, ele revela que foram justamente algumas coisas que encontrara no clássico francês que o levariam, alguns anos depois, ao movimento comunista e, um pouco mais tarde, para fora dele.

Chambers descreve a oposição entre o Ocidente e o comunismo como uma batalha entre duas fés. Diferentemente do que muitos pensam, o contrário do comunismo não é o capitalismo, mas a liberdade – que, segundo Chambers, estaria fundada na fé cristã.

Para ele, "a crise do Ocidente existe na medida em que o homem é indiferente a Deus". Em alguns trechos de *Witness*, Chambers parece fazer infundadas críticas à razão, confundindo o racionalismo moderno com modalidades mais antigas. Dá a impressão de ter encontrado uma solução deveras dogmática para aquilo que Leo Strauss denomina a insolúvel – e salutar – tensão entre Atenas e Jerusalém, razão e Revelação.

*

No fim das contas, Chambers é uma personagem problemática. Mas se tornou um símbolo e um ícone. E é esse fato que não raro contribui para obscurecer as idiossincrasias e contradições – para não mencionar os defeitos – de sua obra e pensamento.

Chambers foi, sim, um grande escritor. Mas ao contrário do que asseveram muitos de seus admiradores, não são lá muito bons os primeiros contos que escreveu, quando ainda era comunista. E ao contrário do que diz o próprio Chambers, há pouquíssima humanidade neles. O que não falta é propaganda.

Mesmo *Witness*, indubitavelmente uma obra-prima, tem lá seus defeitos. Como bem observa o crítico literário Lionel Trilling (outro contemporâneo de Chambers em Columbia), algumas passagens do livro pecam pelo excessivo tom sentimental.

Em parte por causa de seu temperamento, em parte por causa de sua religião, Chambers é demasiado compassivo e, conseqüentemente – ao contrário de Soljenitsin, um mau juiz de caráter. Ele sempre procura enaltecer as virtudes e minimizar os defeitos de seus semelhantes. Confundiu, por exemplo, o descarado oportunismo de Alger Hiss com idealismo.

Chambers é o tipo de pessoa que sentiria pena de um assassino serial. Por isso mesmo, é quase impossível ler *Witness* sem sentir, em determinados momentos, uma intensa vontade de fechar o livro, vontade essa só comparável ao correspondente anseio por um pouquinho que seja de misantropia.

Chambers não era exatamente um homem sábio. Até o fim da vida, foi, na verdade, um homem confuso. Um dos curiosos detalhes de sua biografia é a amizade que travou com Nixon. Ambos eram quakers, sim – além de anticomunistas e essencialmente solitários.

Mas Nixon era o político americano que mais se parecia com Disraeli, enquanto Chambers guardava profundas semelhanças com Gladstone. Esse detalhe, porém, aponta para mais uma interessante tensão no pensamento de Chambers. Se em *Witness* ele geralmente soa messiânico, nos seus escritos tardios, mormente aqueles publicados na *National Review*, adotaria por vezes a postura de um realista político, entrando em confronto com alguns conservadores que estariam embriagados pelo que Max Weber chamaria de "ética da convicção".

Tudo isso só reforça o fato de que Chambers foi uma personalidade extremamente complexa. E se se equivocou em algumas avaliações, um dos méritos de seu senso trágico da vida é reconhecer a complexidade do indivíduo.

*

Depois da provação do caso Hiss, Chambers exilou-se na sua fazenda em Maryland, a Pipe Creek Farm, convencido de que o Ocidente perderia a batalha contra o comunismo. E ao contrário do que pode parecer à primeira vista, o fim da União Soviética não o contradisse.

No livro *Cold Friday*, uma coleção de fragmentos postumamente publicada, Chambers afirma que o Ocidente tomaria um de três caminhos. Nas duas hipóteses mais prováveis, ou ele seria derrotado pelo comunismo ou, se vencesse a batalha, conquistaria uma vitória pírrica, que só reforçaria algumas das piores tendências ocidentais, algumas delas compartilhadas pelo comunismo. A terceira – e menos provável – possibilidade seria uma vitória do Ocidente com base no regaste de seus princípios fundamentais.

Se Chambers ainda estivesse vivo, perceberia muitas semelhanças entre o Ocidente de hoje e aquele que lhe parecera moribundo em 1925. O materialismo que atrofia o espírito, a anomia, a perda de confiança nos ideais que constituíram a civilização – tudo isso continua presente.

Se os soviéticos perderam, os chineses se adaptaram. Afinal, há uma profunda identidade materialista entre capitalismo e comunismo. E o comunismo, como frisou Chambers por várias vezes, era apenas um sintoma de um problema mais profundo.

Chambers veria que outro advogado esquerdista de Harvard atingiu o topo do governo americano. Diferentemente de Alger Hiss, Barack Obama tornou-se presidente. Representa, porém, mais ou menos as mesmas forças. Enquanto isso, o populismo do Tea Party Movement retém alguns dos elementos nos quais Chambers depositava sua fé.

Ele também testemunharia o lento suicídio cultural da Europa. E se vivesse na América do Sul, não é difícil imaginar o que pensaria sobre certa onda vermelha que há algum tempo toma conta da região.

Assim como Salvinus antes dele, Chambers é uma voz profética do passado. Podemos ignorá-la, mas será por nossa própria conta e risco.

....

Túlio Sousa Borges *é bacharel em Relações Internacionais, escreve regularmente sobre política e cultura. O autor agradece a Chris Michalski, do Intercollegiate Studies Institute, ao Prof. Michael Kimmage, da Catholic University of America, ao escritor John Derbyshire e ao grande historiador do conservadorismo americano, George H. Nash, as valiosas contribuições que deram à pesquisa que antecedeu a redação deste ensaio.*

235 | **GALERIA** *por Daniel Faiad Barreto*

DA MENTE HERÓICA
por Giambattista Vico

Herdeiro maduro do humanismo cristão da Renascença, Giambattista Vico (1688-1744) costuma causar embaraço aos compêndios de história das idéias, que, na pressa de lidar com personagem tão insólito, acabam em geral por catalogá-lo como um rebento tardio, quando não obsoleto, do Barroco em pleno Século das Luzes. Mas, bem ao contrário, ele revelou a força de seu gênio precoce e visionário ao lançar por vez primeira, em sua obra maior Principi di Scienza Nuova d'intorno alla Comune Natura delle Nazioni, *os firmes alicerces da Filosofia da História, mérito que nem as mãos dos séculos, que tudo levam, lhe tomarão.*

Nesta Aula Magna – em todos os sentidos – pronunciada na Real Academia de Nápoles por ocasião da abertura do ano acadêmico de 1732, Vico oferece, ad usum delphini, *uma suma de seus ideais humanistas; tanto mais que pondera aqui a própria forja do homem superior em sabedoria e caráter, tarefa na qual a universidade tinha, a seu ver, um papel crucial.*

O estilo é, para dizer o mínimo, pitoresco, no sentido mais literal possível do termo. Contudo, não é ocioso advertir que poderá provocar um certo estranhamento esta prosa assim alheia, mesmo diametralmente oposta, à nossa contemporânea, tão mais – e vá dito como constatação de fato sem laivo de ironia ou menosprezo – tão mais "prosaica". Quem não estiver disposto a se deixar envolver e suspender pela atmosfera teatral criada por Vico, dificilmente atravessará a leitura sem uma sensação vagamente penosa, algo assim como o fastio que se prova sob os maneirismos anacrônicos de um velho e fátuo desembargador. Mas manuseados pelo napolitano os circunlóquios, os períodos intermináveis, as "imagens grandíloquas e correntes", como diria o nosso Vate, e todo o resto da maravilhosa parafernália que a antiga Ars Rhetorica *oferece em cornucópia, mesmo traindo um gosto inegavelmente exótico, têm um* non so che *de graça e vigor. E enquanto curiosas perífrases, prosódias e prosopopéias se alternam no palco cênico tal como as fabulações barrocas de Calderón ou Monteverdi, podemos quase adivinhar o espírito de Vico nos bastidores puxando alavancas, girando manivelas ou exortando o corpo de baile qual um diretor virtuoso – e, suspeitamos, não sem um pouquinho de* scherzo.

Mas estranhamento maior será, talvez, o fato de que no momento em que a ciência está alçando vôo, não há nem sombra da propalada contradição entre "fé" e "razão" (e isto, diga-se de passagem, numa universidade estatal). Ao contrário, quando Vico fala em "estudo das letras" tem em mente uma unidade do saber (cuja reminiscência ainda persiste nas nossas "Faculdades de Filosofia, Ciências e Letras") que mantém a íntegra da filosofia clássica e da tradição teológica ocidental numa formação total; quando fala em "Universidade de estudos", navega ainda sobre um conceito que está entre o original (o conjunto integral – universitas – de todos os saberes) e a mera instituição da Universidade.

... mas silêncio, leitor... eis que a luz se esmorece e já se vão abrindo as cortinas... Vai começar o espetáculo!

Iuvenes gloria, viri potentia, senes utilitate ducuntur.
(Doctrina de moribus)[1]

Considerando que por já demasiado tempo permaneceu interrompida nesta Universidade régia a utilíssima tradição prevista em nossos ordenamentos de inaugurar os estudos das letras com uma oração solene dirigida a vós, ó meninos de ótimas esperanças; e considerando que ao recém-nomeado ilustríssimo Prefeito dos Estudos, doutíssimo em todos os ramos do saber e sobremaneira preocupado com o aprofundamento de vossa cultura, aprouve que tal tradição fosse retomada na data estabelecida, a qual, segundo os antigos usos, é esta que hoje decorre, convém decerto que eu – que há mais de trinta ininterruptos anos tenho me dedicado nesta mesma Universidade à cátedra de eloquência, tendo sido quase consumido por severas meditações literárias – vos exponha um argumento absolutamente novo, não puerilmente adornado com vácuos ornamentos retóricos ou com artificiosos recortes de palavras, mas, tanto quanto possível, de modo grave, conforme o peso do próprio tema em questão, e repleto de vigorosíssimos frutos para vós. Mas tal argumento, posto que é por sua própria natureza pleníssimo de magnificência e de sublimes esplendores, eu, no tratá-lo,

... farei as vezes da pedra
que, sem ser cortada, do ferro afia a lâmina;[2]

e considerando que vós, emocionados por tão grandes promessas, estais já predispostos a escutar com benevolente atenção em questão que vos diz respeito, eu, no primeiro exórdio desta oração, expor-vos-ei esse argumento.

Deveis, ó nobres meninos, entregar-vos aos estudos das letras não certamente para aqueles fins nos quais poderíeis facilmente ser superados pelo vulgo sórdido e vil, ou seja, para acumular riquezas; nem para os fins nos quais poderíeis à larga ser ultrapassados por homens de armas e de corte, ou seja, para conquistar honras e poder; e sequer para os fins aos quais se orientam os filósofos, quero dizer, àquela ânsia de conhecer

---

[1] "Os jovens guiam-se pela glória, os homens pelo poder, os velhos pela utilidade". *Doctrina de moribus* indica um adágio tradicional.

[2] "...*fungar vice cotis, acutum / reddere quae ferrum valet, exsors ipsa secandi*" (Horácio, *A.P.*, 304305)

237

que leva quase todos a consumir a vida reclusos na penumbra, só para poderem gozar com tranqüilidade da sua paz de alma. De vós espera-se coisa outra e muito mais elevada. "Mas que coisa é essa?" – perguntará maravilhado algum de vós –; "pedes de nós coisas superiores à condição humana?" Sim, peço-vos precisamente isso, coisas superiores, mas mesmo assim perfeitamente conformes às vossas naturezas.

De vós, declaro, espera-se dedicação ao estudo das letras a fim de tornardes heróicas as vossas mentes, criando destarte uma sabedoria que sirva à felicidade dos homens; se assim o fizerdes, afluirão a vós não somente as riquezas e os bens da fortuna, mesmo sendo objeto de vosso desdém, mas vos circundarão também, com toda a certeza, as honras e o poder, mesmo que não vos preocupeis com elas. Não sem uma ponderada escolha da palavra vos exortei a tornardes heróicas com os estudos das letras as vossas mentes. Com efeito, se pelos poetas foram definidos ou fantasiados como "heróis" aqueles que se orgulham de sua divina

...descendência do sumo Júpiter, [3]

decerto a mente humana, eliminada toda a fabulação imaginativa, tem uma origem divina, faltando-lhe somente ser desenvolvida pela cultura e pela erudição. Notai que ao vos pedir coisas superiores às possibilidades humanas peço-vos somente que honreis a natureza próxima do divino das vossas mentes!

Os filósofos definem como herói "aquele que aspira às coisas elevadas". Elevadas são para eles os bens maximamente bons: além da natureza, Deus; dentro da natureza, todo esse conjunto de realidades admiráveis, dentre as quais nada há de maior que o gênero humano, nem portanto algo melhor que a sua felicidade, e unicamente a ela aspiram à una e um por um os heróis, que conquistam um nome imortal graças à fama dos seus méritos infinitamente propagada entre os homens, pois com este vocábulo "fama", que fortemente vibra através dos povos e das nações, é que Cícero define elegantemente a glória. Os vossos estudos devem, pois, orientar-se antes de mais nada para Deus, o máximo bem; e depois, para a glória de Deus, que nos ordena amar todo o gênero humano para a felicidade do homens. Assim, uma vez que vos foram propostos tais fins, esforçai-vos, ó meninos nascidos para as coisas maximamente boas; orientai com mente heróica para esta Universidade de estudos os vossos ânimos repletos de Deus e por isso purificados e limpos de todas as paixões terrenas, e experimentai com o vosso grande esforço aquela divina verdade: "O temor de Deus é o início da sabedoria".

A mente, que pela sua natureza se delicia com as coisas divinas, infinitas e eternas, não pode não meditar o sublime, não buscar as coisas grandes, não realizar obras egrégias; por isso não é carente de fundamento esta minha proposta, pois vede como homens insignes pela sua piedade, como o cardeal César Baronio aqui presente, e muitos outros, ao se dedicaram às letras compuseram, não sem uma clara inspiração divina, obras dignas de admiração tanto pela magnitude quanto pelo engenho e doutrina. Enquanto pois, de onde estais, saudais com a mente heróica a sabedoria desde o seu primeiro limiar, contemplai também com ânimo vasto o panorama que se apresenta perante os vossos olhos.

Estas seriíssimas personalidades que, ornadas de magníficas insígnias, sentam-se à direita representam a cultura pública, e a elas o augusto imperador Carlos VI da Áustria, rei das Espanhas, encarregou a vossa instrução; para que, assim como preparou os comandantes de armas mais fortes por meio do aço e das batalhas a campo aberto, a fim de defender o Império Romano e os seus reinos, assim também procure nas penumbras destes recintos, para a felicidade do Império e dos seus reinos, os melhores dentre vós pela sabedoria; e a isto ele vos convida, seja com os não poucos benefícios legais a vós concedidos, seja com as esplêndidas honras conferidas a esta milícia palatina sobretudo por vossa causa, ó juventude estudiosa das letras, ó segunda esperança da Pátria, ó segunda preocupação precípua de nosso soberano máximo. Atento a vós, aquele que como vice-rei rege com suma virtude e paciência este reino, o excelentíssimo conde Aloísio Tomás de Harrach, acolheu com tanta generosidade esta Universidade de estudos em seu coração e em tão larga medida a favoreceu, que no espaço de três anos – coisa que antes custaria um século – indicou cinco professores desta assembléia ao nosso imperador, que os nomeou bispos de real investidura. Pensai, pois, e meditai quanto esplendor de doutrina há nestes docentes; considerai que cada um deles traz na mente as maiores autoridades em todas as ciências de cada idade e de todos os povos cultos, de modo que, pelo poder da sua inteligência, não só os trazem a vós preparados e ao alcance da mão, mas, quando lhes parecer útil ou necessário, tratarão de comentá-los, emendá-los e melhorá-los; desta sua potência intelectual cada um deu provas em árduos concursos desenvolvidos com angústia num tempo brevíssimo, pronunciando orações solenes e sendo, depois desse escrutínio, eleitos para este corpo acadêmico. Compreendereis de quanta honra e veneração vos cabe circundá-los a partir disto: que à sua esquerda sentam-se *senatores* importantíssimos, que, embora ocupem lugares de dignidade, reconhecem claramente, ao oferecerem a sua direita, que a este público ateneu devem a conquista daquela sabedoria com que se elevaram às mais altas honras da Pátria. E com esses argumentos tão plenos de dignidade, elevai o vosso vasto ânimo e dai mostras daquela belíssima peculiaridade que é própria da grandeza de espírito, ou seja, a vossa docilidade em aprender, obsequiosos e gratos por serdes castigados, instruídos e corrigidos por tais doutíssimos docentes, pois é seu intento que em nossa cidade, a mais esplêndida não somente da Itália, mas de quase toda Europa, a vossa condição seja a mais honrada possível; assim agora, com paterno amor, eles se vos oferecem para vos instruir em todas as disciplinas, sejam as cíclicas [para os iniciantes], sejam as acroamáticas [para os iniciados]. E, em verdade, é justamente isto que vos promete a expressão "Universidade de estudos".

De tais doutores deveis, decerto, aprender a fundo todas as ciências. Com efeito, é falha e insuficiente aquela instrução literária dos que concentram todo o peso das suas forças numa só determinada e particular disciplina. Pois as ciências são da mesma natureza que as virtudes, das quais Sócrates, que gostava de dizer que as próprias virtudes outra coisa não são que ciências, negava categoricamente que em algum lugar pudesse haver uma virtude verdadeira sem que estivessem presentes todas as demais. Quê?! Franzis o vosso cenho? Terei espantado os vossos espíritos com isto que digo? Sem dúvida estais ofendendo a divina origem das vossas mentes. Não penseis que por erguerdes as mãos ao céu cairá no vosso seio, enquanto dormis, a sabedoria do alto; tomai-vos antes de um desejo eficaz por ela, e com um enorme e ininterrupto labor ponde à prova as vossas forças fazendo o que puderdes, mais ainda, tudo aquilo que puderdes; dirigi as vossas forças para todos os lados; sacudi e fazei arder as vossas inteligências e inflamai-vos desse Deus, do qual estais plenos, e deste modo, para a vossa própria admiração, descobrireis — o que por natureza é próprio dos poetas — os divinos milagres de vossas mentes. Estas coisas que vos exponho, os literatos italianos confirmam soberana e luminosamente com aquele vocábulo mui importante e apropriado ao argumento do qual tratamos, ou seja, o termo *Sapientia*, com o qual englobam toda Universidade de estudos.

Sapientia, a sabedoria, é definida por Platão como purificadora, restauradora, aperfeiçoadora do homem interior. O homem interior é mente e alma, corruptíssimas uma e outra em razão do pecado original; a mente, feita para a verdade, debate-se entre as falsas opiniões e os erros; e a alma, nascida para a virtude, está atormentada pelas más paixões e pelos vícios. Eis, portanto, a finalidade deste ensinamento público, para o qual convém que volteis os olhos; a saber: que vós, enfermos na mente e na alma, viestes para tratar, curar e aperfeiçoar a parte melhor de vossa natureza. Que nenhum zombador ria das coisas que digo; elas se escoram em todos os grandes homens de cultura, os quais, com aquela palavra sabiamente transferida dos corpos para as almas, denominaram às Universidades de estudos "ginásios públicos"; pois, como os antigos desconheciam os hospitais, a ginástica que praticavam nas termas fortalecia os corpos, e bem assim as forças da alma se restauram, se revigoram e se dilatam nas Universidades de estudos. Se meditardes nestas coisas, obtereis delas e dos vossos estudos esta ingente recompensa, a saber, que vós vos dedicareis aos vossos estudos literários não para parecerdes, mas para serdes efetivamente cultos; pois desejareis o tratamento, a cura e a perfeição propiciadas pela sabedoria. Em verdade, com relação a todos os outros bens, sejam da natureza sejam da fortuna, basta aos homens parecer, mas naquilo que diz respeito à saúde, não há um só que não deseje realmente ser sadio.

Uma vez, pois, que vos proponhais este fim, que é próprio da sabedoria, é inevitável que pereçam nos vossos ânimos outros objetivos muito menores, como sejam as riquezas e as honras; e, embora enriquecido de bens e repletos de honrarias, não renunciareis a vos tornardes sempre mais cultos. As vossas mentes estarão longe de toda a fraude, toda vaidade e impostura, na medida em que ansiardes, não por parecerdes, mas por serdes cultíssimos. Tampouco sereis atormentados pela inveja com relação aos outros, nem certamente da parte dos outros se desencadeará contra vós aquela inveja pela qual ardem, pela qual são fustigados os ávidos por riquezas, os ambiciosos de honras; e aquilo que para eles é inveja, para vós tornar-se-á generosa emulação. Pois o bem que é comum a todos encontra-se muito fora do alcance das invejas, como ocorre com todas as coisas divinas, uma vez que são infinitas; e assim haveréis de desejar para a vossa mente, bem como para a vossa alma, uma *homoitheoteta* [semelhança com Deus] imune a todo o contágio da carne.

Ora bem, os que se dão por satisfeitos com uma escassa bagagem literária, acusam não só de inadequado, mas até de deletério o currículo das Universidades de estudos, porque nelas os docentes ensinam não só doutrinas diversas (ou, se as mesmas, com procedimentos e métodos diversos), mas até freqüentemente opostas. É um método estranho, decerto; reconhecemo-lo, sem dúvida; e seria desejável um método perfeito e uniforme em tudo. Contudo, uma vez que a natureza mesma das coisas nega redondamente a possibilidade desse método uniforme em razão de três belíssimas necessidades – a das novas invenções, a da descoberta de novas verdades, e a das novas e mais agudas perspectivas –, o método usual de ensino, acusado por aqueles tais, mostra-se ao contrário o melhor, e isto por estas outras nada desprezíveis utilidades:

– antes de mais nada, nenhum de vós é obrigado a submeter-se à "sagrada doutrina" de algum mestre, como ocorria com freqüência nas disciplinas dos escolásticos;

– depois, não sois arrastados – como acontece nos ginásios privados – por qualquer moda literária, cujos efêmeros estudos tão logo despontam, declinam, e, atingindo repentinamente a maturidade, imediatamente envelhecem, ao passo que os esforços literários capazes de criar obras imortais devem ser buscados na eternidade;

– enfim – e isto, sobretudo, tem a ver com o nosso argumento –, assim podeis conhecer bem todas as coisas boas que as disciplinas têm a oferecer umas às outras, pois cada uma delas tem em si algo de bom, bem como as coisas que todas acrescentam ao corpo de uma sabedoria completa, a cuja conquista, ó nobres rapazes, séria e generosamente vos admoesto e vos exorto.

Por esta principalíssima razão, sede atentos, pois, a todos os docentes das diversas disciplinas; sempre, porém, como dissemos, com este propósito próprio da sabedoria, a saber, de pelos seus ensinamentos tratar, curar e aperfeiçoar todas as faculdades de vossa mente e da vossa alma. Então a metafísica há de libertar o vosso intelecto do cárcere dos sentidos; a lógica há de libertar os pensamentos das falsas opiniões; e a ética libertará a vontade das más paixões. A retórica está lá para que a língua não traia nem abandone a mente, nem a mente o seu objeto. A poética, para temperar os ardores desenfreados da fantasia; a geometria, para conter os desatinos do raciocínio. A física vos excitará com uma verdadeira admiração pelos prodígios com que a natureza nos estarrece.

Mas ainda não são estes os cimos mais altos dos bens com os quais a sabedoria nos jubila; proponde a vós mesmos e desejai bens muito mais esplêndidos. Adornai o estudo daquelas línguas que a nossa religião cristã cultiva como suas com os discursos dos povos mais célebres de toda a história: a mais arcana, a dos hebreus; a mais elegante, a dos gregos; a mais majestosa, a dos latinos. E, uma vez que as línguas são os veículos naturais dos costumes dos povos, com as línguas orientais – necessárias, a caldéia mais do que todas, à perfeita compreensão da língua sagrada – aprendei a magnificência com os assírios da Babilônia, máxima entre as cidades; com os gregos, a elegância da vida em Atenas; e com os latinos, em Roma, a alteza de ânimo. Com o estudo da história estareis presentes em espírito nos maiores impérios que já floresceram no mundo; e a fim de que vossos conhecimentos das instituições civis se tornem mais sólidos por meio de exemplos, meditai o nascimento, o crescimento, a consolidação, a decadência e a morte dos povos e das nações; meditai também como a perversa Fortuna soberbamente senhoreia os afazeres humanos, e como, não obstante, a Sabedoria acima dela ergue a um império duradouro e forte. E mais, por Hércules!, com aquele gozo inefável, porque supremamente característico do homem, que por sua própria natureza aspira à unidade da forma, lereis os poetas!; vereis como eles, valendo-se de palavras, são capazes de descrever os caracteres de pessoas que seguem por todos os caminhos da vida, seja moral seja familiar seja civil, condensando-os em sua idéia mais perfeita e, por isso mesmo, mais verdadeira; tipos comparados aos quais os homens de natureza vulgar, inconsistentes como são, mais parecem falsos por sua falta de unidade. Pela mesma razão, nas fantasias dos maiores poetas podereis observar como que com mente divina a natureza humana: assim vereis como, contemplada através dela, essa natureza é belíssima mesmo na sua torpeza, porque sempre coerente consigo mesma, sempre similar a si mesma, bela em todas as suas partes; pois Deus, o mais perfeito, o máximo, vê, na ordem eterna da sua Providência, bondade e beleza mesmo nos monstros errantes, mesmo nas pestilências malignas da natureza universal.

Vós que sereis inundados pelos grandes poetas com profusões de prazer, deixai-vos arrebatar com igual admiração pelos sublimes oradores que, com maravilhosa arte, adaptada à corrupta natureza humana, induzem por meio das paixões que excitam no corpo os ânimos, embora enrijecidos e obstinados, a quererem coisas absolutamente contrárias aos seus primitivos e cegos impulsos; acima de tudo, é Deus, o mais perfeito, o máximo, quem atrai a Si os homens pelos caminhos vastamente diversos de Sua graça vencedora, oferecendo às suas mentes presas às paixões terrenas um gozo celestial.

A estas disciplinas, as humanas, acrescentam-se aquelas sublimes, da natureza. Com a geografia, guia das longas jornadas, girai juntamente com o sol em torno de toda a terra e do oceano; com as observações da astronomia percorrei as órbitas dos planetas, explorai os percursos cegos e tortuosos dos cometas; que a cosmografia vos leve às

... flamejantes margens do universo.[4]

Que finalmente a metafísica, ultrapassados os confins da natureza, vos eleve aos beatíssimos e intermináveis campos da eternidade, onde contemplareis nas divinas constelações de idéias, até onde é possível à limitada natureza de nossa mente, tanto as incontáveis formas até hoje criadas, quanto todas as que poderiam ter sido criadas se – como não é o caso – o mundo fosse eterno.

Percorrei, pois, vosso caminho por todos estes três mundos, o das coisas humanas, o das coisas naturais e o das eternas, e com a cultura e a

---

[4] "*... flammantia moenia mundi*" (Lucrécio, 1.73).

erudição celebrai a natureza quase divina de vossas mentes. É certamente de esperar que, à força destas sublimes meditações, forjareis ânimos tão eréteis e elevados que havereis de desprezar tudo aquilo que vos é inferior, considerando como postos infinitamente debaixo de vós todos os prazeres da carne, todas as riquezas e bens, todas as honrarias e todo o poder.

Ora bem, quanto à seleção dos autores, a fim de permitir-vos que vos esforceis por conquistar a sabedoria completa escutando-lhes a leitura, já proveram suficientemente os sábios ordenadores desta régia Universidade em seus estatutos, consoante a célebre admoestação de Quintiliano de que "nas coisas do ensino é preciso eleger os autores melhores": para a teologia, o divino volume do Antigo e do Novo Testamento, os quais a Igreja católica interpreta solene e retamente, e pelos quais a sua perpétua tradição zela, fiel e reverente, desde os tempos dos Apóstolos, como fica patente nas sólidas obras nascidas ao longo da história eclesiástica; – para a jurisprudência, o *Corpus iuris* de Justiniano, testemunha copiosíssima da antiguidade romana, extraordinário depósito das jóias da língua latina e mais venerando tesouro das leis humanas; – para a medicina, sobretudo Hipócrates, que mereceu o imortal elogio: "A ninguém engana e por ninguém se deixa enganar"; – para tudo o que diz respeito à filosofia, Aristóteles, e naquilo em que é omisso os outros filósofos de grande fama; – para todas as demais disciplinas, os outros autores do mesmo altíssimo valor.

Após lerdes estes autores acima de quaisquer outros dignos de memória, os doutíssimos professores aqui presentes vos instruirão com comentários, apontando por assim dizer com o dedo os motivos pelos quais se destacam, cada um em sua própria disciplina. É um gênero de comentários que não somente vos animará, desde os primeiros passos de vossos estudos, a ler e reler dia e noite estes excelsos escritores, mas, através da investigação das causas pelas quais eles conquistaram sua excelência, vos impulsionará ademais a conceber uma idéia ainda mais perfeita, à luz da qual mesmo as dos mais doutos, de exemplares reduzir-se-ão a exemplos, de modo que, elevando-vos vós mesmos acima dos seus arquétipos, podereis emulá-los e superá-los; pois, vede, é com este método, e com nenhum outro, que as ciências ou as artes são corrigidas, desenvolvidas e aperfeiçoadas. Não são, com efeito, dignos do nosso perdão aqueles que dissipam toda a sua vida de estudiosos na leitura de escritores medíocres, para não dizer vis; autores que esta Universidade pública, com seus estatutos acadêmicos, decerto não recomenda.

Durante todo o tempo consagrado a escutar os docentes, não deveis fazer outra coisa senão estabelecer continuamente conexões entre as coisas que aprendereis, de modo que cada uma esteja em relação com as outras e que todas, em qualquer ciência, concordem entre si. Nesse labor vos guiará a própria natureza da mente humana, que se deleita sobretudo com a unidade da forma, com aquilo que é integro, com a aquilo que é nobre; não por acaso, ao que parece, o sábio vocábulo latino *scientia* é extraído do adjetivo *scitus*, que na sua origem parece ter significado o mesmo que "belo": porque, sendo a beleza tanto a justa proporção dos membros entre si quanto a sua integração total na forma do

243

corpo, a ciência não deve ser tida por outra coisa que a beleza da mente humana, e quando os homens são arrebatados por ela nem percebem mais a corpórea, por brilhante que seja. Longe estão de se deixarem perturbar por ela!

Uma vez consolidado tal hábito de relacionar as noções umas com as outras, estareis facilmente em condições de cotejar e conectar as próprias ciências entre si, as quais, como membros celestes, compõem o divino corpo, por assim dizer, da sabedoria perfeita. Como para Pitágoras a razão humana é justamente essa correlação de realidades espirituais – que ele ora esclarece, ora obscurece com aqueles seus exemplos numerais –, vós aperfeiçoareis de tal forma a razão humana universal que ela, semelhante a uma luz puríssima e intensíssima, dirigirá os seus raios para onde quer que volteis o olho das vossas mentes, de maneira que em cada um dos vossos pensamentos podereis abranger com um só olhar todo o campo daquelas coisas que se dizem "cognoscíveis", percebendo como todas elas convergem entre si, respondem umas às outras e se unem elegantissimamente num mesmo ponto. E eis o modelo absoluto do perfeito sábio.

A qual profissão acima de todas havereis posteriormente de orientar briosamente o vosso ânimo – e, em verdade, a fim de serdes úteis à Pátria, convém que professeis uma em particular –, é coisa que vos iluminará o vosso próprio gênio por meio do maior prazer que havereis de saborear ao estudar uma matéria mais do que as outras; e, com efeito, deste critério se serve a natureza – que com tal objetivo vos foi dada pelo sumo Nume como tutora – para induzir-vos a reconhecer que lá, ansiosa por entregar-se espontaneamente a vós, está a vossa Minerva. Mas este conselho, conquanto seja ao talante da natureza o mais seguro, não me parece a mim, que vos exorto a metas mais altas e melhores, ser o mais luminoso. Freqüentemente, com efeito, as aptidões para as coisas mais altas e melhores estão de tal forma soterradas e adormentadas no homem que só por força – e às vezes nem assim – são percebidas por aquele que as possui. O ateniense Címon – é uma história conhecidíssima –, homem bastante tardo, consumia-se desesperadamente de amor por uma jovenzinha. Eis que um dia esta, por galhofa, pensando propor-lhe coisa negada pela natureza, prometeu-lhe entregar o coração no dia em que ele se tornasse centurião militar. O homem imediatamente deu o seu nome à milícia, acabando por se tornar um dos comandantes mais condecorados. Sócrates, por sua vez, nascera com uma índole desenfreadamente inclinada às perversões, mas um impulso quase divino o converteu ao estudo da sabedoria, a tal ponto que se diz ser ele o primeiro que atraiu a filosofia do céu à terra e se lhe dá o título de "pai de todos os filósofos". Mas a estes exemplos dos antigos acrescentemos os de homens célebres que, graças à sabedoria alheia, viram despertar em si habilidades desconhecidas. O cardeal Júlio Mazarino mostrara-se um advogado comum, um militar subalterno e um homem de corte medíocre; mas desenvolvendo por acaso e sorte incumbências políticas nascidas umas das outras e confiadas inadvertidamente a ele por importantíssimas personalidades, tornou-se um habilidosíssimo diplomata, e faleceu após ter por longo tempo participado – exemplo raríssimo de grande fortuna – dos mais íntimos segredos do rei de França Luís XIV. Francisco Guicciardini exercia a profissão de advogado no foro romano, mas, a contragosto e decerto à revelia, foi nomeado pelos sumos pontífices de seu tempo governador de diversas cidades; por ocasião das guerras com os franceses, com as quais Carlos VIII de França agitou toda a Itália, tendo por mandato dos sumos pontífices negociado com os franceses muitas e importantíssimas incumbências diplomáticas nascidas da guerra, acabou por escrever as vicissitudes da Itália de seu tempo, tornando-se assim sem sombra de dúvida o maior de todos os historiógrafos que escreveram em língua italiana. Voltai, portanto, os olhos da mente em todas as direções, orientai por todos os caminhos o vosso engenho, perscrutai as vossas capacidades ocultas e desconhecidas, a fim de reconhecerdes em vós o gênio de uma natureza mais luminosa que talvez ainda ignoreis.

Assim, tendo dado a volta a todo o orbe do universo das ciências, professai aquela que venhais a eleger com disposições ainda mais elevadas que os seus mesmos doutores. Se a medicina – abraçarei com uns poucos exemplos todas as profissões –, não vos resigneis a bem curar as doenças; se a jurisprudência, a dar pareceres eruditos sobre questões de direito; se a teologia, a guardar firmemente o ensinamento das verdades divinas; antes, deveis meditá-las continuamente com a mesma vibrante tensão e sublime esforço que aqui dedicareis às aulas e leituras. Com efeito, o costume ininterrupto de freqüentar os autores fundamentais, consolidado pelas aulas e pelas leituras, fará com que os tenhais contínua e espontaneamente presentes à vossa mente, como se fossem os vossos juízes nas horas de vosso labor. Deveis perguntar-vos repetidamente, vós médicos – insistirei nos exemplos já citados –: "Que diria o próprio Hipócrates se ouvisse estas coisas sobre as quais venho meditando e escrevendo?"; vós jurisconsultos: "Que diria Cuiacius, se ouvisse isto?"; e vós teólogos: "Que diria Melquior Cano?" Com efeito, quem se antepõe como censores aqueles que venceram a vetustez dos séculos, não pode senão conceber obras que a restante posteridade admirará. Se a passos largos enveredardes pela estrada da sabedoria, vereis como será fácil progredir cada vez mais, de tal modo que nem um só dentre vós haverá de um dia dizer:

Vago pelas plagas ínvias das musas[5]

e levareis a cabo os ásperos labores tentados em vão por homens mui insignes pelo engenho e doutrina, ou tomareis a peito outros jamais tentados: vós, médicos – esclarecerei a coisa com os exemplos anteriores –, após terdes recolhido experiências e observações por toda parte, formulareis novos aforismos e assim havereis de realizar uma obra cuja glória há dois mil e tantos anos pertence exclusivamente a Hipócrates; vós, jurisconsultos, pelo exame das definições dos termos do direito – ciência na qual Emílio Papiniano, mesmo em época pródiga nos mais eruditos intérpretes das leis, foi celebrado como o príncipe dos jurisconsultos, e na qual Tiago Cuiacius sobrepujou a todos –, vós, dizia, encerrareis toda a jurisprudência, comentada e desenvolvida em seus corolários, num só compêndio, obra importantíssima iniciada pelo grande Antônio Faber – grande tanto

---

[5] *"Avia Pieridum peragro loca"* (Lucrécio, 1.926).

pela sua idade quanto pela sua competência jurídica – na sua *Iurisprudentia papinianaea*, mas que, seja pelas dificuldades que encontrou ao longo do caminho, seja por ter sido arrebatado pela morte, não levou a cabo; e vós, teólogos, vos dedicareis a construir um sistema de filosofia moral, tarefa à qual o cardeal Sforza Pallavicini se entregou com magnânima audácia, sobre a qual Pascal publicou pensamentos profundíssimos mas fragmentários, e na qual Malebranche fracassou no ato mesmo de tentá-la. Lede o áureo livro *De augmentis scientiarum* ["Do fomento das ciências"], do grande Bacon, um livro que, à exceção de umas coisas poucas, merece ser continuamente meditado e mantido sob os olhos, e ponderai quanto resta ainda por corrigir, por integrar, mesmo por descobrir no mundo das ciências!

E não vos deixeis enredar, quais incautos, por aquele lugar comum tão ignaro quanto perverso: a saber, que neste felicíssimo século as descobertas, que outrora não podiam ser realizadas no campo das ciências, foram enfim consumadas todas, levadas ao seu fim, ao cume da perfeição, de modo que nada mais resta a se fazer nem esperar. Falso vozerio!, propalado por literatos de ânimo mesquinho.

Pois, vede, nosso mundo continua jovem! De fato, ponderai, em não mais de setecentos anos, quatrocentos dos quais devastados pela barbárie, quantas novas invenções, quantas novas artes, quantas novas ciências não foram descobertas? A bússola, a nau movida somente a velas, o telescópio, o barômetro de Torricelli, a máquina pneumática de Boyle, a circulação do sangue, o microscópio, o alambique, a caneta, os numerais arábicos, os infinitesimais, a pólvora explosiva, o canhão, a cúpula das igrejas, a imprensa, o papel, o relógio; todas coisas ótimas e grandíssimas, e todas desconhecidas por completo pelos antigos. Delas desencadearam-se uma nova arte naval e uma nova arte náutica (através das quais foi descoberto o Novo Mundo e foram dilatados, com que maravilha!, os conhecimentos geográficos), novas observações astronômicas, uma nova cronologia, uma nova cosmografia, novos sistemas de mecânica, de física, de medicina, uma nova anatomia, uma nova alquimia – tão desejada por Galeno –, um novo método de cálculo aritmético tornado imensamente mais expedito, novas tecnologias bélicas, uma nova arquitetura, uma facilidade tão grande de produzir livros que chega a aviltá-los – tamanha é a abundância, que chega a fatigar. Como seria possível que de repente a natureza do gênio humano se tivesse esgotado, de modo que não pudéssemos esperar mais invenções, e igualmente valiosas?

Não; não vos deixeis abater pelo desânimo, ó nobres ouvintes, há ainda inúmeras coisas por descobrir, e quiçá maiores e melhores do que as que enumeramos. Hão de sair esplêndidos bens para toda a humanidade do imenso seio da natureza e da grande oficina das artes, bens que até agora permanecem desconhecidos porque a mente heróica ainda não lhes dirigiu as suas energias. Alexandre Magno, aportando ao Egito, com um só dos seus amplos olhares contemplou o istmo que divide o mar Vermelho do Mediterrâneo, ali onde neste último deságua o Nilo, e onde a África e a Ásia confluem, e considerou aquele local digno de que ali se fundasse em seu nome a cidade de Alexandria, que imediatamente se fez celebérrima pelo comércio com a África, a Ásia, a Europa e todo o mar Mediterrâneo, o Oceano

> *Percorrei vosso caminho por todos estes três mundos, o das coisas humanas, o das coisas naturais e o das eternas, e com a cultura e a erudição celebrai a natureza quase divina de vossas mentes.*

e as Índias. O sublime Galileu, ao observar o planeta Vênus falciforme como a lua, descobriu miraculosas verdades a respeito do sistema do universo. O grande Descartes observou a parábola de uma pedra lançada por uma funda e concebeu um novo sistema de física. Cristóvão Colombo sentiu na face a pressão do vento que soprava do Oceano ocidental e, valendo-se do argumento de Aristóteles segundo o qual os ventos nascem da terra, conjecturou que haveriam de existir outras terras além do Oceano. O grande Hugo Grócio concentrou-se em profundidade numa única frase de Lívio, "Há direitos da paz e outros da guerra", e publicou os maravilhosos livros *De Iure Belli et Pacis*, os quais, se deles se expurgassem algumas assertivas, poderiam merecidamente ser chamados incomparáveis.

Depois destes luminosos raciocínios, depois destes variadíssimos exemplos, dedicai-vos, ó rapazes nascidos para as metas mais altas e mais nobres, com a mente heróica e com o ânimo vasto ao estudo das letras; cultivai a sabedoria na sua integridade; aperfeiçoai o conhecimento humano universal; honrai a natureza quase divina das vossas mentes; ardei por Deus, do qual estais plenos; com espírito elevado ouvi, lede, meditai; enfrentai tarefas hercúleas e, erguendo-as sobre os ombros, provai com pleno direito a vossa divina origem do verdadeiro Júpiter, o maior, o mais perfeito; e assim tornar-vos-eis heróis, enriquecendo a humanidade com esplêndidos benefícios. Estes amplíssimos méritos diante de toda a sociedade humana vos aportarão sem dificuldade, nesta vossa república, riquezas, bens, honras, poder. Mas, se esses benefícios vierem a faltar, vós não restareis inertes: como Sêneca, de ânimo sereno, sem abatimentos, seguireis adiante. Se vierem, não os recusareis; se faltarem, não desanimareis, pois sabereis atribuí-los às vicissitudes da tola e rapaz Fortuna; pelo contrário, sentir-vos-eis sempre contentes com este divino e imortal benefício: que Deus, o maior e mais perfeito, de quem, como asseverávamos no início, nos vem a ordem de amar todos os homens, tenha eleito os melhores dentre vós para difundir a sua glória sobre a superfície da Terra.

....

Tradução de Marcelo Consentino e Henrique Elfes.

A versão original da dissertação pode ser encontrada em Giambattista Vico. Scritti Vari *(Laterza, 1940) disponível gratuitamente on-line em http://www.bibliotecaitaliana.it/exist/ScrittoriItalia//index.xml*

TWITTER, MODO DE USAR
por Ruy Goiaba

Certa vez, conversando com o poeta e tradutor Nelson Ascher, ouvi dele que concisão era um conceito relativo. "*Os Lusíadas*, por exemplo, são uma obra concisa. Já a grande maioria dos haicais dos poetas brasileiros tem três versos sobrando". Essa conversa foi numa era pré-Twitter – você sabe, o microblog que limita cada texto publicado a 140 caracteres. O que diria o Nelson hoje diante da proliferação gremliniana de milhões de textos com 140 caracteres sobrando, todos eles devidamente arquivados na Biblioteca do Congresso dos EUA?

Vejam bem, não estou reclamando da coisa em si. Escrevo no Twitter desde março de 2009, se a memória não me engana, e tenho me divertido bastante por lá – é um lugar em que La Rochefoucauld se sentiria à vontade, mas Fidel Castro não, o que talvez baste para justificar sua existência. E oferece, não raro, o mesmo clima aconchegante das paredes do banheiro da minha faculdade ali por volta de 1988, onde todos tuitávamos *avant la lettre* (posso assegurar a vocês que o conteúdo dos textos era essencialmente o mesmo).

Encaremos os fatos: vivemos num mundo em que aquilo que Robert Maynard Hutchins chamava de "Great Conversation" vem sendo, cada vez mais, substituído pela Grande Conversinha – extensa, recorrente, interminável. No Twitter, porém, dependendo de quem você segue, essa conversinha pode ser interessante – e, se a intenção é escrever bobagem, melhor que seja em 140 caracteres por vez do que num blog, onde textos ruinzinhos, muito ruins ou horríveis podem ter a extensão de uma *Divina Comédia* ("o ruim, se breve, é só meio ruim" – diria Baltasar Gracián, outro que talvez se desse bem tuitando).

Aqui vão, portanto, algumas das vantagens que vejo no microblog – a primeiríssima delas, claro, é o fato de que um texto como este não caberia lá. Espero que sirvam como dicas para você que está a fim de dar seus pitacos, palpites, opiniões inteiramente sem fundamento etc. na Grande Conversinha.

1. O Twitter dispensa a televisão

Palavra de honra: desde que comecei a tuitar, nunca mais precisei assistir a um jogo de futebol, o que era uma das raras utilidades da TV para mim. As pessoas narram as partidas para você. Elas contam em detalhes – e de graça – inclusive (ou sobretudo) aquilo que você não faz a menor questão de saber, como a camisa que o Faustão está usando, o mamilo que escapou do vestido da Susana Vieira ou TODOS os fascinantes diálogos entre os participantes do Big Brother Brasil. Na verdade, posso dizer que estou vendo mais televisão do que antes, ou lendo a "Caras" fora do consultório dentário – o que, presumo, invalida este item como "vantagem". Mas vamos em frente.

2. O Twitter dispensa o jornalismo

Não que ele não venha se tornando dispensável faz tempo. Mas o Twitter permite que você mesmo, cidadão comum, solte sua porção jornalista e grite, como o Bambi, "fogo na floresta!" a cada acontecimento que ache digno de nota. O que você escreveu será repetido – no jargão do microblog, "retuitado" – por centenas de outros Bambis. Como ninguém está mesmo muito interessado em saber o que provocou o fogo na floresta nem onde é a tal floresta nem se o incêndio aconteceu mesmo, você sentirá a mesma satisfação do autor de um furo de reportagem, com trabalho consideravelmente menor: peito inflado de orgulho, coração inebriado pelo poder das redes sociais. Fantástico, não?

3. Fala, que eu te escuto

O Twitter também cumpre uma função que antes se dividia entre psicanalistas, padres, CVV e Procon: ser a grande, infinita, incansável orelha para que o mundo reclame de absolutamente tudo. Os tuiteiros reclamam do frio, do calor, da instabilidade do tempo; do governo e da oposição; da programação da TV e das operadoras de celular; da "inclusão digital" e do preço da maquiagem; das suas vidinhas, do céu, da Terra e de tudo o que existe (ou não) entre um e outra. Naturalmente, reclamam também do hábito de reclamar no Twitter – o que os transforma imediatamente em comida de Ouroboros, aquela serpente que engole a própria cauda. Sim, reconheço a função terapêutica da Grande Orelha; só recomendo que ela seja apreciada com moderação.

4. Todo mundo pode ser humorista

No Twitter, NENHUM trocadilho é ruim ou infame o suficiente para que não seja publicado. Sei disso porque sou um especialista neles e, até agora, não fui banido do convívio com a sociedade, como seria razoável – ao contrário, arrisco-me a dizer que meus trocadilhos mais hediondos são os mais retuitados. Essa sensação de liberdade, de poder mandar o superego passear, obviamente tem sua contrapartida, que é ser obrigado a ler todo tipo de gente achando que tweet é microfone de palquinho de stand-up e *trying too hard*. Suponho que nem Oscar Wilde em seus dias de maior inspiração conseguisse ser espirituoso 24 horas por dia. Mesmo assim, há um pessoal que tenta – e, embora possa ser popular (*"un sot trouve toujours un plus sot qui l'admire"*), não é bonito.

5. O prazer de escrever feito retardado

Entre os humoristões do Twitter, há um subgênero particularmente notável, certamente influenciado por blogs/sites/fotologs como Misto Eleazar e Cersibon, que consiste em escrever como membro ativo (opa!) da comunidade "Sou da Apae". Admiro a autoconfiança: essa turma se considera sagaz a ponto de acreditar que é óbvio – ora essa – que escrevem assim de propósito. Mais ou menos como o machista que acha que sua credibilidade na praça é tanta que nem vestir baby-doll a colocaria em dúvida. Lamento dizer que, nos dois casos, estão enganados, e o risco de não conseguir voltar é considerável. (Como diria a sempre citável "cláusula Seinfeld": "Não que isso seja um problema!")

6. Tuíto, ergo sum

Há um acordo tácito, mas nem por isso menos influente, entre alguns tuiteiros: aquilo que não é tuitado simplesmente não aconteceu (*"tweets or it didn't happen"*). A "realidade consensual" é necessária, mas não suficiente: é preciso que as coisas tenham também existência tuítica. Assim, lá vai o tuiteiro anunciar cada passo que dá no Foursquare – essa ferramenta de grande utilidade para seqüestradores – e publicar a foto dos passos dados usando o Instagram (aplicativo que, por motivos alheios à minha compreensão, serve basicamente para as pessoas mostrarem ao mundo o que estão comendo).

O bom do Twitter é que você pode evitar todos esses comportamentos e, ainda assim, se divertir nele – exceto em tempo de eleições, quando até pessoas que você julgava sensatas se transformam em chefes de torcida organizada querendo partir o crânio dos oponentes. Nesse caso, fiz como Mercúcio: tuitei *"a plague o'both your houses!"*, morri um pouquinho e ressuscitei depois, em uma época mais amena. Afinal, *this is the way the world ends: not with a bang, but a tweet*.

Ruy Goiaba, 41, jornalista, atirou o pau no gato de Schrödinger, mas o gato não morreu/morreu/não morreu/morreu. Escreve no Twitter (twitter.com/mrguavaman) e é autor do blog puragoiaba.apostos.com.

251 GALERIA *por Daniel Faiad Barreto*

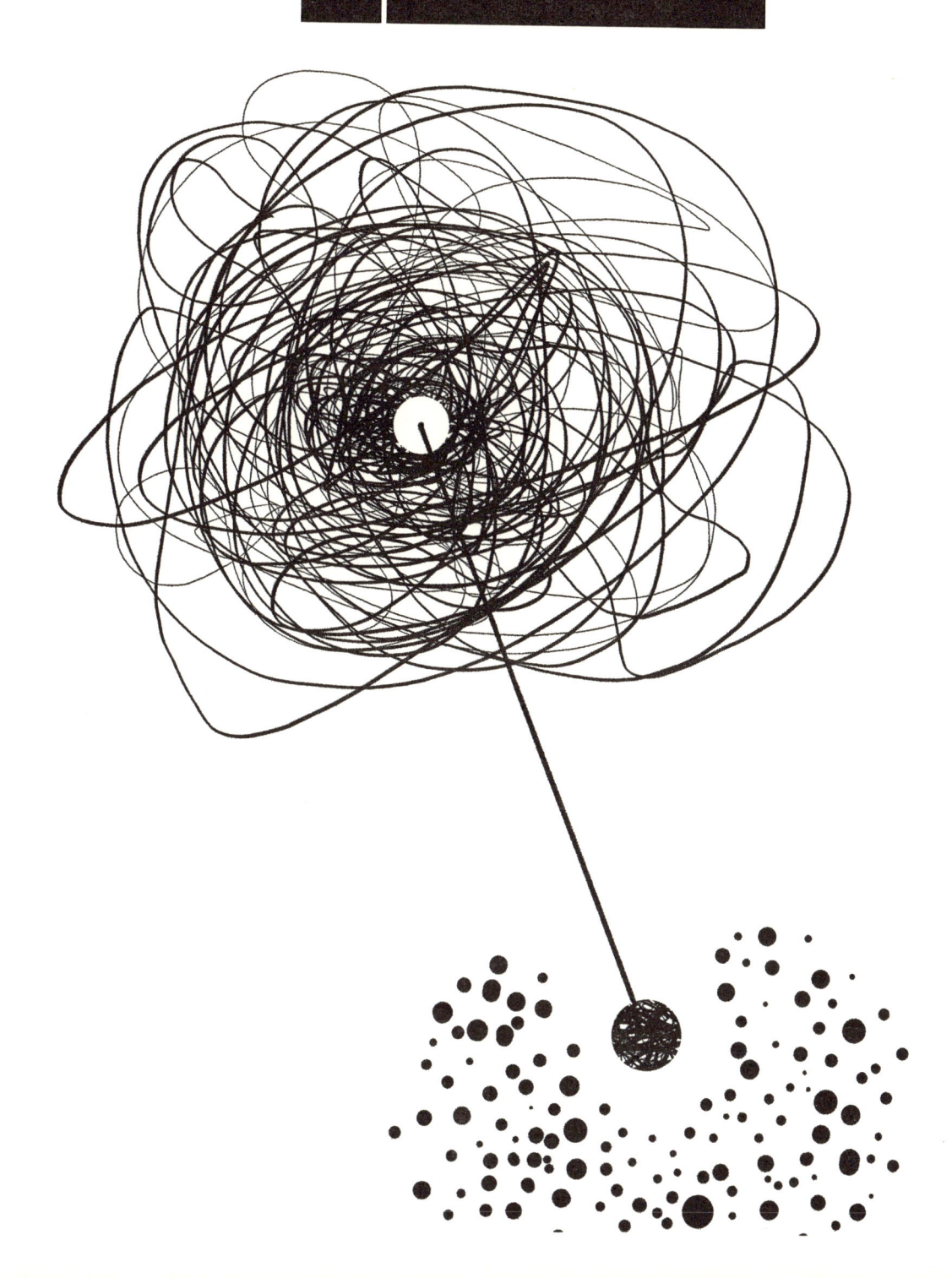

IFE

INSTITUTO DE
FORMAÇÃO E
EDUCAÇÃO